핀란드
4학년
수학 교과서

______ 초등학교 ____ 학년 ____ 반

이름 ______

Star Maths 4B : ISBN 978-951-1-32173-6

©2018 Katarina Asikainen, Päivi Kiviluoma, Kimmo Nyrhinen, Pirita Perälä, Pekka Rokka, Maria Salminen,
Timo Tapiainen, Päivi Vehmas and Otava Publishing Company Ltd., Helsinki, Finland
Korean Translation Copyright ©2022 Mind Bridge Publishing Company

QR코드를 스캔하면 놀이 수학
동영상을 보실 수 있습니다.

핀란드 4학년 수학 교과서 4-2 1권

초판 1쇄 발행 2022년 1월 10일
초판 2쇄 발행 2022년 12월 30일

지은이 파이비 키빌루오마, 킴모 뉘리넨, 피리타 페랄라, 페카 록카, 마리아 살미넨, 티모 타피아이넨
그린이 미리야미 만니넨　**옮긴이** 박문선　**감수** 이경희, 핀란드수학교육연구회
펴낸이 정혜숙　**펴낸곳** 마음이음

책임편집 이금정　**디자인** 디자인서가
등록 2016년 4월 5일(제2018-000037호)
주소 03925 서울시 마포구 월드컵북로 402, 9층 917A호(상암동, KGIT센터)
전화 070-7570-8869　**팩스** 0505-333-8869
전자우편 ieum2016@hanmail.net
블로그 https://blog.naver.com/ieum2018

ISBN 979-11-92183-07-7　64410
　　　 979-11-92183-06-0　(세트)

이 책의 내용은 저작권법의 보호를 받는 저작물이므로 무단전재와 복제를 금합니다.
책값은 뒤표지에 있습니다.

어린이제품안전특별법에 의한 제품표시
제조자명 마음이음　**제조국명** 대한민국　**사용연령** 만 10세 이상 어린이 제품
KC마크는 이 제품이 공통안전기준에 적합하였음을 의미합니다.

핀란드 4학년 수학 교과서

4-2

1권

글 파이비 키빌루오마, 킴모 뉘리넨, 피리타 페랄라,
  페카 록카, 마리아 살미넨, 티모 타피아이넨
그림 미리야미 만니넨
옮김 박문선
감수 이경희(전 수학 교과서 집필진), 핀란드수학교육연구회

마음이음

핀란드 학생들이 수학을 잘하고
수학 흥미도도 높은 비결은?

우리나라 학생들이 수학 학업 성취도가 세계적으로 높은 것은 자랑거리이지만 수학을 공부하는 시간이 다른 나라에 비해 많은 데다, 사교육에 의존하고, 흥미도가 낮은 건 숨기고 싶은 불편한 진실입니다. 이러한 측면에서 사교육 없이 공교육만으로 국제학업성취도평가(PISA)에서 상위권을 놓치지 않는 핀란드의 교육 비결이 궁금하지 않을 수가 없습니다. 더군다나 핀란드에서는 숙제도, 순위를 매기는 시험도 없어 학교에서 배우는 수학 교과서 하나만으로 수학을 온전히 이해해야 하지요. 과연 어떤 점이 수학 교과서 하나만으로 수학 성적과 흥미도 두 마리 토끼를 잡게 한 걸까요?

– 핀란드 수학 교과서는 수학과 생활이 동떨어진 것이 아닌 친밀한 것으로 인식하게 합니다. 그래서 시간, 측정, 돈 등 학생들은 다양한 방식으로 수학을 사용하고 응용하면서 소비, 교통, 환경 등 자신의 생활과 관련지으며 수학을 어려워하지 않습니다.

- 교과서 국제 비교 연구에서도 교과서의 삽화가 학생들의 흥미도를 결정하는 데 중요한 역할을 한다고 했습니다. 핀란드 수학 교과서의 삽화는 수학적 개념과 문제를 직관적으로 쉽게 이해하도록 구성하여 학생들의 흥미를 자극하는 데 큰 역할을 하고 있습니다.

- 핀란드 수학 교과서는 또래 학습을 통해 서로 가르쳐 주고 배울 수 있도록 합니다. 교구를 활용한 놀이 수학, 조사하고 토론하는 탐구 과제는 수학적 의사소통 능력을 향상시키고 자기 주도적인 학습 능력을 길러 줍니다.

- 핀란드 수학 교과서는 창의성을 자극하는 문제를 풀게 합니다. 답이 여러 가지 형태로 나올 수 있는 문제, 스스로 문제 만들고 풀기를 통해 짧은 시간에 많은 문제를 푸는 것이 아닌 시간이 걸리더라도 사고하며 수학을 하도록 합니다.

- 핀란드 수학 교과서는 코딩 교육을 수학과 연계하여 컴퓨팅 사고와 문제 해결을 돕는 다양한 활동을 담고 있습니다. 코딩의 기초는 수학에서 가장 중요한 논리와 일맥상통하기 때문입니다.

핀란드는 국정 교과서가 아닌 자율 발행제로 학교마다 교과서를 자유롭게 선정합니다. 마음이음에서 출판한 『핀란드 수학 교과서』는 핀란드 초등학교 2190개 중 1320곳에서 채택하여 수학 교과서로 사용하고 있습니다. 또한 이웃한 나라 스웨덴에서도 출판되어 교과서 시장을 선도하고 있지요.

코로나로 인한 온라인 수업으로 학습 격차가 커지고 있습니다. 다행히 『핀란드 수학 교과서』는 우리나라 수학 교육 과정을 다 담고 있으며 부모님 가이드도 있어 가정 학습용으로 좋습니다. 자기 주도적인 학습이 가능한 『핀란드 수학 교과서』는 학업 성취와 흥미를 잡는 해결책이 될 수 있을 것으로 기대합니다.

이경희(전 수학 교과서 집필진)

수학은 흥미를 끄는 다양한 경험과 스스로 공부하려는 학습 동기가 있어야 좋은 결과를 얻을 수 있습니다. 국내에 많은 문제집이 있지만 대부분 유형을 익히고 숙달하는 데 초점을 두고 있으며, 세분화된 단계로 복잡하고 심화된 문제들을 다룹니다. 이는 학생들이 수학에 흥미나 성취감을 갖는 데 도움이 되지 않습니다.

공부에 대한 스트레스 없이도 국제학업성취도평가에서 높은 성과를 내는 핀란드의 교육 제도는 국제 사회에서 큰 주목을 받아 왔습니다. 이번에 국내에 소개되는 『핀란드 수학 교과서』는 스스로 공부하는 학생을 위한 최적의 학습서입니다. 다양한 실생활 소재와 풍부한 삽화, 배운 내용을 반복하여 충분히 익힐 수 있도록 구성되어 학생이 흥미를 갖고 스스로 탐구하며 수학에 대한 재미를 느낄 수 있을 것으로 기대합니다.

전국수학교사모임

수학 학습을 접하는 시기는 점점 어려지고, 학습의 양과 속도는 점점 많아지고 빨라지는 추세지만 학생들을 지도하는 현장에서 경험하는 아이들의 수학 문제 해결력은 점점 하향화되는 추세입니다. 이는 학생들이 흥미와 호기심을 유지하며 수학 개념을 주도적으로 익히고 사고하는 경험과 습관을 형성하여 수학적 문제 해결력과 사고력을 신장하여야 할 중요한 시기에, 빠른 진도와 학습량을 늘리기 위해 수동적으로 설명을 듣고 유형 중심의 반복적 문제 해결에만 집중한 결과라고 생각합니다.

『핀란드 수학 교과서』를 통해 흥미와 호기심을 유지하며 수학 개념을 스스로 즐겁게 내재화하고, 이를 창의적으로 적용하고 활용하는 수학 학습 태도와 습관이 형성된다면 학생들이 수학에 쏟는 노력과 시간이 높은 수준의 창의적 문제 해결력이라는 성취로 이어질 것입니다.

손재호(KAGE영재교육학술원 동탄본원장)

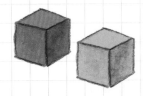

「핀란드 수학 교과서(Star Maths)」 시리즈를 펴낸 오타바(Otava) 출판사는 교재 전문 출판사로 120년이 넘는 역사를 지닌 명실상부한 핀란드의 대표 출판사입니다. 특히 「Star Maths」 시리즈는 핀란드 학교 현장의 수학 전문가들이 최신 핀란드 국립교육과정을 반영하여 함께 개발한 핀란드의 대표 수학 교과서입니다.

수 개념과 십진법을 이해하기 위한 탄탄한 기반을 제공하여 연산 능력을 키우고, 기본, 응용, 심화 문제 등 학생 개개인의 학습 차이를 다각도에서 고려하여 다양한 평가 문제를 실었습니다. 또한 친구 또는 부모님과 함께 놀이를 통해 문제 해결을 하며 수학적 즐거움을 발견하여 수학에 대한 긍정적인 태도를 갖도록 합니다.

한국의 학생들이 이 책과 함께 즐거운 수학 세계로 여행을 떠나길 바랍니다.

파이비 키빌루오마, 킴모 뉘리넨, 피리타 페랄라, 페카 록카,
마리아 살미넨, 티모 타피아이넨(STAR MATHS 공동 저자)

핀란드 수학 교과서, 왜 특별할까?
- 수학과 연계하여 컴퓨팅 사고와 문제 해결력을 키워 줘요.
- 교구를 활용한 놀이를 통해 수학 개념을 이해시켜요.

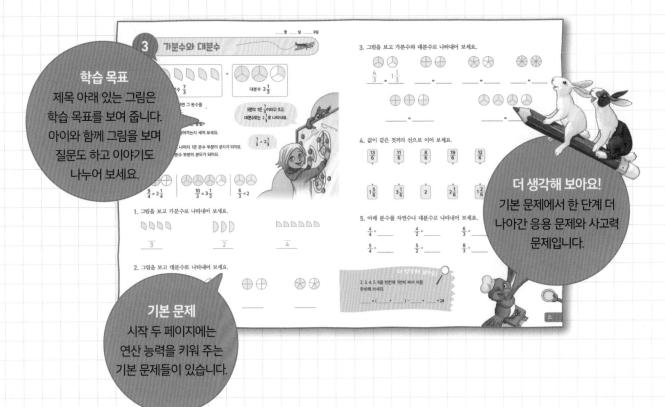

학습 목표
제목 아래 있는 그림은 학습 목표를 보여 줍니다. 아이와 함께 그림을 보며 질문도 하고 이야기도 나누어 보세요.

더 생각해 보아요!
기본 문제에서 한 단계 더 나아간 응용 문제와 사고력 문제입니다.

기본 문제
시작 두 페이지에는 연산 능력을 키워 주는 기본 문제들이 있습니다.

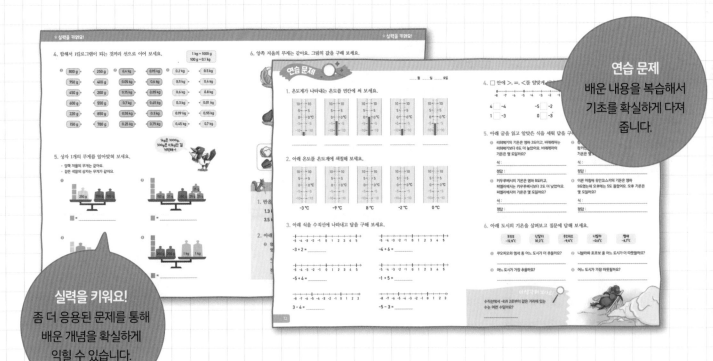

연습 문제
배운 내용을 복습해서 기초를 확실하게 다져 줍니다.

실력을 키워요!
좀 더 응용된 문제를 통해 배운 개념을 확실하게 익힐 수 있습니다.

수학적 이야기가 풍부한 그림으로 수학 학습에 영감을 불어넣어요.

수학적 구조를 발견하고 이해하게 하여 수학 공식을 암기할 필요가 없어요.

연산, 서술형, 응용과 심화, 사고력 문제가 한 권에 모두 들어 있어요.

단원 정리
꼭 알아야 할 핵심 내용을 정리하였습니다.

심화 문제
기본 문제를 모두 이해한 아이가 도전해 볼 수 있는 난이도 있는 문제로 구성하였습니다.

놀이 수학
주사위, 활동지 등 간단한 준비물을 사용해 부모님 또는 친구와 함께 놀이를 하며 수학에 대한 흥미를 키울 수 있습니다.

탐구 과제
스스로 탐구하고 조사하며 수학 개념을 내 것으로 만들 수 있습니다.

차례

1 분수와 자연수

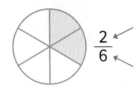

$\dfrac{2}{6}$ ← 분자
← 분모

- 분모는 전체가 몇 부분으로 나누어져 있는지를 보여 줘요.
- 분자는 전체 중 몇 부분이 선택되었는지를 보여 줘요.

<분모가 같은 분수의 대소 비교>
- 분자가 작을수록 더 작은 수예요.
- 분자가 클수록 더 큰 수예요.

$\dfrac{1}{1} = 1$ $\dfrac{2}{2} = 1$ $\dfrac{3}{3} = 1$ $\dfrac{4}{4} = 1$

- 분자와 분모가 같을 때 분수는 1과 같으며 이는 전체를 나타내요.

분모가 같은 분수끼리는 크기 비교가 쉬워요.

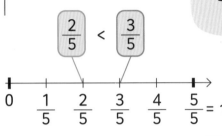

1. 주어진 분수만큼 색칠해 보세요.

$\dfrac{2}{6}$ $\dfrac{3}{5}$ $\dfrac{7}{10}$

$\dfrac{5}{100}$ 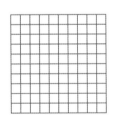 $\dfrac{13}{100}$ 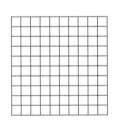 $\dfrac{80}{100}$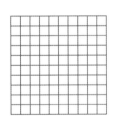

2. 전체에 대해 색칠한 부분을 분수로 나타내어 보세요.

 _____   _____   _____

 _____    _____   _____   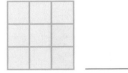 _____   _____

3. 수직선의 빈칸에 알맞은 분수를 써넣어 보세요.

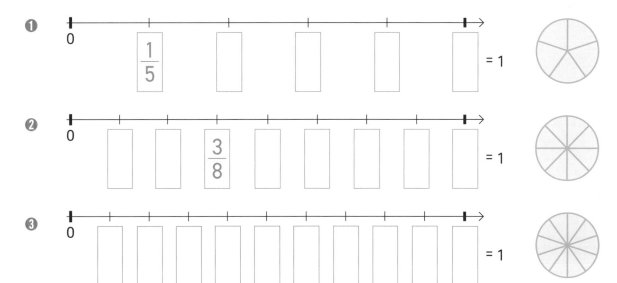

❶

$\dfrac{1}{5}$　　　　　　　　= 1

❷

$\dfrac{3}{8}$　　　　　　　　= 1

❸

= 1

4. □ 안에 >, =, <를 알맞게 써넣어 보세요.

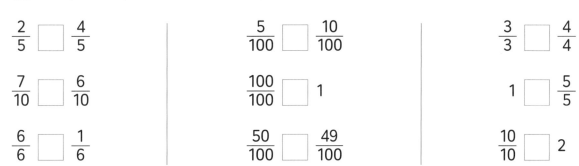

$\dfrac{2}{5}$ □ $\dfrac{4}{5}$　　　　　$\dfrac{5}{100}$ □ $\dfrac{10}{100}$　　　　　$\dfrac{3}{3}$ □ $\dfrac{4}{4}$

$\dfrac{7}{10}$ □ $\dfrac{6}{10}$　　　　$\dfrac{100}{100}$ □ 1　　　　　1 □ $\dfrac{5}{5}$

$\dfrac{6}{6}$ □ $\dfrac{1}{6}$　　　　$\dfrac{50}{100}$ □ $\dfrac{49}{100}$　　　　$\dfrac{10}{10}$ □ 2

더 생각해 보아요!

연필을 떼지 말고 아래 도형을 이어서 그려
보세요. 한 번 지나간 선은 다시 지나갈 수 없어요.

5. 아래 분수에 해당하는 알파벳을 ☐ 안에 쓰고 메시지를 읽어 보세요.

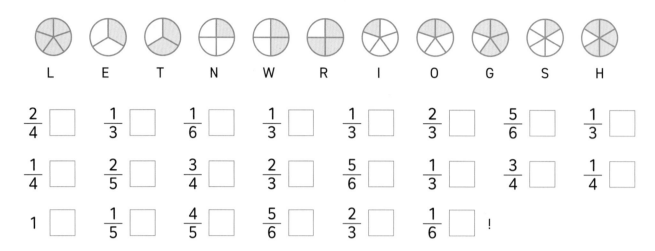

$\frac{2}{4}$ ☐ $\frac{1}{3}$ ☐ $\frac{1}{6}$ ☐ $\frac{1}{3}$ ☐ $\frac{1}{3}$ ☐ $\frac{2}{3}$ ☐ $\frac{5}{6}$ ☐ $\frac{1}{3}$ ☐

$\frac{1}{4}$ ☐ $\frac{2}{5}$ ☐ $\frac{3}{4}$ ☐ $\frac{2}{3}$ ☐ $\frac{5}{6}$ ☐ $\frac{1}{3}$ ☐ $\frac{3}{4}$ ☐ $\frac{1}{4}$ ☐

1 ☐ $\frac{1}{5}$ ☐ $\frac{4}{5}$ ☐ $\frac{5}{6}$ ☐ $\frac{2}{3}$ ☐ $\frac{1}{6}$ ☐ !

6. 칩이 무엇을 찾고 있을까요? 지금 있는 곳과 다른 도형 쪽으로 움직이면서 길을 따라가다 보면 칩이 무엇을 찾는지 알 수 있어요.

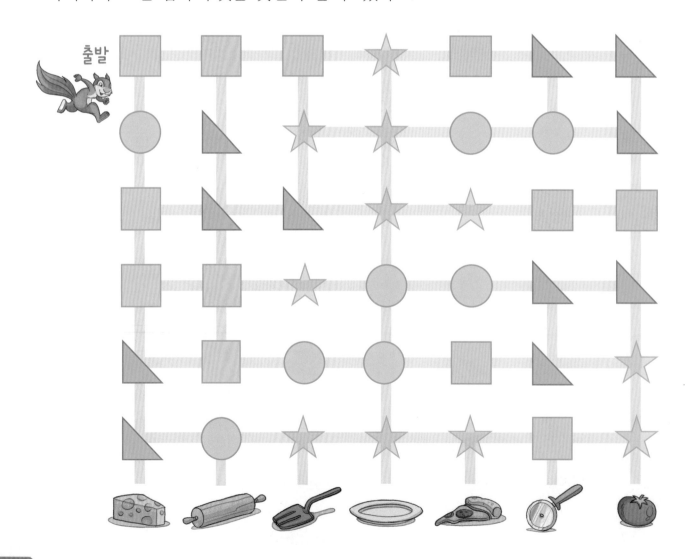

7. 아래 글을 읽고 질문에 답해 보세요.

❶ 엠마는 주스의 $\frac{1}{3}$을 마셨어요. 패트릭은 남은 주스의 $\frac{1}{2}$을 마셨어요. 패트릭이 마신 주스의 양은 얼마일까요?

정답 : _____

❷ 알렉은 주스의 $\frac{1}{2}$을 마셨어요. 에이샤는 남은 주스의 $\frac{1}{3}$을 마셨어요. 에이샤가 마신 주스의 양은 얼마일까요?

정답 : _____

8. 아래 설명대로 바둑판에 X표 해 보세요.

• 각 세로선에 X가 1개씩 있어요.
• 각 가로선에 X가 1개씩 있어요.
• 대각선으로 X가 2개 있으면 안 돼요.

2칸, 3칸, 4칸, 5칸, 6칸짜리 대각선을 모두 생각해 보세요.

1회

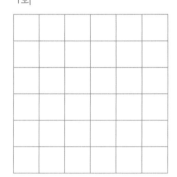

2회

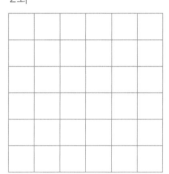

3회

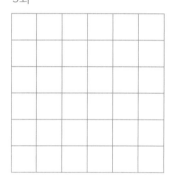

 한 번 더 연습해요!

1. 전체에 대해 색칠한 부분을 분수로 나타내어 보세요.

 _____

 _____

 _____

2. □ 안에 >, =, <를 알맞게 써넣어 보세요.

$\frac{4}{7}$ □ $\frac{5}{7}$

$\frac{8}{10}$ □ $\frac{1}{10}$

$\frac{9}{9}$ □ 1

$\frac{12}{12}$ □ $\frac{11}{12}$

$\frac{10}{100}$ □ $\frac{20}{100}$

$\frac{5}{5}$ □ $\frac{7}{7}$

2 대분수

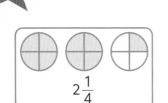

2$\frac{1}{4}$은 대분수예요.
"2와 4분의 1"이라고
읽어요.

<대분수의 크기 비교>
- 자연수 부분을 먼저 비교해요.
- 자연수 부분이 같다면 분수 부분을 비교해요.

0   1   2 2$\frac{1}{4}$ 3

2$\frac{1}{4}$

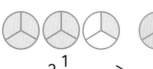

2$\frac{1}{3}$ >   1$\frac{2}{3}$

- 2$\frac{1}{4}$은 자연수 부분인 2와 분수 부분인 $\frac{1}{4}$로 이루어져 있어요.

자연수 부분 → 2$\frac{1}{4}$ ← 분수 부분

1$\frac{2}{5}$ <   1$\frac{4}{5}$

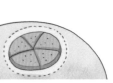

1. 아래 글을 읽고 알맞은 대분수를 빈칸에 써넣어 보세요.

❶ 자연수 부분 1과 분수 부분 $\frac{3}{10}$

❷ 자연수 부분 2와 분수 부분 $\frac{7}{100}$

_____   _____

2. 같은 것끼리 선으로 이어 보세요.

2$\frac{1}{6}$ •   • 자연수 부분 1과 분수 부분 $\frac{3}{4}$ •

1$\frac{2}{3}$ •   • 자연수 부분 2와 분수 부분 $\frac{1}{3}$ •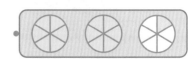

2$\frac{3}{4}$ •   • 자연수 부분 2와 분수 부분 $\frac{1}{6}$ •

1$\frac{3}{4}$ •   • 자연수 부분 1과 분수 부분 $\frac{2}{3}$ •

2$\frac{1}{3}$ •   • 자연수 부분 2와 분수 부분 $\frac{3}{4}$ •

3. 아래 조건에 맞는 대분수를 빈칸에 쓰고 색칠해 보세요.

❶ 자연수 부분 1과 분수 부분 $\frac{1}{3}$ ❷ 자연수 부분 2와 분수 부분 $\frac{1}{2}$ ❸ 자연수 부분 1과 분수 부분 $\frac{2}{4}$

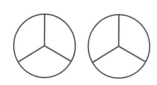  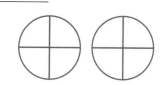

4. 아래 그림이 나타내는 분수를 수직선에서 찾아 선을 이은 후, ☐ 안에 >, =, < 를 알맞게 써넣어 보세요.

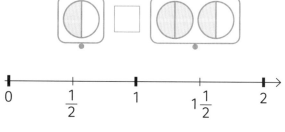

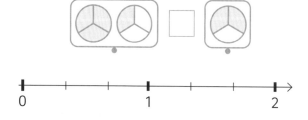

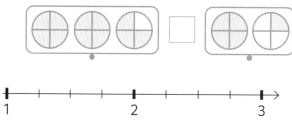

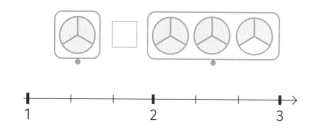

5. ☐ 안에 >, =, <를 알맞게 써넣어 보세요.

$\frac{4}{4}$ ☐ $\frac{3}{4}$ $2\frac{3}{4}$ ☐ $1\frac{3}{4}$ $\frac{6}{6}$ ☐ $1\frac{2}{6}$

$\frac{3}{5}$ ☐ $\frac{4}{5}$ $3\frac{1}{3}$ ☐ $3\frac{2}{3}$ $2\frac{1}{5}$ ☐ $\frac{1}{5}$

🔍 **더 생각해 보아요!**

식이 성립하도록 성냥개비 1개를
움직여 보세요. 옮길 성냥개비에 X표
해 보세요. 2가지 답을 생각해 보세요.

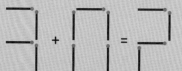

6. 대분수 또는 자연수 쪽으로 길을 따라가 보세요. 칩이 무엇을 찾았나요?

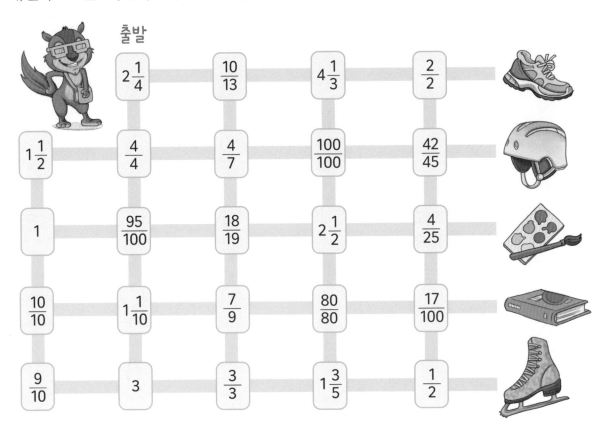

7. 아래 글을 읽고 질문에 답해 보세요. 1시간은 60분이에요.

❶ 케이트는 16시에 시작해서 $\frac{1}{2}$시간 동안 독서를 했어요. 케이트가 독서를 마친 시각은 몇 시일까요?

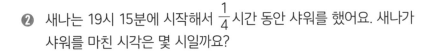

❷ 새나는 19시 15분에 시작해서 $\frac{1}{4}$시간 동안 샤워를 했어요. 새나가 샤워를 마친 시각은 몇 시일까요?

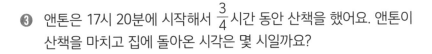

❸ 앤톤은 17시 20분에 시작해서 $\frac{3}{4}$시간 동안 산책을 했어요. 앤톤이 산책을 마치고 집에 돌아온 시각은 몇 시일까요?

_____

❹ 아이리스는 18시 10분에 시작해서 $1\frac{1}{3}$시간 동안 자전거를 탔어요. 아이리스가 자전거 타기를 마치고 집에 돌아온 시각은 몇 시일까요?

_____

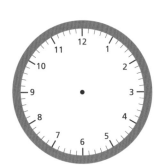

8. 그림을 보고 문제의 답을 구한 후, 정답을 애벌레에서 찾아 ◯표 해 보세요.

❶

3의 절반은? _____

❷

$2\frac{4}{6}$의 절반은? _____

❸

$2\frac{2}{4}$의 절반은? _____

❹

$2\frac{1}{2}$의 절반은? _____

❺

$\frac{4}{5}$의 절반은? _____

❻

$\frac{1}{3}$의 절반은? _____

$\frac{2}{3}$ $\frac{2}{5}$ $\frac{1}{6}$ $1\frac{1}{2}$ $1\frac{1}{4}$ $1\frac{1}{4}$ $1\frac{1}{6}$ $1\frac{2}{6}$

한 번 더 연습해요!

1. 아래 그림에 해당하는 대분수를 빈칸에 써 보세요.

_____

_____

_____

2. ☐ 안에 >, =, <를 알맞게 써넣어 보세요.

$2\frac{3}{4}$ ☐ $1\frac{3}{4}$ $4\frac{1}{5}$ ☐ $4\frac{3}{5}$ $\frac{8}{8}$ ☐ $1\frac{1}{8}$

$4\frac{2}{7}$ ☐ $5\frac{2}{7}$ $3\frac{4}{5}$ ☐ $3\frac{3}{5}$ $\frac{1}{2}$ ☐ $1\frac{1}{2}$

3 가분수와 대분수

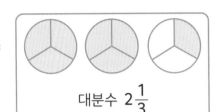

가분수 $\frac{7}{3}$ = 대분수 $2\frac{1}{3}$

- 분수의 분자가 분모보다 크면 그 분수를 대분수로 나타낼 수 있어요.

<가분수 $\frac{7}{3}$ 을 대분수 $2\frac{1}{3}$ 로 바꾸는 방법>

- 분모 3이 분자 7에 몇 개 들어가는지 세어 보세요.
  (7 ÷ 3 = 2, 나머지 1)
- 2가 자연수 부분이 되고, 나머지 1은 분수 부분의 분자가 되어요.
- $\frac{7}{3}$ 의 분모 3은 그대로 분수 부분의 분모가 되어요.

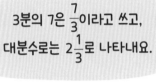

3분의 7은 $\frac{7}{3}$ 이라고 쓰고, 대분수로는 $2\frac{1}{3}$ 로 나타내요.

$\frac{7}{3} = 2\frac{1}{3}$

<보기>

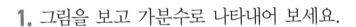

$\frac{9}{4} = 2\frac{1}{4}$ | $\frac{10}{3} = 3\frac{1}{3}$ | $\frac{6}{3} = 2$

1. 그림을 보고 가분수로 나타내어 보세요.

$\frac{\quad}{3}$ $\frac{\quad}{2}$ $\frac{\quad}{4}$

2. 그림을 보고 대분수로 나타내어 보세요.

$1\frac{1}{2}$

3. 그림을 보고 가분수와 대분수로 나타내어 보세요.

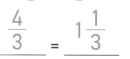 $\dfrac{4}{3}$ = $1\dfrac{1}{3}$ _____ = _____ _____ = _____ _____ = _____

_____ = _____   _____ = _____

4. 값이 같은 것끼리 선으로 이어 보세요.

$\dfrac{13}{6}$ $\dfrac{11}{6}$ $\dfrac{8}{6}$ $\dfrac{19}{6}$ $\dfrac{12}{6}$

$1\dfrac{5}{6}$ $3\dfrac{1}{6}$ 2 $2\dfrac{1}{6}$ $1\dfrac{2}{6}$

5. 아래 분수를 자연수나 대분수로 나타내어 보세요.

$\dfrac{4}{4}$ = _____ $\dfrac{4}{2}$ = _____ $\dfrac{6}{3}$ = _____

$\dfrac{5}{4}$ = _____ $\dfrac{5}{2}$ = _____ $\dfrac{8}{3}$ = _____

더 생각해 보아요!

2, 3, 4, 5, 6을 빈칸에 1번씩 써서 식을
완성해 보세요.

_____ × (_____ + _____) − _____ × _____ = 28

6. 아래 설명대로 색칠해 보세요.

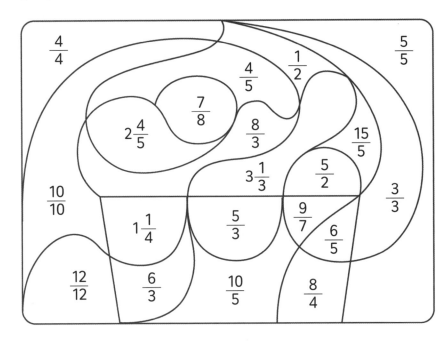

7. 저울은 모두 수평이에요. 마지막 저울의 상자에 알맞은 수를 써넣어 보세요.

8. 아래 글을 읽고 질문에 답해 보세요. 1시간은 60분이에요.

❶ 윌리엄은 $1\frac{1}{2}$시간 동안 놀았어요. 윌리엄이 논 시간은 몇 분일까요?

—————————

❷ 샌디는 $1\frac{3}{4}$시간 동안 운동했어요. 샌디가 운동한 시간은 몇 분일까요?

—————————

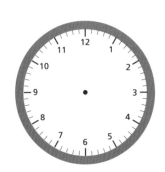

❸ 스코티는 $\frac{5}{4}$시간 동안 기차를 탔어요. 스코티가 기차를 탄 시간은 몇 분일까요?

—————————

9. 아래 글을 읽고 수직선 위의 점이 누구의 것인지 알아본 후, 해당하는 수를 그림의 빈칸에 써넣어 보세요.

에디   마가렛   잉가   세라타   알렉스

- 잉가의 수는 에디의 수보다 $\frac{2}{4}$ 더 커요.
- 마가렛의 수는 에디의 수보다 1 작아요.
- 세라타의 수는 알렉스의 수보다 커요.

 한 번 더 연습해요!

1. 아래 그림을 보고 가분수와 대분수로 나타내어 보세요.

_____ = _____   _____ = _____   _____ = _____

2. 아래 분수를 자연수로 나타내어 보세요.

$\frac{3}{3}$ = _____ $\frac{10}{5}$ = _____ $\frac{8}{2}$ = _____

3. 아래 분수를 대분수로 나타내어 보세요.

$\frac{5}{3}$ = _____ $\frac{12}{5}$ = _____ $\frac{9}{2}$ = _____

$\frac{11}{5}$ = _____ $\frac{13}{4}$ = _____ $\frac{11}{2}$ = _____

4 분모가 같은 분수의 덧셈과 뺄셈

<덧셈>

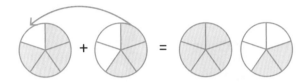

$$\frac{4}{5} + \frac{3}{5} = \frac{7}{5} = 1\frac{2}{5}$$

분모가 같은 분수를 더할 때
분모는 그대로 두고 분자끼리 더하세요.

<뺄셈>

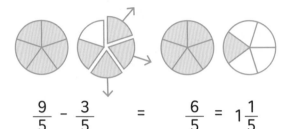

$$\frac{9}{5} - \frac{3}{5} = \frac{6}{5} = 1\frac{1}{5}$$

분모가 같은 분수끼리 뺄 때
분모는 그대로 두고 큰 분자에서
작은 분자를 빼세요.

계산한 후 분자가 분모보다 크면 자연수나 대분수로 바꾸어 주면 되어요.

<보기>

$$\frac{4}{9} + \frac{1}{9} = \frac{5}{9} \quad \Big| \quad \frac{6}{11} - \frac{2}{11} = \frac{4}{11} \quad \Big| \quad \frac{8}{3} - \frac{2}{3} = \frac{6}{3} = 2 \quad \Big| \quad \frac{5}{6} + \frac{8}{6} = \frac{13}{6} = 2\frac{1}{6}$$

1. 계산해 보세요.

$$\frac{1}{6} + \frac{1}{6} = \underline{\hspace{2cm}}$$

$$\frac{7}{10} + \frac{2}{10} = \underline{\hspace{2cm}}$$

$$\frac{1}{4} + \frac{2}{4} = \underline{\hspace{2cm}}$$

2. 계산한 후, 정답을 애벌레에서 찾아 ○표 해 보세요.

$$\frac{7}{9} + \frac{1}{9} = \underline{\hspace{2cm}}$$

$$\frac{1}{10} + \frac{2}{10} = \underline{\hspace{2cm}}$$

$$\frac{3}{100} + \frac{6}{100} = \underline{\hspace{2cm}}$$

$$\frac{2}{8} + \frac{5}{8} = \underline{\hspace{2cm}}$$

$$\frac{8}{15} + \frac{4}{15} = \underline{\hspace{2cm}}$$

$$\frac{80}{100} + \frac{7}{100} = \underline{\hspace{2cm}}$$

$$\frac{6}{8} \qquad \frac{7}{8} \qquad \frac{8}{9} \qquad \frac{3}{10} \qquad \frac{12}{15} \qquad \frac{9}{100} \qquad \frac{75}{100} \qquad \frac{87}{100}$$

3. 계산해 보세요.

$$\frac{5}{8} - \frac{4}{8} = \underline{\hspace{2cm}}$$

$$\frac{5}{7} - \frac{2}{7} = \underline{\hspace{2cm}}$$

$$\frac{7}{10} - \frac{4}{10} = \underline{\hspace{2cm}}$$

4. 계산한 후, 정답을 애벌레에서 찾아 ○표 해 보세요.

$$\frac{2}{3} - \frac{1}{3} = \underline{\hspace{2cm}} \qquad \frac{9}{10} - \frac{8}{10} = \underline{\hspace{2cm}} \qquad \frac{9}{100} - \frac{8}{100} = \underline{\hspace{2cm}}$$

$$\frac{6}{7} - \frac{3}{7} = \underline{\hspace{2cm}} \qquad \frac{7}{12} - \frac{2}{12} = \underline{\hspace{2cm}} \qquad \frac{99}{100} - \frac{9}{100} = \underline{\hspace{2cm}}$$

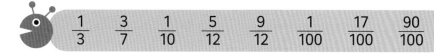

$$\frac{1}{3} \qquad \frac{3}{7} \qquad \frac{1}{10} \qquad \frac{5}{12} \qquad \frac{9}{12} \qquad \frac{1}{100} \qquad \frac{17}{100} \qquad \frac{90}{100}$$

5. 계산한 후, 자연수나 대분수로 나타내어 보세요. 그리고 정답을 애벌레에서 찾아 ○표 해 보세요.

$$\frac{4}{5} + \frac{6}{5} = \underline{\hspace{3cm}} \qquad\qquad \frac{6}{4} + \frac{5}{4} = \underline{\hspace{3cm}}$$

$$\frac{10}{7} - \frac{2}{7} = \underline{\hspace{3cm}} \qquad\qquad \frac{8}{5} - \frac{3}{5} = \underline{\hspace{3cm}}$$

6. 아래 글을 읽고 알맞은 식을 세워 답을 구한 후, 정답을 애벌레에서 찾아 ○표 해 보세요.

❶ 아빠는 야채 피자의 $\frac{2}{5}$를 먹고, 햄 피자의 $\frac{4}{5}$를 먹었어요. 아빠가 먹은 피자의 양은 얼마일까요?

식 : _____

정답 : _____

❷ 세라는 전체 피자의 $\frac{2}{7}$를 먹었어요. 남은 피자의 양은 얼마일까요?

식 : _____

정답 : _____

더 생각해 보아요!

요안나는 8유로를 가지고 있어요. 앤은 요안나가 가진 돈의 $\frac{1}{2}$배만큼 더 가지고 있어요. 앤이 가진 돈은 얼마일까요?

_____

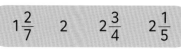

$$\frac{5}{7} \qquad 1 \qquad 1\frac{1}{5} \qquad 1\frac{1}{7}$$

$$1\frac{2}{7} \qquad 2 \qquad 2\frac{3}{4} \qquad 2\frac{1}{5}$$

7. 아래 글을 읽고 빈칸을 완성해 보세요.

❶ 가로줄과 세로줄을 모두 합하면 $\frac{13}{15}$ 이에요. 모든 분수의 분모는 15예요.

	$\frac{4}{15}$	$\frac{8}{15}$
$\frac{6}{15}$		
		$\frac{2}{15}$

❷ 가로줄과 세로줄을 모두 합하면 $1\frac{1}{10}$ 이에요. 모든 분수의 분모는 10이에요.

	$\frac{2}{10}$	$\frac{6}{10}$
		$\frac{4}{10}$
	$\frac{6}{10}$	

8. 아래 글을 읽고 질문에 답해 보세요. 피자 토핑 2가지를 고를 수 있어요. 괄호 안의 알파벳을 사용하여 쓰세요.

햄(H)	참치(T)	파인애플(P)
살라미(S)	피망(B)	

❶ 피자 토핑 2가지를 올려서 만들 수 있는 피자를 모두 써 보세요.

_____

_____

❷ 토핑이 2가지 올라가는 피자를 몇 가지 만들 수 있을까요?

_____

9. 삼각형 각 변의 합이 주어진 수가 되도록 1, 2, 3, 4, 5, 6을 빈칸에 알맞게 써넣어 보세요.

❶ 각 변의 합은 9

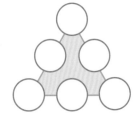

❷ 각 변의 합은 10

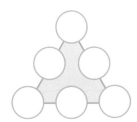

10. 어떤 수인지 알아맞혀 보세요.

❶ 에반의 수를 합하면 $\frac{5}{6}$ 이고, 빼면 $\frac{1}{6}$ 이에요.

❷ 앤디의 수를 합하면 1이고, 빼면 $\frac{3}{5}$ 이에요.

❸ 메리의 수를 합하면 $1\frac{1}{4}$ 이고, 빼면 $\frac{3}{4}$ 이에요.

에반의 수 _____, _____

앤디의 수 _____, _____

메리의 수 _____, _____

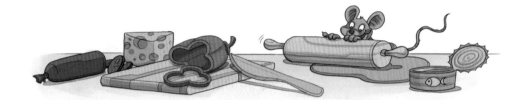

한 번 더 연습해요!

1. 계산해 보세요.

$\frac{1}{6} + \frac{4}{6} =$ _____

$\frac{6}{8} + \frac{1}{8} =$ _____

$\frac{3}{10} + \frac{7}{10} =$ _____

$\frac{4}{5} - \frac{2}{5} =$ _____

$\frac{5}{6} - \frac{4}{6} =$ _____

$\frac{7}{10} - \frac{5}{10} =$ _____

2. 계산한 후 대분수로 나타내어 보세요.

$\frac{2}{4} + \frac{3}{4} =$ _____

$\frac{8}{10} + \frac{5}{10} =$ _____

$\frac{9}{5} - \frac{2}{5} =$ _____

$\frac{12}{8} - \frac{1}{8} =$ _____

3. 아래 글을 읽고 알맞은 식을 세워 답을 구해 보세요.

❶ 야채 피자의 $\frac{5}{8}$ 가 남았는데, 레오가 $\frac{2}{8}$ 를 먹었어요. 남은 피자의 양은 얼마일까요?

❷ 힐다는 햄 피자의 $\frac{3}{7}$ 을 먹고, 살라미 피자의 $\frac{4}{7}$ 를 먹었어요. 힐다가 먹은 피자의 양은 모두 얼마일까요?

식 : _____

식 : _____

정답 : _____

정답 : _____

5 약분

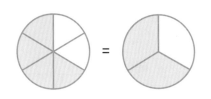

$$\frac{4^{(2}}{6} = \frac{4 \div 2}{6 \div 2} = \frac{2}{3}$$

약분하는 수
$$\frac{4^{(2}}{6} = \frac{2}{3}$$

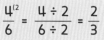

손가락으로 가리키는 2가지 방법을 모두 알아 두세요.

- 약분은 분자와 분모를 0이 아닌 같은 수로 나누는 것을 말해요.
- 약분하더라도 분수의 크기에는 변함이 없어요.
- 약분하는 수는 분자와 분모 모두 나머지 없이 나눌 수 있는 공통의 수를 말해요.
- 약분하는 수는 분수의 오른쪽 위에 표시해요.

약분한 결과

$$\frac{8}{9} - \frac{2}{9} = \frac{6^{(3}}{9} = \frac{2}{3} \qquad \frac{5}{9} + \frac{7}{9} = \frac{12^{(3}}{9} = \frac{4}{3} = 1\frac{1}{3} \qquad \frac{5}{9} + \frac{7}{9} = \frac{12}{9} = 1\frac{3^{(3}}{9} = 1\frac{1}{3}$$

- 계산한 후 약분이 가능하다면 약분을 해요.

1. 약분해 보세요. 아래 그림을 참고해도 좋아요.

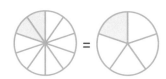

$$\frac{2^{(2}}{10} = \underline{\hphantom{xxxx}}$$

$$\frac{6^{(2}}{8} = \underline{\hphantom{xxxx}}$$

$$\frac{3^{(3}}{6} = \underline{\hphantom{xxxx}}$$

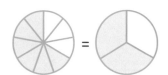

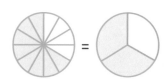

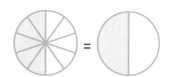

$$\frac{6^{(3}}{9} = \underline{\hphantom{xxxx}}$$

$$\frac{8^{(4}}{12} = \underline{\hphantom{xxxx}}$$

$$\frac{5^{(5}}{10} = \underline{\hphantom{xxxx}}$$

2. 약분한 후 정답을 애벌레에서 찾아 ○표 해 보세요.

$\frac{3^{(3}}{12} =$ _____ $\frac{12^{(4}}{16} =$ _____ $\frac{10^{(5}}{15} =$ _____ $\frac{8^{(2}}{10} =$ _____

   $\frac{1}{3}$ $\frac{2}{3}$ $\frac{1}{4}$ $\frac{3}{4}$ $\frac{3}{5}$ $\frac{4}{5}$

3. 분자와 분모 모두 나머지 없이 나눌 수 있는 공통의 수는 무엇일까요? 분수의
오른쪽 위에 표시해 보세요. 약분한 후 정답을 애벌레에서 찾아 ○표 해 보세요.

$\frac{3^{(}}{9} =$ _____ $\frac{5^{(}}{20} =$ _____ $\frac{4^{(}}{10} =$ _____

$\frac{9^{(}}{15} =$ _____ $\frac{3^{(}}{18} =$ _____ $\frac{20^{(}}{25} =$ _____

$\frac{2^{(}}{20} =$ _____ $\frac{6^{(}}{21} =$ _____ $\frac{15^{(}}{35} =$ _____

   $\frac{1}{3}$ $\frac{2}{3}$ $\frac{1}{4}$ $\frac{2}{5}$ $\frac{3}{5}$ $\frac{4}{5}$ $\frac{1}{6}$ $\frac{2}{7}$ $\frac{3}{7}$ $\frac{1}{10}$ $\frac{2}{10}$

4. 약분할 수 있는 분수에 ○표 해 보세요.

$\frac{1}{2}$ $\frac{2}{5}$ $\frac{3}{6}$ $\frac{2}{4}$ $\frac{6}{9}$ $\frac{5}{8}$ $\frac{5}{15}$ $\frac{8}{12}$ $\frac{7}{12}$ $\frac{3}{4}$

5. 계산하고 약분한 후, 정답을 애벌레에서 찾아 ○표 해 보세요.

$\frac{1}{4} + \frac{1}{4} =$ _____ $\frac{3}{10} + \frac{1}{10} =$ _____

$\frac{7}{8} - \frac{1}{8} =$ _____ $\frac{9}{10} - \frac{7}{10} =$ _____

$\frac{8}{9} + \frac{4}{9} =$ _____ $\frac{11}{6} - \frac{1}{6} =$ _____

   $\frac{1}{2}$ $\frac{2}{3}$ $\frac{3}{4}$ $\frac{1}{5}$ $\frac{2}{5}$

$1\frac{1}{3}$ $1\frac{2}{3}$ $2\frac{1}{2}$

더 생각해 보아요!

나는 어떤 수일까요? 나는 두 자리 수이고, 각 자리 수의
숫자를 곱하면 8이에요. 그리고 2, 3, 4, 6, 8로 모두
나누어떨어지는 수예요.

_____

6. 약분한 분수가 있는 길을 따라가 보세요.

출발 ➡

$\frac{2}{6}$ (2	$\frac{1}{8}$ K	$\frac{14}{49}$ (7	$\frac{2}{7}$ T	$\frac{18}{27}$ (9	$\frac{2}{3}$	$\frac{40}{50}$ (10
$\frac{1}{5}$ R	$\frac{1}{3}$ S		$\frac{1}{6}$ R	1 S	$\frac{2}{8}$ E	$\frac{4}{5}$ I
$\frac{3}{60}$ (3	$\frac{1}{2}$ U	$\frac{14}{21}$ (7	$\frac{1}{3}$ Y	$\frac{6}{36}$ (6		$\frac{4}{36}$ (4
$\frac{2}{5}$ R	$\frac{2}{3}$ K	$\frac{1}{6}$ K	$\frac{1}{4}$ A	$\frac{3}{5}$ K	$\frac{1}{9}$ K	$\frac{2}{10}$ J
$\frac{12}{16}$ (4	$\frac{3}{4}$ C	$\frac{5}{20}$ (5	$\frac{3}{4}$ U	$\frac{10}{25}$ (5	$\frac{2}{5}$ S	

길을 거슬러 올라가며 알파벳을 읽어 보세요. 어떤 단어가 만들어졌나요?

_____

7. 값이 같은 것끼리 선으로 이어 보세요.

❶

$\frac{3}{6}$ •   • $\frac{2}{3}$

$\frac{3}{12}$ •   • $\frac{1}{4}$

$\frac{10}{15}$ •   • $\frac{3}{4}$

$\frac{6}{8}$ •   • $\frac{1}{2}$

❷

$\frac{12}{8}$ •   • 2

$\frac{15}{6}$ •   • $1\frac{1}{2}$

$\frac{12}{6}$ •   • $2\frac{1}{2}$

$\frac{15}{9}$ •   • $1\frac{2}{3}$

8. 아래 글을 읽고 스케이트의 주인이 누구인지 알아맞혀 보세요.

 $\frac{4}{8}$  $1\frac{1}{8}$  $\frac{2}{8}$ $\frac{12}{8}$

_____   _____   _____   _____

- 시몬의 수는 2로 약분할 수 있어요.
- 밀라의 수는 $1\frac{1}{2}$과 같아요.
- 로잔느의 수는 시몬의 수보다 $\frac{7}{8}$만큼 커요.
- 시몬의 수를 2배하면 타일러의 수를 구할 수 있어요.

9. 아래 글을 읽고 질문에 답해 보세요.

아빠는 1주일 단위로 운동 일기를 썼어요.
일주일 동안 아빠가 운동한 시간은 몇 시간일까요?

수영 $2\frac{1}{2}$시간	달리기 150분
케틀벨 $1\frac{1}{4}$시간	축구 $2\frac{1}{4}$시간

_____

 한 번 더 연습해요!

1. 약분해 보세요.

$\frac{6}{9}^{(3} = $ _____ $\frac{4}{16}^{(4} = $ _____ $\frac{6}{10}^{(2} = $ _____ $\frac{10}{25}^{(5} = $ _____

2. 분자와 분모 모두 나머지 없이 나눌 수 있는 공통의 수는 무엇일까요?
분수의 오른쪽 위에 표시하고 약분해 보세요.

$\frac{2}{4}^{(} = $ _____ $\frac{5}{15}^{(} = $ _____ $\frac{4}{14}^{(} = $ _____ $\frac{6}{15}^{(} = $ _____

3. 계산한 후, 약분해 보세요.

$\frac{1}{8} + \frac{1}{8} = $ _____ $\frac{11}{12} - \frac{2}{12} = $ _____

1. 아래 분수를 자연수나 대분수로 나타내어 보세요.

$\dfrac{5}{5} =$ _____　　$\dfrac{10}{5} =$ _____　　$\dfrac{6}{2} =$ _____　　$\dfrac{12}{4} =$ _____

$\dfrac{4}{3} =$ _____　　$\dfrac{7}{5} =$ _____　　$\dfrac{5}{2} =$ _____　　$\dfrac{7}{3} =$ _____

2. 계산해 보세요.

$\dfrac{5}{11} + \dfrac{3}{11} =$ _____　　　　$\dfrac{9}{11} - \dfrac{4}{11} =$ _____　　　　$\dfrac{6}{11} + \dfrac{5}{11} =$ _____

3. 계산한 후, 대분수로 나타내어 보세요.

$\dfrac{8}{9} + \dfrac{2}{9} =$ _____　　　　　　$\dfrac{5}{8} + \dfrac{6}{8} =$ _____

$\dfrac{15}{7} - \dfrac{2}{7} =$ _____　　　　　　$\dfrac{14}{6} - \dfrac{7}{6} =$ _____

4. 약분해 보세요.

$\dfrac{4^{(2}}{10} =$ _____　　$\dfrac{10^{(5}}{15} =$ _____　　$\dfrac{7^{(7}}{21} =$ _____　　$\dfrac{9^{(3}}{15} =$ _____

5. 계산하여 약분한 후, 정답을 애벌레에서 찾아 ○표 해 보세요.

$\dfrac{3}{10} + \dfrac{2}{10} =$ _____　　　　　　$\dfrac{7}{8} - \dfrac{5}{8} =$ _____

$\dfrac{3}{4} + \dfrac{3}{4} =$ _____　　　　　　$\dfrac{15}{6} - \dfrac{5}{6} =$ _____

$\dfrac{1}{2}$　　$\dfrac{1}{4}$　　$1\dfrac{1}{2}$　　$1\dfrac{1}{3}$　　$1\dfrac{2}{3}$　　$2\dfrac{1}{2}$

6. 아래 글을 읽고 알맞은 식을 세워 답을 구한 후, 정답을 애벌레에서 찾아 ○표 해 보세요.

❶ 엠마는 롤케이크의 $\frac{2}{7}$를 먹었고, 알렉은 $\frac{3}{7}$을 먹었어요. 엠마와 알렉이 먹은 롤케이크의 양은 모두 얼마일까요?

식 : _____

정답 : _____

❷ 파이의 $\frac{4}{7}$가 남았는데 밀로가 $\frac{1}{7}$을 먹었어요. 남은 파이는 얼마일까요?

식 : _____

정답 : _____

❸ 멜라는 야채 피자의 $\frac{3}{4}$과 햄 피자의 $\frac{2}{4}$를 먹었어요. 멜라가 먹은 피자의 양은 모두 얼마일까요?

식 : _____

정답 : _____

❹ 아이노는 피자를 먹다가 $\frac{3}{7}$을 남겼어요. 아이노가 먹은 피자의 양은 얼마일까요?

식 : _____

정답 : _____

❺ 카페에 케이크가 3개 있어요. 첫 번째 케이크의 $\frac{3}{4}$, 두 번째 케이크의 $\frac{1}{4}$, 세 번째 케이크의 $\frac{3}{4}$을 이미 먹었어요. 먹은 케이크의 양은 모두 얼마일까요?

식 : _____

정답 : _____

❻ 엄마는 호밀빵, 귀리빵, 보리빵을 만들었어요. 엄마는 각 빵의 $\frac{2}{3}$를 냉동고에 넣었어요. 엄마가 냉동고에 넣은 빵의 양은 모두 얼마일까요?

식 : _____

정답 : _____

$\frac{3}{7}$ $\frac{4}{7}$ $\frac{5}{7}$

$1\frac{1}{4}$ $1\frac{2}{4}$ $1\frac{3}{4}$ 2 $2\frac{1}{3}$

더 생각해 보아요!

오른쪽 그림에서 작은 정육면체는 모두 몇 개일까요?

_____

7. 값이 같은 것끼리 선으로 이어 보세요.

$\frac{2}{10}$ $\frac{9}{12}$ $\frac{4}{12}$ $\frac{10}{25}$ $\frac{2}{8}$ $\frac{8}{12}$

$\frac{1}{3}$ $\frac{1}{4}$ $\frac{1}{5}$ $\frac{2}{3}$ $\frac{3}{4}$ $\frac{2}{5}$

8. 아래 그림에서 패턴이 있는 부분은 전체의 몇 부분일까요? 빈칸에 분수로 나타낸 후 가능하다면 약분해 보세요.

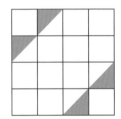   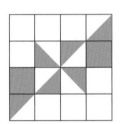   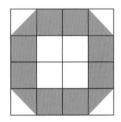

_____   _____   _____

9. 빈칸에 알맞은 수를 써넣어 보세요.

$\frac{3}{7}$ + _____ = $\frac{5}{7}$ $\frac{5}{8}$ − _____ = $\frac{1}{8}$ $\frac{4}{9}$ + _____ = $\frac{8}{9}$

$\frac{3}{4}$ + _____ = $1\frac{1}{4}$ $\frac{9}{5}$ − _____ = $1\frac{1}{5}$ $\frac{4}{5}$ + _____ = $1\frac{2}{5}$

$\frac{3}{4}$ + _____ = 2 $\frac{12}{5}$ − _____ = 2 $\frac{3}{5}$ + _____ = 2

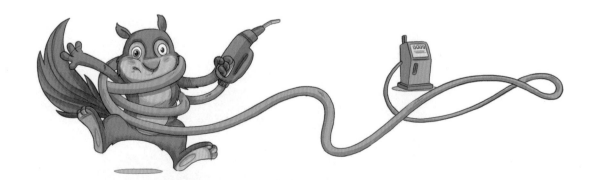

10. 주유기의 호스를 차에 알맞게 연결해 보세요. 호스는 서로 교차할 수 없고
양옆의 경계선을 넘으면 안 돼요.

한 번 더 연습해요!

1. 계산하여 약분해 보세요.

$\dfrac{7}{10} + \dfrac{1}{10} =$ _____

$\dfrac{11}{12} - \dfrac{8}{12} =$ _____

$\dfrac{6}{8} + \dfrac{4}{8} =$ _____

$\dfrac{16}{9} - \dfrac{4}{9} =$ _____

2. 아래 글을 읽고 알맞은 식을 세워 답을 구해 보세요.

❶ 엠마는 책의 $\dfrac{2}{5}$를 아침에, 같은 분량을
저녁에 또 읽었어요. 엠마가 읽은 책의 양은
모두 얼마일까요?

식 : _____

정답 : _____

❷ 캐스퍼는 노는 시간의 $\dfrac{4}{6}$를 썼어요. 노는
시간은 얼마 남았을까요?

식 : _____

정답 : _____

6 통분

두 분수 중 어떤 분수가 더 클까?

$$^{2)}\frac{1}{3} = \frac{1 \times 2}{3 \times 2} = \frac{2}{6}$$

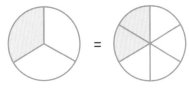

곱하는 수 ➔ $^{2)}\frac{1}{3} = \frac{2}{6}$

$$\frac{7}{10} \qquad ^{2)}\frac{3}{5} = \frac{6}{10}$$

정답 : $\frac{7}{10} > \frac{3}{5}$

- 통분은 둘 이상의 분모가 다른 분수들의 분모를 같게 만드는 것을 말해요. 통분하려면 분모와 분자에 같은 수를 곱해요.
- 통분하더라도 분수의 크기에는 변함이 없어요.
- 곱하는 수는 분수의 왼쪽 위에 표시해요.

분모가 다른 분수의 크기 비교하기

- 분모가 다른 분수의 크기를 비교할 때 먼저 분모가 같아지도록 통분해요.
- 그다음 분자를 비교해요.

1. 그림을 이용하여 분모와 분자에 같은 수를 곱해 통분해 보세요.

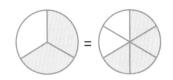

$$^{2)}\frac{2}{3} = \frac{4}{6}$$

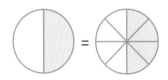

$$^{4)}\frac{1}{2} = \underline{}$$

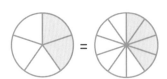

$$^{2)}\frac{2}{5} = \underline{}$$

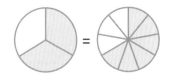

$$^{3)}\frac{2}{3} = \underline{}$$

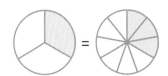

$$^{3)}\frac{1}{3} = \underline{}$$

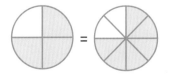

$$^{2)}\frac{3}{4} = \underline{}$$

2. 통분한 후, 정답을 애벌레에서 찾아 ○표 해 보세요.

$^{3)}\dfrac{2}{5}=$ _____ $\qquad$ $^{2)}\dfrac{3}{7}=$ _____ $\qquad$ $^{4)}\dfrac{1}{6}=$ _____ $\qquad$ $^{8)}\dfrac{2}{3}=$ _____

 $\dfrac{6}{14}$ $\quad$ $\dfrac{8}{14}$ $\quad$ $\dfrac{6}{15}$ $\quad$ $\dfrac{9}{15}$ $\quad$ $\dfrac{4}{24}$ $\quad$ $\dfrac{16}{24}$

3. 분모가 12가 되도록 통분해 보세요. 정답을 애벌레에서 찾아 ○표 해 보세요.

$^{)}\dfrac{3}{4}=$ _____ $\qquad$ $^{)}\dfrac{5}{6}=$ _____ $\qquad$ $^{)}\dfrac{1}{3}=$ _____ $\qquad$ $^{)}\dfrac{1}{2}=$ _____

 $\dfrac{3}{12}$ $\quad$ $\dfrac{4}{12}$ $\quad$ $\dfrac{6}{12}$ $\quad$ $\dfrac{8}{12}$ $\quad$ $\dfrac{9}{12}$ $\quad$ $\dfrac{10}{12}$

4. 분모가 18이 되도록 통분해 보세요. 정답을 애벌레에서 찾아 ○표 해 보세요.

$^{)}\dfrac{2}{9}=$ _____ $\qquad$ $^{)}\dfrac{1}{2}=$ _____ $\qquad$ $^{)}\dfrac{5}{6}=$ _____ $\qquad$ $^{)}\dfrac{2}{3}=$ _____

 $\dfrac{4}{18}$ $\quad$ $\dfrac{6}{18}$ $\quad$ $\dfrac{9}{18}$ $\quad$ $\dfrac{10}{18}$ $\quad$ $\dfrac{12}{18}$ $\quad$ $\dfrac{15}{18}$

5. 분모가 같은 분수가 되도록 통분하고, 통분한 분수를 빈칸에 써넣어 보세요.
그리고 □ 안에 >, =, <를 알맞게 써넣어 보세요.

$^{2)}\dfrac{2}{5}$ 와 $\dfrac{9}{10}$ _____ □ $\dfrac{9}{10}$ $\qquad\qquad$ $\dfrac{15}{24}$ 와 $^{4)}\dfrac{5}{6}$ _____ □ _____

$^{)}\dfrac{1}{4}$ 과 $\dfrac{3}{8}$ _____ □ _____ $\qquad\qquad$ $\dfrac{12}{15}$ 와 $^{)}\dfrac{4}{5}$ _____ □ _____

$^{)}\dfrac{2}{3}$ 와 $\dfrac{5}{9}$ _____ □ _____ $\qquad\qquad$ $\dfrac{7}{12}$ 과 $^{)}\dfrac{3}{4}$ _____ □ _____

🔍 **더 생각해 보아요!**

막대가 몇 개 있을까요?

❶ 4번째 _____

❷ 6번째 _____

 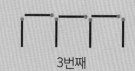

1번째 $\qquad$ 2번째 $\qquad$ 3번째

6. 잘못된 부분 1곳을 찾아 ○표 하고 바르게 고쳐 보세요.

$$\frac{6^{(2}}{10} = \frac{②}{5} \qquad \frac{6^{(2}}{10} = \underline{\hspace{4cm}}$$

$$^{4)}\ \frac{2}{3} = \frac{8}{15} \ \underline{\hspace{4cm}}$$

$$\frac{7}{2} = 3\frac{1}{3} \ \underline{\hspace{4cm}}$$

$$^{3)}\ \frac{3}{7} = \frac{9}{28} \ \underline{\hspace{4cm}}$$

$$\frac{12^{(2}}{15} = \frac{4}{5} \ \underline{\hspace{4cm}}$$

$$\frac{16}{5} = 2\frac{2}{5} \ \underline{\hspace{4cm}}$$

7. 리사의 생일 파티에서 아이들이 앉은 자리가 어디인지, 아이들이 먹는 음식과 음료는 무엇인지 알아맞혀 보세요.

- 세라와 엠마는 식탁의 같은 방향에 앉았어요.
- 남자아이 2명 중 1명이 탄산음료를 마셔요.
- 웨인 반대편에 앉은 아이가 초콜릿을 먹어요.
- 노란 좌석에 앉은 아이는 비스킷과 파인애플주스를 마셔요.
- 알렉 옆에 앉은 아이는 아이스크림을 먹어요.
- 아이들의 $\frac{2}{5}$ 는 파인애플주스를 마셔요.

- 알렉은 사과주스를 마셔요.
- 생일을 맞은 여자아이는 식탁 끝에 앉았어요.
- 엠마는 파인애플주스를 마시지 않아요.
- 엠마는 초록색이나 주황색 자리에 앉지 않았어요.
- 리사의 왼쪽에 앉은 아이는 물을 마셔요.
- 아이들의 $\frac{2}{5}$ 는 케이크를 먹어요.

이름 : _____

음식 : _____

음료 : _____

이름 : _____

음식 : _____

음료 : _____

이름 : _____

음식 : _____

음료 : _____

이름 : _____

음식 : _____

음료 : _____

이름 : _____

음식 : _____

음료 : _____

8. 아래 글을 읽고 질문에 답해 보세요. 하루는 24시간이에요.

❶ 줄리가 아래 활동을 하는 시간의 양을 오른쪽 시계에
표시하고 주어진 색으로 색칠해 보세요.

⬤ 줄리는 하루의 $\frac{1}{8}$ 동안 취미 활동을 해요.

⬤ 줄리는 하루의 $\frac{1}{6}$ 동안 학교에서 생활해요.

⬤ 줄리는 하루의 $\frac{1}{12}$ 동안 온라인에 접속해요.

⬤ 줄리는 하루의 $\frac{1}{3}$ 동안 잠을 자요.

❷ 줄리가 다른 활동을 할 수 있는 시간이 얼마
남았을까요?

_____

한 번 더 연습해요!

1. 분모와 분자에 같은 수를 곱해 통분해 보세요.

²⁾ $\frac{1}{6}$ = _____   ³⁾ $\frac{5}{9}$ = _____   ⁵⁾ $\frac{7}{8}$ = _____   ⁷⁾ $\frac{3}{5}$ = _____

2. 분모가 20이 되도록 통분해 보세요.

⁾ $\frac{3}{10}$ = _____   ⁾ $\frac{2}{5}$ = _____   ⁾ $\frac{3}{4}$ = _____   ⁾ $\frac{1}{2}$ = _____

3. 분모가 같은 분수가 되도록 통분하고, 통분한 분수를 빈칸에 써넣어
보세요. 그리고 ☐ 안에 >, =, <를 알맞게 써넣어 보세요.

²⁾ $\frac{5}{6}$ 와 $\frac{10}{12}$ _____ ☐ _____ $\frac{9}{14}$ 와 ²⁾$\frac{4}{7}$ _____ ☐ _____

⁾ $\frac{7}{8}$ 과 $\frac{15}{16}$ _____ ☐ _____ $\frac{12}{18}$ 와 ⁾$\frac{4}{6}$ _____ ☐ _____

7 분모가 다른 분수의 덧셈

$$\frac{^{2)}1}{3} + \frac{1}{6}$$

$$= \frac{2}{6} + \frac{1}{6}$$

$$= \frac{3^{(3}}{6}$$

$$= \frac{1}{2}$$

$$\frac{3}{10} + \frac{^{2)}4}{5}$$

$$= \frac{3}{10} + \frac{8}{10}$$

$$= \frac{11}{10}$$

$$= 1\frac{1}{10}$$

- 분모가 다른 분수는 덧셈 전에 분모가 같게 통분해야 해요.
- 약분이 가능하다면 계산 결과를 약분해요.
- 계산 결과가 가분수라면 자연수나 대분수로 바꾸어요.

1. 먼저 분모가 같아지도록 통분하여 계산한 후, 정답을 애벌레에서 찾아 ◯표 해 보세요. 아래 그림을 이용해도 좋아요.

$$\frac{1}{4} + \frac{^{2)}1}{2}$$

$$= \underline{\hspace{3cm}}$$

$$= \underline{\hspace{3cm}}$$

$$\frac{^{2)}2}{3} + \frac{1}{6}$$

$$= \underline{\hspace{3cm}}$$

$$= \underline{\hspace{3cm}}$$

2. 먼저 분모가 같아지도록 통분하여 계산한 후, 정답을 애벌레에서 찾아 O표 해 보세요.

$$\frac{^{2)}1}{4} + \frac{3}{8}$$

$$= \underline{\hspace{2.5cm}}$$

$$= \underline{\hspace{2.5cm}}$$

$$\frac{^{2)}3}{5} + \frac{1}{10}$$

$$= \underline{\hspace{2.5cm}}$$

$$= \underline{\hspace{2.5cm}}$$

$$\frac{^{4)}1}{2} + \frac{3}{8}$$

$$= \underline{\hspace{2.5cm}}$$

$$= \underline{\hspace{2.5cm}}$$

 $\quad \frac{3}{4} \quad \frac{5}{6} \quad \frac{3}{8} \quad \frac{5}{8} \quad \frac{7}{8} \quad \frac{7}{10} \quad \frac{9}{10}$

3. 계산한 후 가능하다면 약분하고, 정답을 애벌레에서 찾아 ○표 해 보세요.

$$\frac{^)2}{3} + \frac{2}{9}$$

$$= \underline{\hspace{4cm}}$$

$$= \underline{\hspace{4cm}}$$

$$\frac{7}{12} + \frac{^)1}{4}$$

$$= \underline{\hspace{4cm}}$$

$$= \underline{\hspace{4cm}}$$

$$\frac{4}{9} + \frac{^)1}{3}$$

$$= \underline{\hspace{4cm}}$$

$$= \underline{\hspace{4cm}}$$

4. 먼저 분모가 같아지도록 통분하여 계산한 후, 정답을 애벌레에서 찾아 ○표 해 보세요. 계산 결과가 가분수라면 대분수로 나타내어 보세요.

$$\frac{1}{2} + \frac{3}{4}$$

$$= \underline{\hspace{4cm}}$$

$$= \underline{\hspace{4cm}}$$

$$\frac{5}{6} + \frac{1}{3}$$

$$= \underline{\hspace{4cm}}$$

$$= \underline{\hspace{4cm}}$$

$$\frac{3}{4} + \frac{5}{8}$$

$$= \underline{\hspace{4cm}}$$

$$= \underline{\hspace{4cm}}$$

5. 아래 글을 읽고 알맞은 식을 세워 답을 구한 후, 정답을 애벌레에서 찾아 ○표 해 보세요.

❶ 엠마는 참치 피자의 $\frac{5}{12}$를, 알렉은 같은 피자의 $\frac{1}{6}$을 먹었어요. 둘이 먹은 피자의 양은 모두 얼마일까요?

식 : _____

정답 : _____

❷ 알렉과 피터는 각자 야채 피자를 1개씩 주문했어요. 알렉은 피자의 $\frac{5}{8}$를, 피터는 피자의 $\frac{3}{4}$을 먹었어요. 둘이 먹은 피자의 양은 모두 얼마일까요?

식 : _____

정답 : _____

더 생각해 보아요!

식이 성립하도록 성냥개비 1개를 움직여 보세요. 옮길 성냥개비에 X표 해 보세요.

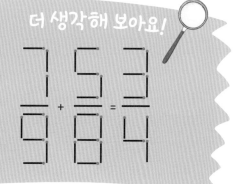

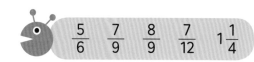

6. 아래 빈칸에 알맞은 수를 써넣어 보세요.

❶

| 6을 곱해 통분하세요. | 3으로 나누어 약분하세요. | 4를 곱해 통분하세요. | 2로 나누어 약분하세요. | 3을 곱해 통분하세요. | 12로 나누어 약분하세요. |

$\frac{2}{3}$ → ☐ → ☐ → ☐ → ☐ → ☐ → ☐

❷

| 5를 곱해 통분하세요. | 5를 곱해 통분하세요. | 4를 곱해 통분하세요. | 4로 나누어 약분하세요. | 5로 나누어 약분하세요. | 5로 나누어 약분하세요. |

$\frac{1}{4}$ → ☐ → ☐ → ☐ → ☐ → ☐ → ☐

❸

| 10을 곱해 통분하세요. | 2로 나누어 약분하세요. | 5로 나누어 약분하세요. | 6을 곱해 통분하세요. | 3으로 나누어 약분하세요. | 2로 나누어 약분하세요. |

$\frac{1}{10}$ → ☐ → ☐ → ☐ → ☐ → ☐ → ☐

7. 아네트가 집에서 도서관까지 갈 수 있는 길을 모두 그려 보세요. 이동 거리는 5km예요.

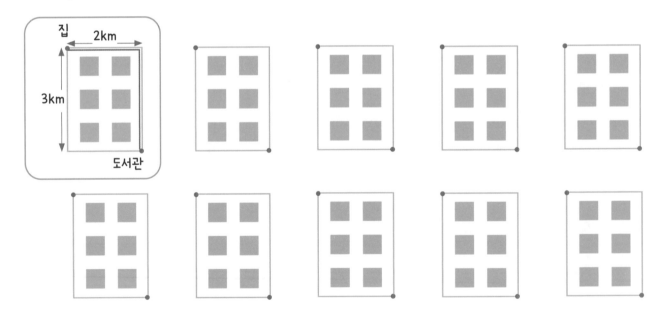

8. ☐ 안에 >, =, <를 알맞게 써넣어 보세요.

$\frac{1}{2} + \frac{1}{6}$ ☐ $\frac{5}{6}$

$\frac{3}{10} + \frac{4}{5}$ ☐ 1

$\frac{1}{4} + \frac{3}{4}$ ☐ $\frac{3}{4} + \frac{3}{12}$

$\frac{2}{9} + \frac{4}{9}$ ☐ $\frac{1}{3} + \frac{1}{3}$

9. 스도쿠 퍼즐을 완성해 보세요.
가로줄과 세로줄에 1부터 6까지의
숫자를 1번씩 사용할 수 있어요.

	5	1		3	
3	6			1	2
				4	3
1					
4	1			2	6
			4	5	

			6		
1		2			
	4				5
2				4	
				4	3
			2		

한 번 더 연습해요!

1. 통분하여 계산해 보세요.

$$^{4)}\ \frac{1}{3} + \frac{7}{12} \qquad \qquad \frac{3}{20} + ^{10)}\frac{1}{2} \qquad \qquad ^{5)}\ \frac{3}{5} + \frac{8}{25}$$

= _____   = _____   = _____

= _____   = _____   = _____

2. 통분하여 계산한 후, 약분이 가능하다면 약분해 보세요.

$$^{)}\frac{1}{5} + \frac{7}{15} \qquad \qquad \frac{3}{10} + ^{)}\frac{1}{5} \qquad \qquad \frac{5}{12} + ^{)}\frac{1}{3}$$

= _____   = _____   = _____

= _____   = _____   = _____

3. 통분하여 계산한 후, 대분수로 나타내어 보세요.

$$\frac{7}{8} + \frac{3}{4} \qquad \qquad \frac{5}{9} + \frac{2}{3} \qquad \qquad \frac{7}{10} + \frac{3}{5}$$

= _____   = _____   = _____

= _____   = _____   = _____

월 ____일 ____요일

8 분모가 다른 분수의 뺄셈

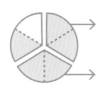 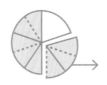

$$\frac{5}{6} - {}^{2)}\frac{2}{3}$$
$$= \frac{5}{6} - \frac{4}{6}$$
$$= \frac{1}{6}$$

$${}^{2)}\frac{4}{5} - \frac{3}{10}$$
$$= \frac{8}{10} - \frac{3}{10}$$
$$= \frac{5^{(5}}{10}$$
$$= \frac{1}{2}$$

- 분모가 다른 분수는 뺄셈 전에 분모가 같게 통분해야 해요.
- 약분이 가능하다면 계산 결과를 약분해요.

1. 분모가 같도록 통분하여 계산한 후, 정답을 애벌레에서 찾아 ○표 해 보세요.

$${}^{2)}\frac{1}{2} - \frac{1}{4}$$

$${}^{2)}\frac{1}{3} - \frac{1}{6}$$

$${}^{2)}\frac{3}{5} - \frac{3}{10}$$

= _____

= _____

= _____

= _____

= _____

= _____

2. 분모가 같도록 통분하여 계산한 후, 정답을 애벌레에서 찾아 ○표 해 보세요.

$$\frac{5}{8} - {}^{2)}\frac{1}{4}$$

$$\frac{4}{9} - {}^{3)}\frac{1}{3}$$

$$\frac{5}{10} - {}^{2)}\frac{2}{5}$$

= _____

= _____

= _____

= _____

= _____

= _____

 $\frac{1}{4}$ $\frac{1}{6}$ $\frac{5}{6}$ $\frac{3}{8}$ $\frac{1}{9}$ $\frac{5}{9}$ $\frac{1}{10}$ $\frac{3}{10}$

3. 계산한 후, 약분이 가능하다면 약분해 보세요. 그리고 정답을 애벌레에서 찾아 ○표 해 보세요.

$^)\dfrac{2}{3} - \dfrac{1}{6}$

= _____

= _____

$^)\dfrac{3}{4} - \dfrac{4}{8}$

= _____

= _____

$^)\dfrac{4}{5} - \dfrac{6}{10}$

= _____

= _____

$\dfrac{7}{9} - \dfrac{2}{3}$

= _____

= _____

$\dfrac{7}{20} - \dfrac{1}{4}$

= _____

= _____

$\dfrac{13}{14} - \dfrac{5}{7}$

= _____

= _____

4. 아래 글을 읽고 알맞은 식을 세워 답을 구해 보세요. 그리고 정답을 애벌레에서 찾아 ○표 해 보세요.

❶ 피자가 $\dfrac{1}{2}$ 남았는데, 엠마가 남은 피자의 $\dfrac{1}{6}$을 먹었어요. 이제 남은 피자의 양은 얼마일까요?

식 : _____

_____

정답 : _____

❷ 피자의 $\dfrac{1}{4}$을 이미 먹었고, 알렉이 남은 피자의 $\dfrac{1}{2}$을 또 먹었어요. 이제 남은 피자의 양은 얼마일까요?

식 : _____

_____

정답 : _____

$\dfrac{1}{2}$ $\dfrac{1}{3}$ $\dfrac{1}{4}$ $\dfrac{1}{4}$ $\dfrac{1}{5}$ $\dfrac{1}{6}$ $\dfrac{1}{9}$ $\dfrac{1}{10}$ $\dfrac{3}{14}$ $\dfrac{5}{14}$

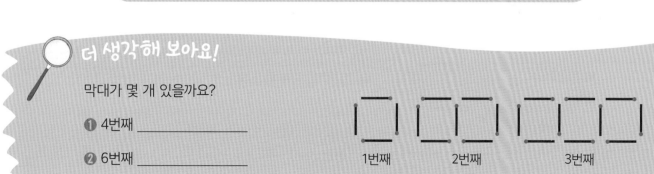

더 생각해 보아요!

막대가 몇 개 있을까요?

❶ 4번째 _____

❷ 6번째 _____

1번째   2번째   3번째

5. 제설차의 경로를 살펴보고 질문에 답해 보세요. 제설차는 차고를 출발하여
화살표 방향으로 모든 거리를 1번씩 지나며 눈을 치워요.

❶ 제설차가 출발하는 차고는 무슨 색깔일까요?

_____

❷ 마지막으로 지나는 집은 무슨 색깔일까요?

_____

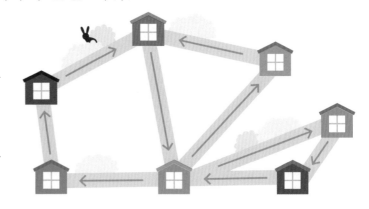

6. 아래 표를 살펴보고 질문에 답해 보세요.

알렉의 화요일

활동	시간 (하루에서 차지하는 비중)
학교생활	$\frac{1}{4}$
수면	$\frac{5}{12}$
취미 활동	$\frac{1}{12}$
운동	$\frac{5}{24}$
숙제	$\frac{1}{24}$

❶ 알렉이 화요일에 학교생활과 숙제에 쓰는 시간은 모두
얼마일까요?

식 : _____

정답 : _____

❷ 알렉이 화요일에 수면, 취미 활동, 그리고 숙제에 쓰는 시간은
모두 얼마일까요?

식 : _____

정답 : _____

❸ 알렉의 수면 시간은 운동 시간보다 얼마나 더 많을까요?

식 : _____

정답 : _____

❹ 알렉의 수면 시간은 학교생활 시간보다 얼마나 더 많을까요?

식 : _____

정답 : _____

❺ 알렉이 취미 활동에 쓰는 시간은 얼마일까요?

식 : _____

정답 : _____

7. 그림이 들어간 식을 보고 그림의 값을 구해 보세요.

● + ▲ = $\frac{1}{3}$

● + ▲ + ★ = $\frac{8}{9}$

▲ = ● − ▲

● = _____

▲ = _____

★ = _____

8. 두 수의 합은 $1\frac{3}{7}$ 이고, 차는 $\frac{2}{7}$ 예요.
두 수는 무엇일까요?

_____

 한 번 더 연습해요!

1. 계산해 보세요.

$^{3)}\dfrac{4}{6} - \dfrac{7}{18}$

= _____

= _____

$^{2)}\dfrac{4}{7} - \dfrac{3}{14}$

= _____

= _____

$\dfrac{9}{10} - ^{2)}\dfrac{3}{5}$

= _____

= _____

2. 계산한 후, 약분이 가능하다면 약분해 보세요.

$\dfrac{11}{12} - ^{)}\dfrac{3}{4}$

= _____

= _____

$^{)}\dfrac{1}{4} - \dfrac{3}{20}$

= _____

= _____

$\dfrac{8}{15} - ^{)}\dfrac{1}{5}$

= _____

= _____

_____ 월 _____ 일 _____ 요일

1. 계산한 후, 정답을 애벌레에서 찾아 ○표 해 보세요.

³⁾ $\dfrac{1}{3} + \dfrac{5}{9}$

²⁾ $\dfrac{3}{6} + \dfrac{1}{12}$

⁴⁾ $\dfrac{1}{4} + \dfrac{7}{16}$

= _____

= _____

= _____

= _____

= _____

= _____

$\dfrac{17}{20} -$ ¹⁰⁾ $\dfrac{1}{2}$

$\dfrac{8}{15} -$ ³⁾ $\dfrac{2}{5}$

$\dfrac{9}{14} -$ ²⁾ $\dfrac{2}{7}$

= _____

= _____

= _____

= _____

= _____

= _____

 $\dfrac{8}{9}$　$\dfrac{7}{12}$　$\dfrac{6}{13}$　$\dfrac{5}{14}$　$\dfrac{2}{15}$　$\dfrac{11}{16}$　$\dfrac{13}{18}$　$\dfrac{7}{20}$

약분하는 걸 잊지 마~!

2. 계산한 후, 정답을 애벌레에서 찾아 O표 해 보세요.

⁾ $\dfrac{3}{4} + \dfrac{1}{12}$

$\dfrac{7}{18} +$ ⁾ $\dfrac{5}{9}$

⁾ $\dfrac{2}{6} + \dfrac{4}{18}$

= _____

= _____

= _____

= _____

= _____

= _____

$\dfrac{5}{6} -$ ⁾ $\dfrac{1}{2}$

$\dfrac{10}{18} -$ ⁾ $\dfrac{1}{6}$

⁾ $\dfrac{4}{5} - \dfrac{2}{15}$

= _____

= _____

= _____

= _____

= _____

= _____

 $\dfrac{1}{3}$　$\dfrac{2}{3}$　$\dfrac{5}{6}$　$\dfrac{8}{9}$　$\dfrac{5}{9}$　$\dfrac{7}{9}$　$\dfrac{7}{18}$　$\dfrac{17}{18}$

3. 계산하여 대분수로 나타내어 보세요. 그리고 정답을 애벌레에서 찾아 ○표 해 보세요.

$\dfrac{4}{5} + \dfrac{4}{15}$ 　　　　　　　 $\dfrac{7}{8} + \dfrac{1}{2}$ 　　　　　　　 $\dfrac{2}{3} + \dfrac{7}{9}$

= _____ 　　 = _____ 　　 = _____

= _____ 　　 = _____ 　　 = _____

4. 아래 글을 읽고 알맞은 식을 세워 답을 구한 후, 정답을 애벌레에서 찾아 ○표 해 보세요.

❶ 카이는 피자의 $\dfrac{3}{6}$을, 테아는 $\dfrac{2}{3}$를 먹었어요. 둘이 먹은 피자의 양은 모두 얼마일까요?

식 : _____

_____

정답 : _____

❷ 피자의 $\dfrac{7}{10}$이 남았는데, 헨리가 $\dfrac{3}{5}$을 먹었어요. 남은 피자의 양은 얼마일까요?

식 : _____

_____

정답 : _____

❸ 파티에 케이크가 3개 있어요. 손님들이 각 케이크의 $\dfrac{4}{5}$를 먹었어요. 먹은 케이크의 양은 모두 얼마일까요?

식 : _____

_____

정답 : _____

❹ 알렉 가족이 피자 3판을 샀어요. 각 피자의 $\dfrac{1}{3}$이 남았다면 알렉 가족이 먹은 피자의 양은 모두 얼마일까요?

식 : _____

_____

정답 : _____

더 생각해 보아요!

오른쪽 그림에서 작은 정육면체는 모두 몇 개일까요?

_____

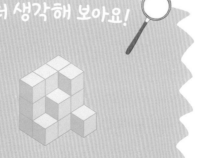

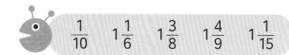

$1\dfrac{1}{10}$ 　 $1\dfrac{1}{6}$ 　 $1\dfrac{3}{8}$ 　 $1\dfrac{4}{9}$ 　 $1\dfrac{1}{15}$

$1\dfrac{4}{15}$ 　 2 　 $2\dfrac{2}{5}$ 　 $2\dfrac{1}{2}$

5. 더해서 2가 되도록 분수끼리 연결해 보세요.

$1\frac{3}{5}$　　$\frac{7}{8}$　　$\frac{7}{5}$　　$\frac{15}{8}$　　$\frac{3}{8}$

$\frac{3}{5}$　　$\frac{1}{8}$　　$1\frac{1}{8}$　　$1\frac{5}{8}$　　$\frac{2}{5}$

6. 주어진 조건에 맞게 ○ 안을 채워 보세요.

❶ 사각형 각 변의 합이 13이 되도록
2, 3, 4, 6, 7을 알맞게 써넣어 보세요.

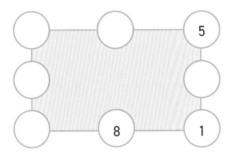

❷ 사각형 각 변의 합이 14가 되도록
2, 4, 5, 6, 7을 알맞게 써넣어 보세요.

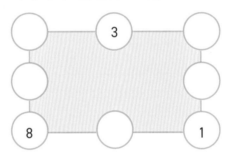

7. 누가 누구인지, 그리고 각자 좋아하는 책 분야가 무엇인지 알아맞혀 보세요.

이름: ＿＿＿＿＿　＿＿＿＿＿　＿＿＿＿＿　＿＿＿＿＿　＿＿＿＿＿

좋아하는
책: ＿＿＿＿＿　＿＿＿＿＿　＿＿＿＿＿　＿＿＿＿＿　＿＿＿＿＿
　　＿＿＿＿＿

- 그림에서 미아 왼쪽에 앉은 아이는 말에 관한 책을 좋아해요.
- 시빌은 모험 책을 좋아해요.
- 샌디는 샌드라 옆에 앉았어요.
- 사가는 비문학 책을 좋아하고 시빌 옆자리에 앉았어요.

- 샌드라는 판타지 소설과 유머 책을 좋아하는 아이들 사이에 앉았어요.
- 모험 책과 유머 책을 좋아하는 아이들은 양 끝에 앉았어요.
- 미아는 판타지 소설을 좋아해요.

8. 음표로 만든 코드를 읽어 보세요.

음표 값

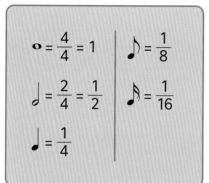

메시지

$\frac{3}{8}$	$\frac{5}{16}$	$1\frac{1}{2}$	1	$\frac{1}{4}$	$\frac{1}{2}$	$\frac{3}{4}$
C	S	M	I	U	F	N

한 번 더 연습해요!

1. 계산한 후, 가능하다면 계산 결과를 약분하거나 대분수로 나타내어 보세요.

$$\frac{4}{7} + \frac{2}{14}$$ $$\frac{4}{5} - \frac{7}{15}$$ $$\frac{9}{10} + \frac{8}{20}$$

= _____   = _____   = _____

= _____   = _____   = _____

2. 아래 글을 읽고 알맞은 식을 세워 답을 구해 보세요.

❶ 엠마는 햄 피자의 $\frac{5}{12}$를, 참치 피자의 $\frac{1}{6}$을 먹었어요. 엠마가 먹은 피자의 양은 모두 얼마일까요?

식 : _____

_____

정답 : _____

❷ 피자의 $\frac{7}{9}$이 남았는데 메리가 $\frac{2}{3}$를 먹었어요. 남은 피자의 양은 모두 얼마일까요?

식 : _____

_____

정답 : _____

9. 약분하면 $\frac{1}{4}$이 되는 분수를 색칠해 보세요.

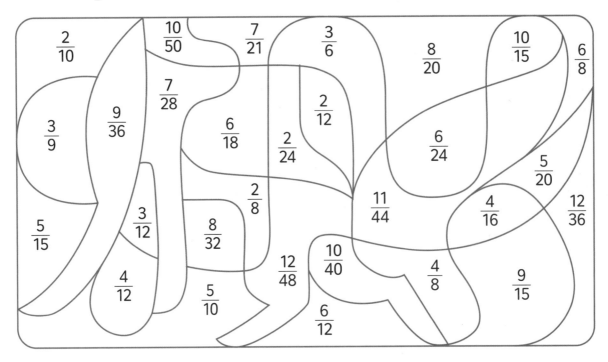

10. ☐ 안에 >, =, <를 알맞게 써넣어 보세요.

$\frac{4}{8}$ ☐ $\frac{1}{2}$	$\frac{8}{5}$ ☐ $1\frac{2}{5}$	$\frac{13}{15}$ ☐ $\frac{4}{5}$	$\frac{6}{4}$ ☐ $1\frac{1}{2}$
$\frac{6}{10}$ ☐ $\frac{2}{5}$	$\frac{13}{3}$ ☐ 4	$\frac{5}{12}$ ☐ $\frac{2}{3}$	$\frac{14}{6}$ ☐ $2\frac{1}{3}$
$\frac{9}{15}$ ☐ $\frac{4}{5}$	$\frac{19}{6}$ ☐ $3\frac{5}{6}$	$\frac{9}{16}$ ☐ $\frac{3}{4}$	$\frac{25}{5}$ ☐ $4\frac{4}{5}$

11. 규칙에 따라 빈칸에 알맞은 수를 써넣어 보세요.

$\frac{1}{3}$	$\frac{2}{3}$	1						$3\frac{1}{3}$

$1\frac{1}{4}$	$1\frac{1}{2}$	$1\frac{3}{4}$						$3\frac{1}{2}$

$1\frac{3}{5}$	2	$2\frac{2}{5}$						$5\frac{1}{5}$

12. 삼각형 각 변의 합이 주어진 수가 되도록 1, 2, 3, 4, 5, 6을 빈칸에 알맞게 써넣어 보세요.

❶ 각 변의 합은 11

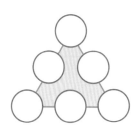

❷ 각 변의 합은 12

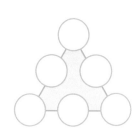

13. 합이 $\frac{8}{10}$ 이고, 차가 $\frac{2}{5}$ 인 두 수는 무엇일까요?

————— , —————

 한 번 더 연습해요!

1. 계산하여 대분수로 나타내어 보세요.

$\frac{6}{7} + \frac{3}{7} =$ _____　　　$\frac{9}{10} + \frac{8}{10} =$ _____

$\frac{11}{5} - \frac{2}{5} =$ _____　　　$\frac{17}{10} - \frac{4}{10} =$ _____

2. 계산하여 대분수로 나타내어 보세요.

$\frac{3}{12} + \frac{5}{6}$　　　　　　　　$\frac{13}{8} - \frac{1}{4}$

= _____　　　　　　= _____

= _____　　　　　　= _____

1. 아래 설명이 나타내는 대분수를 빈칸에 써넣고 그림으로 나타내어 보세요.

❶ 전체 1개와 절반 ❷ 전체 2개와 3분의 1 ❸ 전체 1개와 4분의 3

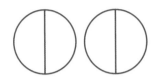  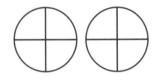

2. 그림을 보고 가분수와 대분수로 나타내어 보세요.

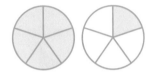 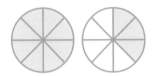 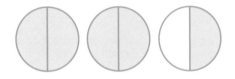

_____ = _____   _____ = _____   _____ = _____

3. 아래 분수를 자연수나 대분수로 나타내어 보세요.

$\dfrac{4}{4} =$ _____ $\dfrac{10}{2} =$ _____ $\dfrac{8}{5} =$ _____ $\dfrac{9}{4} =$ _____

4. 계산하여 자연수나 대분수로 나타내어 보세요.

$\dfrac{6}{7} + \dfrac{4}{7} =$ _____ $\dfrac{9}{7} + \dfrac{5}{7} =$ _____

$\dfrac{11}{6} - \dfrac{4}{6} =$ _____ $\dfrac{13}{5} - \dfrac{2}{5} =$ _____

5. 약분과 통분을 해 보세요.

$\dfrac{6}{10}^{(2} =$ _____ $\dfrac{5}{15}^{(5} =$ _____ $\dfrac{6}{21}^{(3} =$ _____ $\dfrac{12}{20}^{(4} =$ _____

$^{2)}\dfrac{5}{7} =$ _____ $^{3)}\dfrac{2}{5} =$ _____ $^{4)}\dfrac{5}{6} =$ _____ $^{5)}\dfrac{3}{4} =$ _____

6. 계산한 후, 약분이 가능하다면 약분해 보세요.

$\dfrac{1}{2} + \dfrac{1}{4}$

= _____

= _____

$\dfrac{1}{15} + \dfrac{3}{5}$

= _____

= _____

$\dfrac{3}{20} + \dfrac{3}{4}$

= _____

= _____

$\dfrac{7}{10} - \dfrac{1}{5}$

= _____

= _____

$\dfrac{11}{12} - \dfrac{2}{3}$

= _____

= _____

$\dfrac{7}{16} - \dfrac{1}{4}$

= _____

= _____

7. 아래 글을 읽고 알맞은 식을 세워 답을 구해 보세요.

❶ 에디는 초콜릿 바의 $\dfrac{2}{5}$를, 에이브는 $\dfrac{3}{10}$을 먹었어요. 두 사람이 먹은 초콜릿 바의 양은 모두 얼마일까요?

식 : _____

_____

정답 : _____

❷ 초콜릿 바의 $\dfrac{7}{9}$이 남았는데 머시가 $\dfrac{1}{3}$을 먹었어요. 남은 초콜릿 바의 양은 얼마일까요?

식 : _____

_____

정답 : _____

얼마나 잘했나요?

실력이 자란 만큼 별을 색칠하세요.

 정말 잘했어요.

 꽤 잘했어요.

 앞으로 더 노력할게요.

_____월 _____일 _____요일

1. 값이 같은 것끼리 선으로 이어 보세요.

$\dfrac{7}{7}$ $\dfrac{10}{7}$ $\dfrac{11}{4}$ $\dfrac{14}{7}$ $\dfrac{5}{4}$

$1\dfrac{3}{7}$ 1 $2\dfrac{3}{4}$ $1\dfrac{1}{4}$ 2

2. 계산하여 대분수로 나타내어 보세요.

$\dfrac{5}{7} + \dfrac{3}{7} =$ _____

$\dfrac{9}{5} - \dfrac{2}{5} =$ _____

3. 약분해 보세요.

$\dfrac{6}{9}^{(3} =$ _____

$\dfrac{10}{12}^{(2} =$ _____

$\dfrac{8}{16}^{(8} =$ _____

$\dfrac{15}{20}^{(5} =$ _____

4. 통분해 보세요.

$^{2)}\dfrac{1}{8} =$ _____

$^{3)}\dfrac{3}{4} =$ _____

$^{4)}\dfrac{2}{5} =$ _____

$^{5)}\dfrac{4}{5} =$ _____

5. 계산한 후, 약분이 가능하다면 약분해 보세요.

$\dfrac{3}{8} + \dfrac{1}{2}$

$\dfrac{1}{10} + \dfrac{2}{5}$

$\dfrac{3}{10} + \dfrac{1}{20}$

= _____

= _____

= _____

= _____

= _____

= _____

6. 값이 같은 것끼리 선으로 이어 보세요.

| $1\frac{2}{5}$ | $\frac{1}{3}$ | $\frac{15}{40}$ | $\frac{24}{12}$ | $\frac{18}{8}$ | $\frac{11}{4}$ |

| $\frac{3}{8}$ | $2\frac{3}{4}$ | $\frac{7}{5}$ | 2 | $\frac{6}{18}$ | $2\frac{1}{4}$ |

7. 계산해 보세요.

$\frac{2}{7} + \frac{2}{7} + \frac{3}{7}$

= _____

= _____

$\frac{15}{4} - \frac{3}{4} - \frac{3}{4}$

= _____

= _____

$\frac{4}{9} + \frac{7}{9} - \frac{5}{9}$

= _____

= _____

$\frac{1}{6} + \frac{5}{30}$

= _____

= _____

$\frac{19}{24} - \frac{5}{8}$

= _____

= _____

$\frac{1}{9} + \frac{2}{9} + \frac{1}{3}$

= _____

= _____

8. 아래 글을 읽고 알맞은 식을 세워 답을 구해 보세요.

❶ 아이들이 피자 1판을 함께 먹고 있어요. 톰은 피자의 $\frac{1}{5}$을 먹었어요. 카림과 카이도 각자 $\frac{3}{10}$을 먹었어요. 톰, 카림, 카이가 먹은 피자의 양은 모두 얼마일까요?

식 : _____

_____

정답 : _____

❷ 피자의 $\frac{5}{6}$가 남았는데, 알렉이 $\frac{1}{3}$을, 엠마가 $\frac{1}{6}$을 먹었어요. 남은 피자의 양은 얼마일까요?

식 : _____

_____

정답 : _____

9. 계산해 보세요.

$\dfrac{2}{3} + \dfrac{5}{9}$

= _____

= _____

$\dfrac{5}{6} + \dfrac{2}{3}$

= _____

= _____

$\dfrac{2}{9} + \dfrac{1}{3} + \dfrac{1}{9}$

= _____

= _____

$\dfrac{1}{12} + \dfrac{1}{3} + \dfrac{5}{6}$

= _____

= _____

$\dfrac{11}{12} - \dfrac{1}{4} - \dfrac{1}{3}$

= _____

= _____

$\dfrac{5}{6} - \dfrac{1}{12} - \dfrac{1}{2}$

= _____

= _____

10. 빈칸에 알맞은 수를 써넣어 보세요.

$\dfrac{12}{20} = \dfrac{\boxed{}}{5}$

$\dfrac{7}{\boxed{}} = \dfrac{35}{45}$

$\dfrac{\boxed{}}{48} = \dfrac{5}{8}$

$\dfrac{20}{\boxed{}} = 1\dfrac{1}{3}$

11. □ 안에 >, =, <를 알맞게 써넣어 보세요.

$\dfrac{2}{5} \ \square\ \dfrac{3}{10}$

$\dfrac{9}{9} \ \square\ \dfrac{7}{7}$

$\dfrac{3}{8} \ \square\ \dfrac{2}{4}$

$\dfrac{5}{3} \ \square\ 1\dfrac{2}{3}$

$\dfrac{5}{2} \ \square\ 1\dfrac{1}{2}$

$\dfrac{7}{4} \ \square\ 2\dfrac{1}{4}$

12. 가로줄과 세로줄의 합이 모두 1이 되도록 아래 표를 완성해 보세요.

$\dfrac{8}{15}$		
	$\dfrac{1}{3}$	
$\dfrac{2}{5}$		$\dfrac{4}{15}$

단원 정리

_____월 _____일 _____요일

★ 대분수

• 대분수 $2\frac{1}{4}$ 은 "2와 4분의 1"이라고 읽어요.

자연수 부분 → 2 | $\frac{1}{4}$ ← 분수 부분

★ 자연수와 대분수로 바꾸기

$$\frac{6}{3} = 2 \qquad \Big| \qquad \frac{7}{3} = 2\frac{1}{3}$$

★ 약분하기

• 분자와 분모를 같은 수로 나누는 것을 약분이라고 해요.

$$\frac{8^{(2}}{10} = \frac{4}{5}$$

★ 통분하기

• 분자와 분모에 같은 수를 곱하는 것을 통분이라고 해요.

$$\frac{^{3)}1}{2} = \frac{3}{6}$$

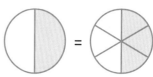

★ 분모가 다른 분수의 크기 비교

• 분모가 다른 분수의 크기를 비교할 때 분모가 같아지도록 먼저 통분을 해요.

• 분모가 같아지면 분자의 크기를 비교해요.

어떤 분수가 더 작을까요?

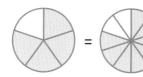

$$^{2)}\frac{4}{5} = \frac{8}{10} \qquad\qquad \frac{9}{10}$$

정답 : $\frac{4}{5} < \frac{9}{10}$

★ 분모가 다른 분수의 덧셈과 뺄셈

• 분모가 다른 분수의 덧셈과 뺄셈을 할 때 분모가 같아지도록 먼저 통분을 해요.

• 계산 결과가 나온 후 가능하다면 약분하거나 자연수 또는 대분수로 바꾸어요.

$$\frac{4}{10} + \frac{^{2)}3}{5} = \frac{4}{10} + \frac{6}{10} = \frac{10}{10} = 1$$

$$\frac{5}{6} + \frac{^{2)}1}{3} = \frac{5}{6} + \frac{2}{6} = \frac{7}{6} = 1\frac{1}{6}$$

$$\frac{^{3)}4}{5} - \frac{7}{15} = \frac{12}{15} - \frac{7}{15} = \frac{5^{(5}}{15} = \frac{1}{3}$$

1

분모가 12가 되도록 통분한 후 색칠해 보세요.

구슬의 $\frac{1}{6}$은 파란색, 구슬의 $\frac{1}{3}$은 빨간색

구슬의 $\frac{1}{2}$은 노란색

$\frac{1}{6} = $ _____

$\frac{1}{3} = $ _____

$\frac{1}{2} = $ _____

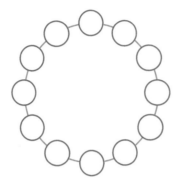

2

계산한 값을 찾아 선으로 이어 보세요.

$\frac{3}{9} + \frac{4}{9}$ •   • $\frac{5}{9}$

$\frac{2}{9} + \frac{8}{9}$ •   • $\frac{5}{6}$

$\frac{2}{3} + \frac{1}{6}$ •   • $1\frac{1}{9}$

$\frac{1}{12} + \frac{1}{4}$ •   • $\frac{2}{3}$

$\frac{7}{9} - \frac{2}{9}$ •   • $\frac{7}{9}$

$\frac{17}{18} - \frac{5}{18}$ •   • $\frac{1}{3}$

3

엠마 학교에서 학생들이 가장 좋아하는 과일에 대해 설문 조사를 했어요. 아래 표를 살펴보고 참인지 거짓인지 빈칸에 써넣어 보세요.

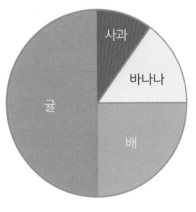

❶ 학생들이 가장 덜 좋아하는 과일은 사과이다.   _____

❷ 가장 인기 있는 과일은 배이다.   _____

❸ 학생들은 배보다 바나나를 더 좋아한다.   _____

❹ 학생들이 배를 좋아하는 비율은 귤을 좋아하는
비율의 절반이다.   _____

❺ 학생의 $\frac{1}{4}$은 가장 좋아하는 과일이 사과나 배이다.   _____

여러분이 문제를 직접 만들어 보세요.

_____

4 주어진 조건에 맞게 색칠해 보세요.

1보다 작은 수
2와 같은 수
2보다 크고 3보다 작은 수
3과 같은 수
4보다 큰 수

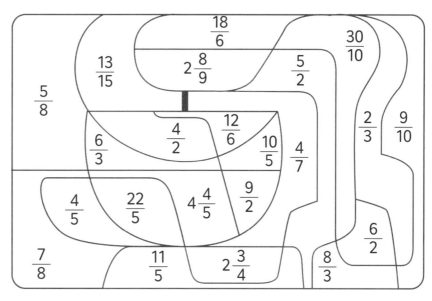

5 그림의 값을 구해 보세요.

 = $\frac{4}{5}$ | = $\frac{1}{10}$ | = _____

 = $\frac{9}{10}$ | = $\frac{5}{5}$ | = _____

6 아래 분수를 크기가 작은 것부터 큰 순서대로 써넣어 보세요.

| $\frac{3}{100}$ | $\frac{7}{50}$ | 1 | $\frac{1}{10}$ | $\frac{11}{10}$ | $\frac{2}{200}$ |

☐ < ☐ < ☐ < ☐ < ☐ < ☐

9 소수

176.25는 소수예요.

백의 자리	십의 자리	일의 자리	소수 첫째 자리	소수 둘째 자리
1	7	6 .	2	5

자연수   소수점   소수

소수

- 소수는 자연수 부분과 소수 부분으로 이루어져 있어요.
- 자연수와 소수는 소수점으로 구분되어요.
- 소수점 아래에 있는 수를 소수 자리라고 불러요.
- 예를 들어 176.25에서 2는 소수 첫째 자리이고 5는 소수 둘째 자리예요.

<보기>

소수 5.9는 소수 자리가 한 자리예요.

소수 286.07은 소수 자리가 두 자리예요.

1. 아래 수의 자연수 부분, 소수 부분, 소수점을 구분해서 써 보세요.

4 . 7 ←

1 2 . 3 5 ←

2. 아래 소수를 바르게 읽은 것과 연결해 보세요.

삼 점 삼	•	•	1.17
이 점 오오	•	•	1.5
이 점 구	•	•	3.3
일 점 오	•	•	2.55
일 점 일칠	•	•	2.9

3. 소수점을 바르게 찍어 보세요.

❶ 일 점 삼   1 3

❷ 이십이 점 육   2 2 6

❸ 칠 점 일오   7 1 5

❹ 삼십 점 영일   3 0 0 1

4. 아래 설명대로 색칠해 보세요.

❶ 십의 자리는 빨간색

❷ 일의 자리는 노란색

❸ 소수 첫째 자리는 초록색

❹ 소수 둘째 자리는 파란색

35.28

5. 소수점 아래 자리가 몇 개 있는지 빈칸에 써 보세요.

136.93 _____   2.77 _____

275.3 _____   13.19 _____

61.6 _____   444.2 _____

6. 조건을 만족하는 소수를 빈칸에 써넣어 보세요.

❶ 5.5보다 1 큰 수   _____

❷ 11.7보다 1 작은 수   _____

❸ 3.4보다 0.2 큰 수   _____

❹ 18.9보다 0.5 작은 수   _____

❺ 9.18보다 0.03 작은 수   _____

❻ 41.10보다 0.06 큰 수   _____

더 생각해 보아요!

나는 어떤 소수일까요? 나는 두 자리 수이고 모든 자리 숫자가 짝수예요. 나는 1보다 크지만 3보다 작고, 각 자리 숫자의 차는 6이에요. 나는 어떤 수일까요?

_____

7. 아래 설명대로 색칠해 보세요.

● 소수 자리에 5가 있어요.

● 소수 자리에 4가 있어요.

● 자연수 자리에 1이 있어요.

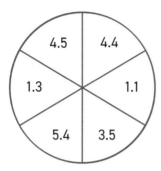

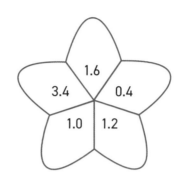

8. 경주 기록을 살펴보고 질문에 답해 보세요. 시간은 초 단위예요.

참가자	시간(초)
워너	10.6
알레나	9.9
제시	10.9
카일라	11.2
에이브	10.0

❶ 누가 가장 빨리 달렸나요?

_____

❷ 누가 3등인가요?

_____

❸ 누가 4등인가요?

_____

❹ 기록 차이가 정확히 1초 나는 두 사람은 누구인가요?

_____

9. 아래 글을 읽고 보물이 있는 곳으로 가는 길을 찾아보세요.

- 보물을 찾으려면 열쇠가 10개 필요해요.
- 주황색 칸으로만 이동할 수 있어요.
- 흰색 칸을 뛰어넘을 수 있지만 1번에 1칸만 가능해요.
- 위, 아래 방향으로만 움직일 수 있어요.
- 왔던 길을 되돌아갈 수 없어요.

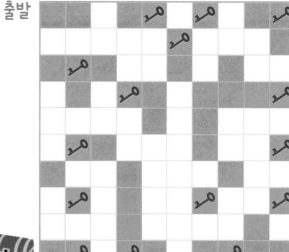

 한 번 더 연습해요!

1. 소수점을 바르게 찍어 보세요.

❶ 이 점 사   2 4

❷ 사 점 오사   4 5 4

❸ 십육 점 오   1 6 5

❹ 사십일 점 일일   4 1 1 1

2. 아래 설명대로 색칠해 보세요.

❶ 십의 자리는 빨간색

❷ 일의 자리는 노란색

❸ 소수 첫째 자리는 초록색

❹ 소수 둘째 자리는 파란색

10 소수 첫째 자리

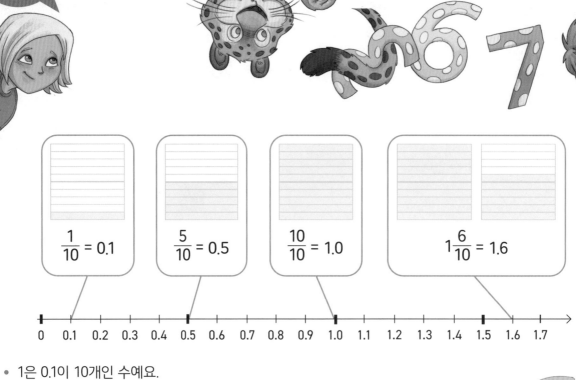

$\frac{1}{10} = 0.1$ $\frac{5}{10} = 0.5$ $\frac{10}{10} = 1.0$ $1\frac{6}{10} = 1.6$

| | | | | | | | | | | | | | | | | | |
0 0.1 0.2 0.3 0.4 0.5 0.6 0.7 0.8 0.9 1.0 1.1 1.2 1.3 1.4 1.5 1.6 1.7

• 1은 0.1이 10개인 수예요.

1. 아래 소수가 나타내는 것을 색칠해 보세요.

$\frac{4}{10} = 0.4$ $\frac{6}{10} = 0.6$ $\frac{10}{10} = 1.0$

2. 색칠한 부분이 전체에서 얼마를 차지할까요? 아래 그림을 보고 소수로 나타내어 보세요.

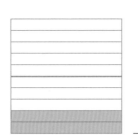 _____

 _____

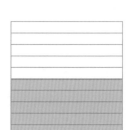 _____

3. 아래 수직선을 완성해 보세요.

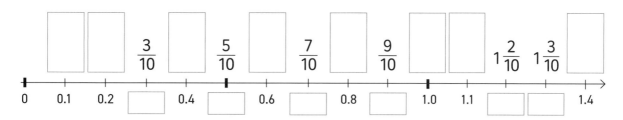

4. 규칙에 따라 빈칸에 알맞은 수를 써넣어 보세요.

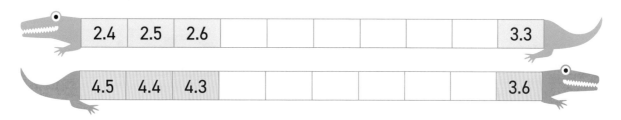

5. 수직선 위의 점을 소수로 나타내어 보세요.

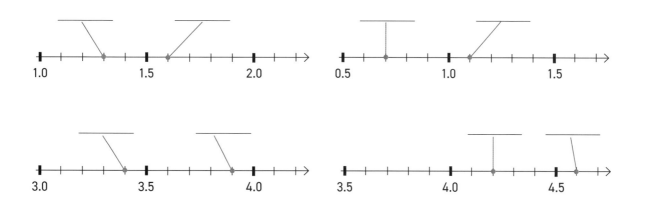

6. 소수가 나타내는 알파벳을 수직선의 빈칸에 알맞게 써넣어 보세요.

0.5 L
1.8 R
1.2 B
0.2 B
2.0 Y
0.7 U
1.4 E
1.6 R
0.9 E

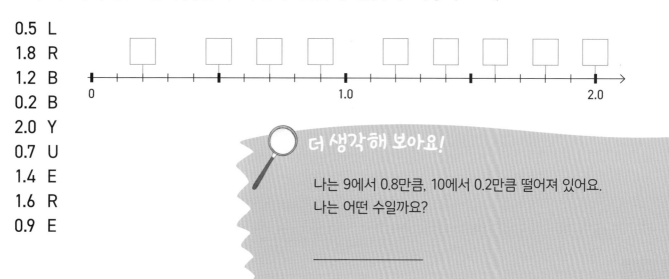

더 생각해 보아요!

나는 9에서 0.8만큼, 10에서 0.2만큼 떨어져 있어요.
나는 어떤 수일까요?

_____

7. 점을 연결하여 아래 그림을 완성해 보세요. 0.1만큼 움직일 수 있어요.

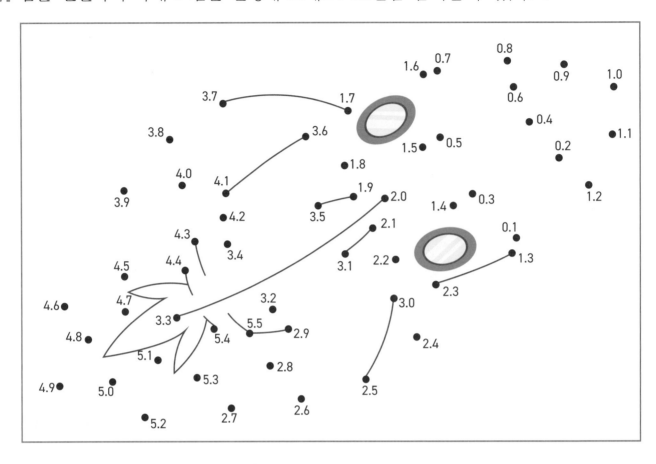

8. 아래 글을 읽고 질문에 답해 보세요. 1유로는 100센트예요.

❶ 지갑의 주인을 알아맞혀 보세요.

| 5.60 € | 8.60 € | 6.90 € | 7.10 € |

_____ _____ _____ _____

- 오나는 1유로 동전 7개, 50센트 동전 2개, 20센트 동전 3개가 있어요.
- 줄리안은 2유로 동전 2개, 1유로 동전 1개, 50센트 동전 4개, 10센트 동전 1개가 있어요.

- 비올레타는 1유로 동전 5개, 20센트 동전 1개, 10센트 동전 4개가 있어요.
- 바딤은 2유로 동전 3개, 20센트 동전 4개, 10센트 동전 1개가 있어요.

❷ 누구 지갑에 돈이 가장 많을까요? _____

❸ 누구 지갑에 돈이 가장 적을까요? _____

9. □ 안에 >, =, <를 알맞게 써넣어 보세요.

$\frac{3}{10}$ □ 0.3 $1\frac{4}{10}$ □ 1.3 $5\frac{4}{10}$ □ 5.8

$\frac{6}{10}$ □ 0.3 $2\frac{2}{10}$ □ 2.2 $6\frac{9}{10}$ □ 7.0

$\frac{9}{10}$ □ 0.7 $4\frac{7}{10}$ □ 4.3 $6\frac{1}{2}$ □ 6.1

$\frac{5}{10}$ □ 0.6 $3\frac{6}{10}$ □ 3.9 $4\frac{1}{5}$ □ 4.9

10. 아래 글을 읽고 친구들의 수를 알아맞혀 보세요.

레오 _____   아만다 _____   론 _____   로라 _____   윌라 _____

- 레오의 수는 자연수이고 10의 절반이에요.
- 아만다의 수는 대분수이고, 레오의 수의 $\frac{1}{2}$ 이에요.
- 론의 수는 소수이고, 아만다의 수와 값이 같아요.
- 로라의 수는 소수이고, 아만다의 수의 $\frac{1}{5}$ 이에요.
- 로라의 수에 2를 곱하면 윌라의 수를 구할 수 있어요.

 한 번 더 연습해요!

1. 아래 소수가 나타내는 것을 색칠해 보세요.

$\frac{3}{10}$ = 0.3 $\frac{5}{10}$ = 0.5 $\frac{9}{10}$ = 0.9

2. 수직선 위의 점을 소수로 나타내어 보세요.

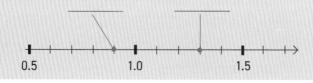
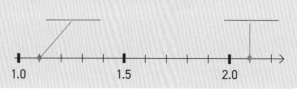

11 소수의 덧셈

1.5 + 0.4 = 1.9

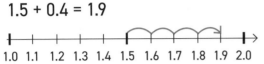

1.0 1.1 1.2 1.3 1.4 1.5 1.6 1.7 1.8 1.9 2.0

1.2 + 0.8 = 2.0

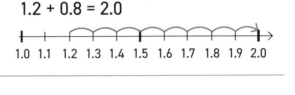

1.0 1.1 1.2 1.3 1.4 1.5 1.6 1.7 1.8 1.9 2.0

0.8 + 0.3

= 0.8 + 0.2 + 0.1

= 1.0 + 0.1

= 1.1

0.5 0.6 0.7 0.8 0.9 1.0 1.1 1.2 1.3 1.4 1.5

2.8 + 4.3

= 2.0 + 0.8 + 4.0 + 0.3

= 6.0 + 1.1

= 7.1

- 소수의 덧셈을 할 때 소수 부분을
  나누어서 계산하면 좀 더 쉬워요.

1. 칩의 뜀뛰기를 수직선에 나타내고 계산한 값을 빈칸에 써넣어 보세요.

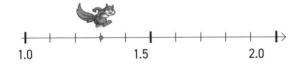

1.0   1.5   2.0

1.3 + 0.4 = _____

1.0   1.5   2.0

1.6 + 0.3 = _____

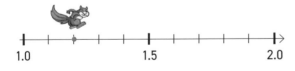

1.0   1.5   2.0

1.2 + 0.7 = _____

0.5   1.0   1.5

0.6 + 0.7 = _____

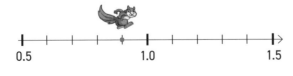

0.5   1.0   1.5

0.9 + 0.4 = _____

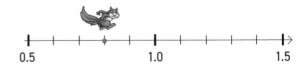

0.5   1.0   1.5

0.8 + 0.5 = _____

2. 계산해 보세요. 아래 수직선을 참고해도 좋아요.

0 0.5 1.0 1.5 2.0

0.9 + 0.1 = _____ | 0.8 + 0.2 = _____ | 0.7 + 0.3 = _____ | 0.6 + 0.4 = _____

0.9 + 0.2 = _____ | 0.8 + 0.3 = _____ | 0.7 + 0.4 = _____ | 0.6 + 0.5 = _____

0.9 + 0.3 = _____ | 0.8 + 0.4 = _____ | 0.7 + 0.5 = _____ | 0.6 + 0.6 = _____

3. 계산하여 정답에 해당하는 알파벳을 수직선에서 찾아 빈칸에 써넣어 보세요.

0.5 + 0.3 = _____ ☐ | 2.0 + 1.1 = _____ ☐ | 0.8 + 0.4 = _____ ☐

0.9 + 3.0 = _____ ☐ | 0.4 + 0.6 = _____ ☐ | 2.3 + 0.2 = _____ ☐

2.0 + 0.7 = _____ ☐ | 0.9 + 1.0 = _____ ☐ | 2.0 + 1.5 = _____ ☐

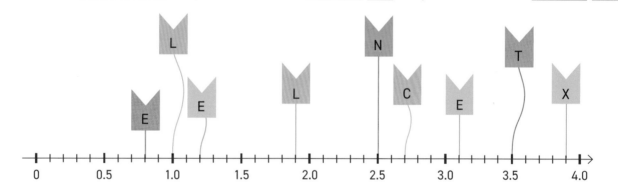

0 0.5 1.0 1.5 2.0 2.5 3.0 3.5 4.0

4. 계산한 후, 정답을 애벌레에서 찾아 ○표 해 보세요.

0.4 + 0.8 = _____ | 4.5 + 0.5 = _____

0.4 + 1.8 = _____ | 1.5 + 2.7 = _____

1.4 + 1.8 = _____ | 2.6 + 5.8 = _____

1.4 + 3.8 = _____ | 7.8 + 2.4 = _____

더 생각해 보아요!

나는 어떤 소수일까요? 나는 두 자리 수이고
각 자리의 숫자를 모두 더하면 8이 되어요.
나에게 가장 가까운 자연수는 2예요.

1.2 2.2 3.2 4.2 4.4

5.0 5.2 7.8 8.4 10.2

_____

5. 칩이 아침으로 무엇을 먹었을까요? 계산한 값이 1보다 큰 길을 따라가세요.

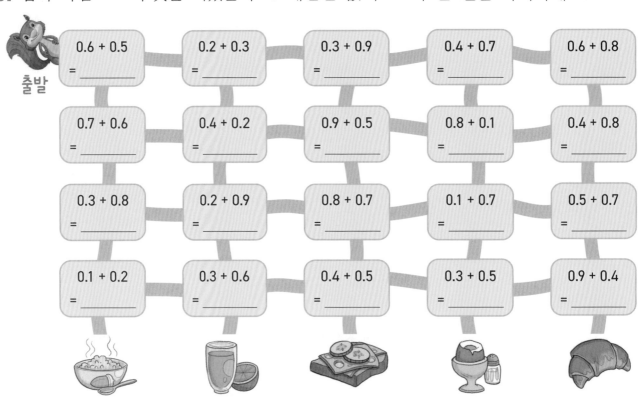

0.6 + 0.5 = _____

0.2 + 0.3 = _____

0.3 + 0.9 = _____

0.4 + 0.7 = _____

0.6 + 0.8 = _____

0.7 + 0.6 = _____

0.4 + 0.2 = _____

0.9 + 0.5 = _____

0.8 + 0.1 = _____

0.4 + 0.8 = _____

0.3 + 0.8 = _____

0.2 + 0.9 = _____

0.8 + 0.7 = _____

0.1 + 0.7 = _____

0.5 + 0.7 = _____

0.1 + 0.2 = _____

0.3 + 0.6 = _____

0.4 + 0.5 = _____

0.3 + 0.5 = _____

0.9 + 0.4 = _____

출발

6. 아래 두 수를 더한 값을 위에 적어 덧셈 피라미드를 완성해 보세요. 정답이 있는 깃발에 ○표 해 보세요.

5.2   4.8

0.3

| 0.1 | 0.2 | 0.3 | 0.4 | 0.5 |

7.7   6.1

| 2.0 | 0.2 | 0.1 | 1.0 | 0.3 |

7. 규칙에 따라 빈칸에 알맞은 수를 써넣어 보세요.

| 0.5 | 1.0 | 1.5 | | | | 4.5 |

| 1.4 | 1.6 | 1.8 | | | | 3.0 |

| 0.5 | 1.6 | 2.7 | | | | 9.3 |

8. 나는 어떤 수일까요?

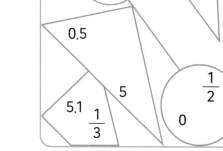

❶ 나는 삼각형 안에 있고 원 안에는 없어요. 나는 소수예요.

_____

❷ 나는 삼각형과 원 안에 있고 소수점 아래 자리는 없어요.

_____

❸ 나는 삼각형 안에 있고 분수예요.　　　　_____

❹ 나는 오각형 안에 있고 원 안에는 없어요. 나는 소수예요.

_____

❺ 나는 오각형과 원 안에 있어요.　　　　_____

❻ 나는 삼각형과 원 안에 있고 소수예요.　　　_____

9. 빈칸에 알맞은 수를 써넣어 보세요.

2.1 + _____ = 3.4　　　　_____ + 3.6 = 7.5　　　　4.2 + 3.6 + _____ = 19.6

4.7 + _____ = 12.4　　　　_____ + 7.2 = 16.1　　　　3.9 + _____ + 9.3 = 25.7

한 번 더 연습해요!

1. 계산해 보세요. 아래 수직선을 참고해도 좋아요.

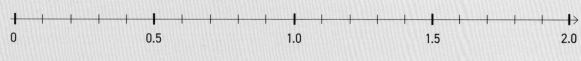

1.2 + 0.4 = _____　　　　1.5 + 0.2 = _____　　　　0.5 + 0.8 = _____

2. 계산해 보세요.

0.5 + 0.7 = _____　　　　3.5 + 0.5 = _____

0.5 + 1.7 = _____　　　　3.3 + 0.8 = _____

1.5 + 1.7 = _____　　　　1.4 + 4.8 = _____

1.5 + 3.7 = _____　　　　2.9 + 8.7 = _____

12 소수의 뺄셈

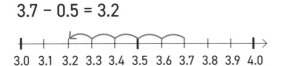

3.7 − 0.5 = 3.2

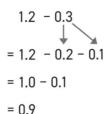

2.0 − 0.4 = 1.6

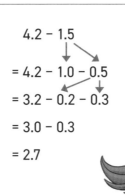

```
  1.2  − 0.3
         ↓    ↘
= 1.2  − 0.2 − 0.1
= 1.0 − 0.1
= 0.9
```

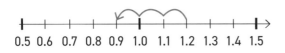

```
  4.2 − 1.5
        ↓    ↘
= 4.2 − 1.0 − 0.5
= 3.2 − 0.2 − 0.3
= 3.0 − 0.3
= 2.7
```

• 소수의 뺄셈을 할 때 소수 부분을 나누어서 계산하면 좀 더 쉬워요.

1. 칩의 뜀뛰기를 수직선에 나타내고 계산한 값을 빈칸에 써넣어 보세요.

2.5 − 0.4 = _____

1.9 − 0.3 = _____

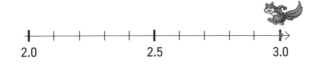

3.0 − 0.5 = _____

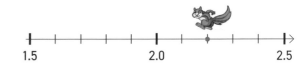

2.2 − 0.5 = _____

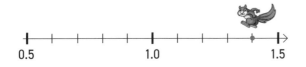

1.4 − 0.6 = _____

2.3 − 0.7 = _____

2. 계산해 보세요. 아래 수직선을 참고해도 좋아요.

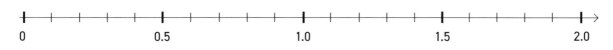

1.1 - 0.1 = _____	1.2 - 0.2 = _____	1.3 - 0.3 = _____	1.4 - 0.4 = _____
1.1 - 0.2 = _____	1.2 - 0.3 = _____	1.3 - 0.4 = _____	1.4 - 0.5 = _____
1.1 - 0.3 = _____	1.2 - 0.4 = _____	1.3 - 0.5 = _____	1.4 - 0.6 = _____

3. 계산하여 정답에 해당하는 알파벳을 수직선에서 찾아 빈칸에 써넣어 보세요.

4.5 - 0.3 = _____ ☐   4.8 - 2.6 = _____ ☐

5.6 - 2.2 = _____ ☐   5.3 - 0.5 = _____ ☐

6.0 - 0.7 = _____ ☐   3.4 - 0.6 = _____ ☐

7.7 - 0.5 = _____ ☐   8.2 - 1.3 = _____ ☐

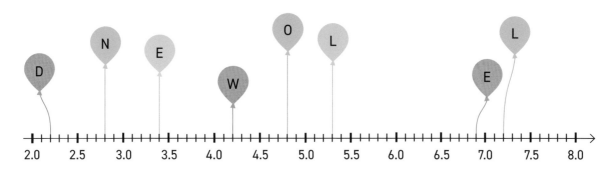

4. 계산한 후, 정답을 애벌레에서 찾아 ◯표 해 보세요.

1.1 - 0.3 = _____   1.6 - 0.7 = _____

3.1 - 0.3 = _____   2.3 - 0.8 = _____

5.1 - 1.3 = _____   4.5 - 1.8 = _____

8.1 - 3.3 = _____   6.8 - 3.9 = _____

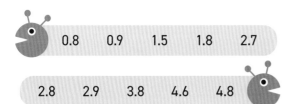

더 생각해 보아요!

수직선에서 5.3과 8.3으로부터 같은 거리에 있는 수는 무엇일까요?

_____

5. 규칙에 따라 빈칸에 알맞은 수를 써넣어 보세요.

5.5	5.0	4.5						1.5

2.0	1.8	1.6						0.4

13.3	12.2	11.1						4.5

6. 식이 성립하도록 빈칸에 알맞은 수를 써넣어 보세요.

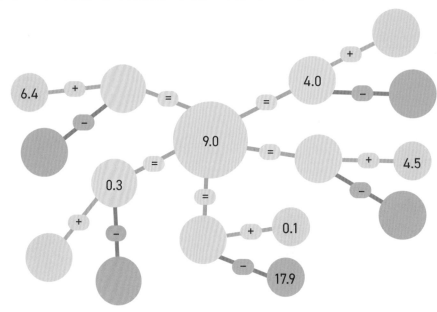

7. 그림이 들어간 식을 보고 그림의 값을 구해 보세요.

❶

❷ 　　　　　　　　　　　　　

❸ 　　　　　　

8. 햄스터의 주인, 주인의 취미, 햄스터의 이름 그리고 쳇바퀴의 색깔이 무엇인지 알아맞혀 보세요.

주인 :
_____ _____ _____ _____

주인의 취미 :
_____ _____ _____ _____

햄스터 이름 :
_____ _____ _____ _____

쳇바퀴 색깔 :
_____ _____ _____ _____

- 미코의 햄스터는 2가지 색깔이에요.
- 테디의 주인은 취미가 없어요.
- 저드의 햄스터 옆에 있는 햄스터의 주인은 태권도를 해요.
- 퍼그는 털이 하얘요.
- 수영을 하는 사람이 키우는 햄스터는 이름이 퍼그예요.
- 플로어볼을 하는 사람이 키우는 햄스터는 이름이 플러프볼이에요.

- 두드는 갈색이에요.
- 플러프볼의 쳇바퀴는 빨간색이에요.
- 미아의 햄스터는 저드와 미코의 햄스터 사이에 있어요.
- 오나의 햄스터는 저드의 햄스터 옆에 있어요.
- 저드의 햄스터 쳇바퀴는 파란색이에요.
- 두드의 쳇바퀴는 초록색이에요.
- 테디는 털이 검고 쳇바퀴가 검은색이에요.

 한 번 더 연습해요!

1. 계산해 보세요. 아래 수직선을 참고해도 좋아요.

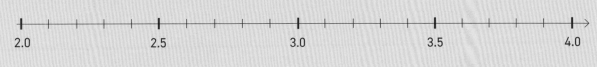

$3.7 - 0.6 =$ _____ $3.0 - 0.8 =$ _____ $3.4 - 0.7 =$ _____

2. 계산해 보세요.

$4.6 - 1.2 =$ _____ $7.3 - 3.1 =$ _____ $1.0 - 0.2 =$ _____

$6.0 - 0.4 =$ _____ $2.1 - 0.2 =$ _____ $2.4 - 0.7 =$ _____

1. 소수점을 바르게 찍어 보세요.

① 일 점 육   **1 6**

② 십팔 점 사   **1 8 4**

③ 사 점 삼이   **4 3 2**

④ 이십 점 칠오   **2 0 7 5**

2. 소수점 아래 자리가 몇 개 있는지 빈칸에 써 보세요.

231.9 _____   197.63 _____   51.05 _____

76.13 _____   7.33 _____   371.1 _____

3. 아래 수직선을 완성해 보세요.

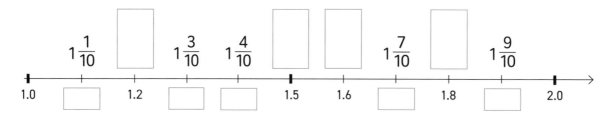

4. 수직선 위의 점을 소수로 나타내어 보세요.

5. 계산해 보세요. 아래 수직선을 참고해도 좋아요.

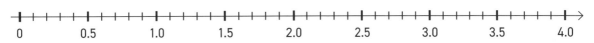

$$0 \quad 0.5 \quad 1.0 \quad 1.5 \quad 2.0 \quad 2.5 \quad 3.0 \quad 3.5 \quad 4.0$$

0.3 + 0.6 = _____   1.2 + 0.5 = _____

0.2 + 0.5 = _____   1.7 + 0.6 = _____

0.4 + 0.9 = _____   2.8 + 0.4 = _____

0.8 + 0.3 = _____   2.6 + 0.7 = _____

0.8 − 0.2 = _____   2.0 − 0.4 = _____

1.3 − 0.5 = _____   3.1 − 0.3 = _____

1.4 − 0.7 = _____   3.6 − 0.9 = _____

1.1 − 0.4 = _____   2.4 − 0.7 = _____

6. 정답에 해당하는 알파벳을 빈칸에 써넣은 후, 거꾸로 거슬러 읽어 보세요.

1.2 + 1.3 = _____ ☐   1.5 + 1.1 = _____ ☐   3.7 − 0.7 = _____ ☐

4.0 − 0.8 = _____ ☐   2.9 + 1.1 = _____ ☐   0.8 + 1.7 = _____ ☐

3.8 − 2.3 = _____ ☐   0.2 + 1.3 = _____ ☐   2.0 − 0.1 = _____ ☐

0.3 + 1.4 = _____ ☐   1.1 + 0.8 = _____ ☐   0.6 + 1.6 = _____ ☐

2.2 + 1.3 = _____ ☐   3.2 − 0.4 = _____ ☐   2.5 − 0.6 = _____ ☐

4.0 − 0.3 = _____ ☐   2.0 − 0.3 = _____ ☐   0.2 + 0.8 = _____ ☐

0.9 + 0.8 = _____ ☐   0.2 + 1.5 = _____ ☐   4.3 − 0.8 = _____ ☐

1.0	1.2	1.5	1.7	1.9	2.2	2.5	2.6	2.8	3.0	3.2	3.5	3.7	4.0
H	U	N	I	O	I	P	S	F	K	L	E	C	R	G

더 생각해 보아요!

주어진 수를 이용하여 12보다 크지만 15보다 작은 소수를 만들어 보세요.

12 < _____ _____ . _____ < 15   12 < _____ _____ . _____ < 15

12 < _____ _____ . _____ < 15   12 < _____ _____ . _____ < 15

9 3 1 4

7. 규칙에 따라 빈칸에 알맞은 수를 써넣어 보세요.

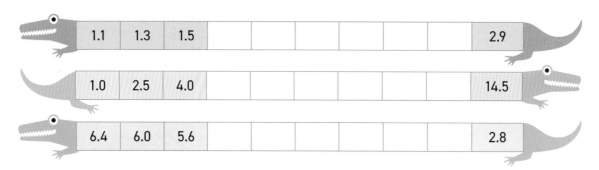

| 1.1 | 1.3 | 1.5 | | | | | | 2.9 |

| 1.0 | 2.5 | 4.0 | | | | | | 14.5 |

| 6.4 | 6.0 | 5.6 | | | | | 2.8 |

8. □ 안에 >, =, <를 알맞게 써넣어 보세요.

$\frac{2}{10}$ □ 0.3

$\frac{6}{10}$ □ 0.6

$\frac{9}{10}$ □ 0.8

$1\frac{7}{10}$ □ 1.7

$3\frac{4}{10}$ □ 3.2

$4\frac{5}{10}$ □ 4.6

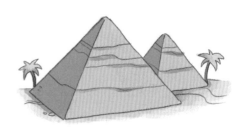

9. 덧셈 피라미드를 완성한 후, 정답이 있는 깃발에 ○표 해 보세요.

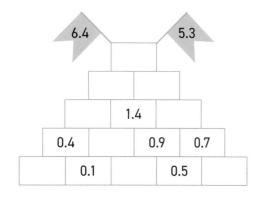

6.4   5.3

1.4

0.4   0.9   0.7

0.1   0.5

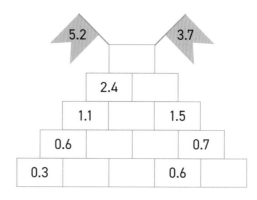

5.2   3.7

2.4

1.1   1.5

0.6   0.7

0.3   0.6

10. 계산한 후, 정답을 애벌레에서 찾아 ○표 해 보세요.

0.8 + 2.2 – 1.5 = _____

10.0 – 2.3 + 0.6 = _____

6.0 – (2.3 + 0.4) = _____

4.2 – (3.8 – 0.9) = _____

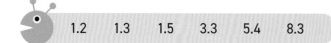

1.2   1.3   1.5   3.3   5.4   8.3

11. 소수 A와 B를 구해 보세요. 답은 2가지예요.

❶
- 각 소수는 2개의 다른 숫자로 이루어져 있어요.
- 소수 A와 B는 숫자가 같지만 같은 자리에 있지는 않아요.
- 소수 A와 B를 합하면 5.5예요.
- 소수 A와 B 모두 소수를 이루는 숫자의 차는 3이에요. _____ , _____

❷
- 소수 A와 B는 2개의 다른 숫자로 이루어져 있어요.
- 소수 A와 B는 0, 1, 2, 3으로 이루어져 있어요.
- 소수 A와 B 모두 소수를 이루는 숫자의 차는 2예요.
- 소수 A와 B의 차는 2보다 작아요. _____ , _____

 한 번 더 연습해요!

1. 계산해 보세요. 아래 수직선을 참고해도 좋아요.

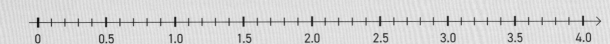

0.3 + 0.5 = _____   1.3 + 0.6 = _____

0.4 + 0.5 = _____   2.6 + 0.5 = _____

0.6 + 0.8 = _____   3.3 + 0.7 = _____

0.7 − 0.2 = _____   3.0 − 0.3 = _____

1.8 − 0.5 = _____   3.2 − 0.4 = _____

1.2 − 0.6 = _____   3.7 − 0.8 = _____

2. 계산해 보세요.

0.5 + 0.6 = _____   1.2 − 0.4 = _____

3.3 + 0.8 = _____   2.5 − 0.7 = _____

13 소수 둘째 자리

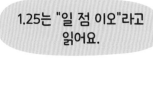

1.25는 "일 점 이오"라고 읽어요.

일의 자리	소수 첫째 자리	소수 둘째 자리
1	2	5

백의 자리	십의 자리	일의 자리	소수 첫째 자리	소수 둘째 자리
100	10	1	0.1	0.01

자연수에서는 자릿값이 10배씩 커지고 소수에서는 자릿값이 $\frac{1}{10}$배씩 작아져요.

일의 자리	소수 첫째 자리	소수 둘째 자리
4	6	9

- 일의 자리, 소수 첫째 자리, 소수 둘째 자리는 자리 수를 나타내요.
- 1은 0.01이 100개인 수예요.

1. 규칙에 따라 빈칸에 알맞은 수를 써넣어 보세요.

0.11	0.12	0.13						0.20

3.24	3.25	3.26						3.33

4.36	4.35	4.34						4.27

2. 아래 그림을 보고 유로와 센트로 나타내어 보세요. 1센트는 0.01유로와 같아요.

_____ c = _____ €　　_____ c = _____ €　　_____ c = _____ €

3. 4장의 숫자 카드를 1번씩 모두 이용하여 소수를 만들어 보세요.

| 0 | 4 | 6 | 8 |

❶ 400보다 크지만 500보다 작아요. 일의 자리는 0이에요. 십의 자리와 소수 첫째 자리 숫자의 차는 2예요.

_____

❷ 60보다 크고 70보다 작아요. 소수 첫째 자리는 0이에요. 십의 자리와 일의 자리 숫자의 합은 10이에요.

_____

4. 소수가 나타내는 알파벳을 수직선의 빈칸에 알맞게 써넣어 보세요.

1.25	T		1.72	L		1.46	E
1.55	R		1.90	E		1.37	T
2.00	S		1.81	I		1.64	F
1.05	B		1.16	U			

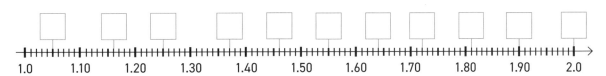

1.0　1.10　1.20　1.30　1.40　1.50　1.60　1.70　1.80　1.90　2.0

5. 계산해 보세요. 물건값은 모두 얼마일까요?

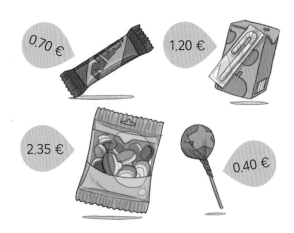

0.70 €　1.20 €　2.35 €　0.40 €

❶ 버논은 초콜릿 바 1개와 주스 1개를 샀어요.
모두 얼마일까요?

정답 : _____

❷ 모리는 사탕 1봉지와 주스 1개를 샀어요.
모두 얼마일까요?

정답 : _____

❸ 카밀라는 막대 사탕 1개와 초콜릿 바 1개를
샀어요. 모두 얼마일까요?

정답 : _____

❹ 힐다는 사탕 1봉지, 막대 사탕 1개, 주스 1개를
샀어요. 모두 얼마일까요?

정답 : _____

6. 점을 연결하여 아래 그림을 완성해 보세요. 0.01만큼 움직일 수 있어요.

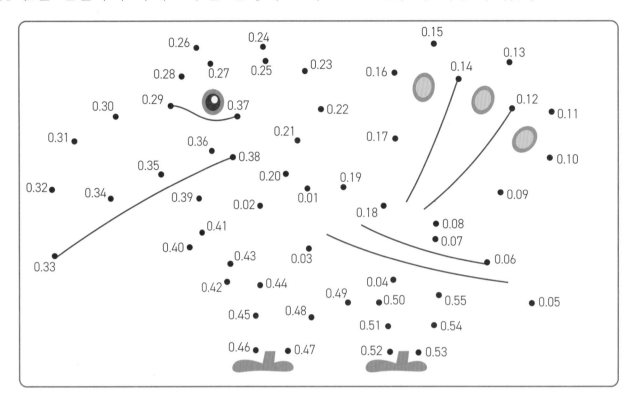

7. 아이들의 은행 잔고를 살펴보고 질문에 답해 보세요.

오토	165.42 €
아만다	218.15 €
아이단	166.05 €
일로나	238.98 €
줄리안	178.66 €
소피아	165.79 €
로지	228.89 €

❶ 계좌에 돈이 가장 많은 사람은 누구일까요?

_____

❷ 계좌에 돈이 가장 적은 사람은 누구일까요?

_____

❸ 휴대 전화가 1개에 220유로예요. 저축한 돈으로 휴대 전화를 살 수 있는 사람은 누구일까요?

_____, _____

❹ 두 아이의 계좌 잔고는 20유로 차이가 나요. 누구와 누구의 계좌일까요?

_____, _____

8. 아래 글을 읽고 빈칸에 알맞은 소수를 만들어 보세요.

❶ ☐ ☐ ☐ ☐

- 각 자리의 숫자가 모두 같은 네 자리 수예요.
- 소수점을 기준으로 양쪽에 두 자리씩 있어요.
- 각 자리의 숫자끼리 더하면 12예요.

❷ ☐ ☐ ☐

- 세 자리 수예요.
- 0.50보다 작아요.
- 각 자리의 숫자끼리 더하면 13이에요.

❸ ☐ ☐ ☐

- 세 자리 수예요.
- 2보다 크고 3보다 작아요.
- 두 자리의 숫자가 같아요.
- 각 자리의 숫자끼리 더하면 5예요.
- 소수 둘째 자리의 숫자가 소수 첫째 자리의 숫자보다 커요.

❹ ☐ ☐ ☐

- 세 자리 수예요.
- 각 자리의 숫자끼리 더하면 4예요.
- 소수 둘째 자리가 없어요.
- 10보다 크고 20보다 작아요.
- 각 자리의 숫자가 다 달라요.
- 소수 첫째 자리의 숫자가 가장 커요.

한 번 더 연습해요!

1. 아래 그림을 보고 유로와 센트로 나타내어 보세요.

_____ c = _____ €   _____ = _____   _____ = _____

2. 아래 그림을 보고 금액을 다른 방법으로 나타내어 보세요.

_____ € _____ c  = _____ €   _____ € _____ c  = _____ €   _____ € _____ c = _____ €

3. 계산해 보세요. 물건의 가격은 83쪽 문제 5번과 같아요.

❶ 시머스는 사탕 1봉지와 막대사탕 1개를 샀어요. 모두 얼마일까요?

정답 :

❷ 엘렌은 초콜릿 바 2개를 샀어요. 모두 얼마일까요?

정답 :

14 소수의 크기 비교

누가 돈이
더 많을까요?

1.55 € > 1.50 €   정답 : 알렉의 돈이 더 많아요.

- 먼저 자연수를 비교해요.
- 자연수가 같다면 소수 첫째 자리를 비교해요.
- 소수 첫째 자리의 수가 같다면 소수 둘째 자리를 비교해요.
- 소수 둘째 자리의 수가 없다면 그 자리에 0을 쓰세요.
  소수 끝에 있는 0은 수의 크기에 아무 영향을 주지 않아요.

12.5 > 9.7
2.4 < 2.5
4.83 > 4.82
5.1 = 5.10

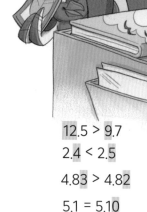

---

1. 아래 그림을 보고 유로와 센트로 나타내어 보세요. 그리고 ☐ 안에 >, =, <를
알맞게 써넣어 보세요. 1센트는 0.01유로와 같아요.

❶

_____ ☐ _____

❷

_____ ☐ _____

❸

_____ ☐ _____

❹

_____ ☐ _____

2. □ 안에 >, =, <를 알맞게 써넣어 보세요.

2.9 ☐ 3.1	11.52 ☐ 11.47	3.4 ☐ 3.40
3.8 ☐ 4.0	22.89 ☐ 22.96	3.12 ☐ 3.19
3.8 ☐ 2.8	13.1 ☐ 13.05	3.47 ☐ 3.44
12.5 ☐ 12.51	2.81 ☐ 8.21	7.15 ☐ 7.1
51.9 ☐ 51.90	3.11 ☐ 3.01	7.09 ☐ 7.1
42.9 ☐ 42.89	5.01 ☐ 5.10	7.20 ☐ 7.1

3. 자루 안의 수를 알맞게 배열해 보세요.

6.84
10.15   9.88
9.86   10.52
9.68   6.48

❶ 점점 작아지는 순서로

_____ > _____ > _____ > _____ > _____ > _____ > _____

❷ 점점 커지는 순서로

5.96
7.17   5.66
5.69   2.31
2.13   7.71

_____ < _____ < _____ < _____ < _____ < _____ < _____

4. 아이들의 은행 잔고를 살펴보고 질문에 답해 보세요.

에이브	40.47 €
에밀리	46.99 €
올리버	37.27 €
베르나	46.39 €
프랜시스	37.80 €
오스카	42.62 €

❶ 계좌에 돈이 가장 많은 사람은 누구일까요?

정답 : _____

❷ 계좌에 돈이 가장 적은 사람은 누구일까요?

정답 : _____

❸ 계좌에 4번째로 돈이 많은 사람은 누구일까요?

정답 : _____

❹ 계좌에 2번째로 돈이 적은 사람은 누구일까요?

정답 : _____

더 생각해 보아요!

줄스에게 2유로 동전 2개, 1유로 동전 2개, 50센트 동전 2개, 20센트 동전 2개가
있어요. 마누는 2유로 동전 3개, 50센트 동전 3개, 10센트 동전 3개가 있어요.
두 사람이 가진 금액이 같아지려면 마누는 줄스에게 얼마를 주어야 할까요?

_____

5. 더 큰 수를 따라 길을 찾아보세요.

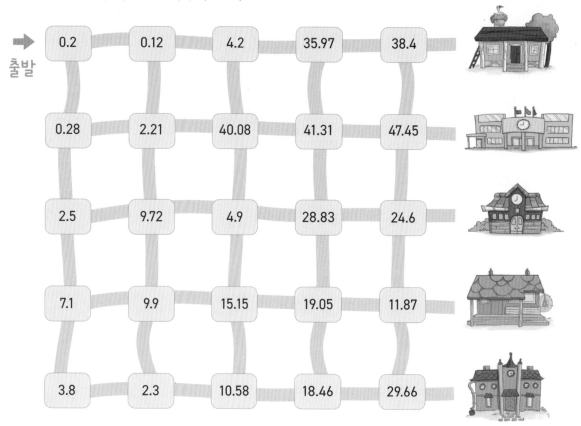

6. 아래 글을 읽고 이름, 산 물건, 그리고 물건값을 알아맞혀 보세요.

이름: _____ _____ _____ _____

산 물건: _____ _____ _____ _____

물건값: _____ _____ _____ _____

- 팔머가 산 책은 가격이 30.50유로예요.
- 올리비아가 산 물건은 루카스가 산 물건보다 2유로 더 비싸요.
- 엘리의 머리카락은 빨간색이에요.
- 루카스가 산 물건은 가격이 47.90유로예요.
- 팔머의 머리카락은 검은색이에요.

- 엘리가 산 물건값은 팔머가 산 물건값의 절반이에요.
- 운동화는 아이들이 산 물건 중 가장 비싸요.
- 올리비아 옆의 아이는 코트를 샀어요.
- 색연필은 아이들이 산 물건 중 가장 싸요.

7. 주어진 수와 가장 가까운 수를 오른쪽 네모에서 찾아 써 보세요.

❶ 1 _____   ❷ 2 _____

❸ 0 _____   ❹ 5 _____

1.3	1.7	0.8
0.9	2.5	8.1

8. 아래 카드를 모두 이용하여 만들 수 있는 소수를 점점 커지는 순서로 써넣어 보세요.

_____ < _____ < _____ < _____ < _____ < _____

0 3 5 .

_____ < _____ < _____ < _____ < _____
_____ < _____ < _____ < _____ < _____

한 번 더 연습해요!

1. 아래 그림을 보고 금액을 유로와 센트로 나타내어 보세요. 그리고 □ 안에 >, =, <를 알맞게 써넣어 보세요.

_____ □ _____   _____ □ _____

2. □ 안에 >, =, <를 알맞게 써넣어 보세요.

5.9 □ 6.5   4.41 □ 4.14   3.43 □ 3.46

2.8 □ 1.9   2.77 □ 2.87   7.6 □ 7.60

3.6 □ 4.2   8.1 □ 8.05   5.25 □ 5.2

15 소수의 덧셈-세로셈

십의 자리	일의 자리	소수 첫째 자리		십의 자리	일의 자리	소수 첫째 자리
7	8 .	5	+	3	1 .	8

		1	1
		7	8 . 5
+		3	1 . 8
	1	1	0 . 3

정답 : 110.3

> 세로셈에서
> 소수점은
> 꼭 써야 해요.

백의 자리	십의 자리	일의 자리	소수 첫째 자리		십의 자리	일의 자리	소수 첫째 자리	소수 둘째 자리		십의 자리	일의 자리
1	3	7 .	3	+	2	1 .	4	2	+	5	2

		1	1		
	1	3	7 .	3	0
		2	1 .	4	2
+		5	2 .	0	0
	2	1	0 .	7	2

정답 : 210.72

> 52라는 수는 소수점을
> 찍어서 나타내면
> 52.00과 같아요.

- 네모 칸에 자릿값을 잘 맞추어서 수를 써 보세요.
- 비어 있는 자리에는 0을 붙여서 자릿값을 맞추어 주세요.
- 같은 자리끼리 세로로 덧셈을 하세요.
- 덧셈 후 나온 값에 소수점을 찍는 것을 잊지 마세요.

1. 세로셈으로 답을 구한 후, 정답을 애벌레에서 찾아 ○표 해 보세요.

14.2 + 34.7

	1	4 .	2
+	3	4 .	7

23.3 + 15.8

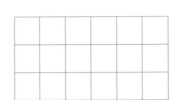

	2	3 .	3
+	1	5 .	8

28.54 + 13

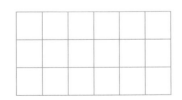

	2	8 .	5	4
+	1	3 .	0	0

31.76 + 5.16

129.45 + 9.6

158 + 37.62

| 29.05 | 36.92 | 39.1 | 41.54 | 48.9 | 139.05 | 143.03 | 195.62 |

2. 아래 글을 읽고 세로셈으로 답을 구한 후, 정답을 애벌레에서 찾아 ○표 해 보세요.

① 루사는 헬멧 1개와 스케이트 날 덮개 1세트를 샀어요. 물건값은 모두 얼마일까요?

식 : _____

정답 : _____

② 아드리안은 헬멧 1개와 아이스하키 스틱 1개를 샀어요. 물건값은 모두 얼마일까요?

식 : _____

정답 : _____

③ 페이톤은 아이스하키 장갑, 스케이트 날 덮개, 아이스하키 스틱을 1개씩 샀어요. 물건값은 모두 얼마일까요?

식 : _____

정답 : _____

④ 엘리는 스케이트 1세트, 스케이트 날 덮개 1세트, 아이스하키 스틱 1개를 샀어요. 물건값은 모두 얼마일까요?

식 : _____

정답 : _____

자릿값을 잘 맞추어서 계산하렴~!

 42.45 €   58.40 €   62.15 €   111.50 €   172.30 €   190.30 €

🔍 더 생각해 보아요!

식이 성립하도록 1, 2, 3, 4, 5를 1번씩 써서 빈칸을 채워 보세요.

___ . ___ ___ + ___ ___ . ___ = 29.91

3. 줄스는 물건을 2가지 샀어요. 물건의 이름과 가격을 써 보세요.

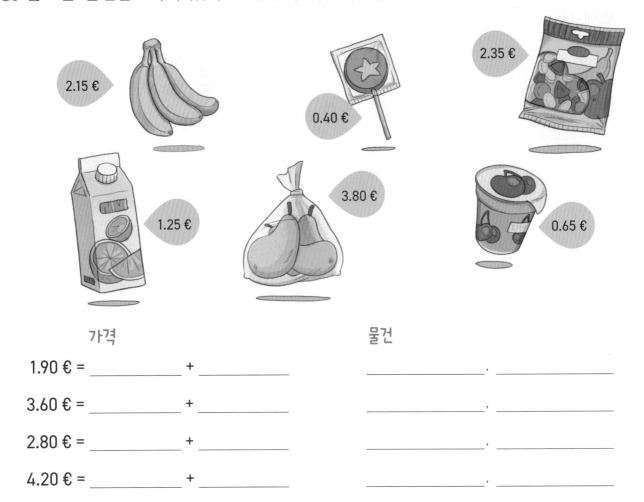

가격   물건

1.90 € = _____ + _____   _____, _____

3.60 € = _____ + _____   _____, _____

2.80 € = _____ + _____   _____, _____

4.20 € = _____ + _____   _____, _____

4. 아이들이 수집 카드에 돈을 얼마나 썼는지 알아맞혀 보세요.

리차드   키아   샘   메릴린

_____   _____   _____   _____

- 키아의 카드가 가장 비싸요. 키아의 카드는 샘의
  카드보다 1.70유로 더 비싸요.
- 샘의 카드가 메릴린의 카드보다 90센트 더 싸요.
- 리차드는 카드 사는 데 돈을 가장 적게 썼어요.

- 가장 싼 카드는 가장 비싼 카드보다 1.85유로
  더 싸요.
- 메릴린은 카드를 살 때 5유로 지폐를 내고
  40센트를 거스름돈으로 받았어요.

5. 나는 어떤 수일까요?

❶ 세 자리 소수 중 가장 큰 수는 무엇일까요?

정답 : _____

❷ 세 자리 소수 중 7.20보다 작고 7.17보다 큰 소수 2개는 무엇일까요?

정답 : _____

❸ 세 자리 소수 중 8.9보다 작고 8.87보다 큰 소수 2개는 무엇일까요?

정답 : _____

❹ 세 자리 소수 중 6과 7.5로부터 같은 거리에 있는 소수는 무엇일까요?

정답 : _____

한 번 더 연습해요!

1. 세로셈으로 답을 구해 보세요.

12.53 + 4.25

13.91 + 6.8

148 + 16.73

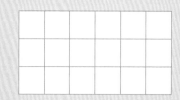

2. 아래 글을 읽고 세로셈으로 계산하여 답을 구해 보세요.

❶ 루메리는 143.50유로짜리 스케이트와 56.95유로짜리 아이스하키 스틱을 샀어요. 물건값은 모두 얼마일까요?

식 : _____

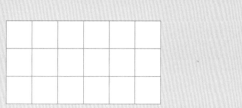

정답 : _____

❷ 잰은 87유로짜리 장갑과 39.50유로짜리 아이스하키 스틱을 샀어요. 물건값은 모두 얼마일까요?

식 : _____

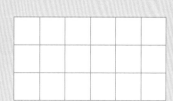

정답 : _____

16 소수의 뺄셈-세로셈

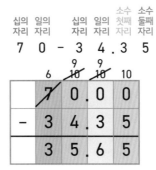

백의 자리	십의 자리	일의 자리	소수 첫째 자리		십의 자리	일의 자리	소수 첫째 자리
1	5	9 .	4	−	1	8 .	6

			8	10
	1	5	9̸ .	4
−		1	8 .	6
	1	4	0 .	8

정답 : 140.8

십의 자리	일의 자리		십의 자리	일의 자리	소수 첫째 자리	소수 둘째 자리
7	0	−	3	4 .	3	5

	6	9 10	9 10	10
	7̸	0 .	0	0
−	3	4 .	3	5
	3	5 .	6	5

정답 : 35.65

- 네모 칸에 자릿값을 잘 맞추어서 수를 써 보세요.
- 비어 있는 자리 수엔 0을 붙여서 자릿값을 맞추어 주세요.
- 같은 자리끼리 세로로 뺄셈을 하세요.
- 뺄셈 후 나온 값에 소수점을 찍는 것을 잊지 마세요.

받아 내림을 해야 할 때도 있어요.

1. 세로셈으로 계산한 후, 정답을 애벌레에서 찾아 ○표 해 보세요.

59.4 - 12.3

	5	9 .	4
−	1	2 .	3

19.52 - 8.71

	1	9 .	5	2
−		8 .	7	1

59 - 16.3

	5	9 .	0
−	1	6 .	3

147.6 - 21.9

64.07 - 6.5

140 - 27.8

 7.61   10.81   42.7   47.1   57.57   112.2   118.7   125.7

2. 아래 글을 읽고 세로셈으로 답을 구한 후, 정답을 애벌레에서 찾아 ○표 해 보세요.

❶ 톰은 45.80유로어치 물건을 샀어요. 60유로를 내면 거스름돈으로 얼마를 받을까요?

식 : _____

정답 : _____

❷ 올리비아는 62.95유로어치 물건을 샀어요. 175유로를 내면 거스름돈으로 얼마를 받을까요?

식 : _____

정답 : _____

❸ 샌디는 72.50유로를 가지고 있었는데 43.15유로어치 물건을 샀어요. 샌디에게 남은 돈은 얼마일까요?

식 : _____

정답 : _____

❹ 선생님은 195.60유로를 가지고 있었는데 67.35유로어치 물건을 샀어요. 선생님에게 남은 돈은 얼마일까요?

식 : _____

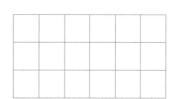

정답 : _____

 14.20 €   29.35 €   32.05 €   106.35 €   112.05 €   128.25 €

더 생각해 보아요!

식이 성립하도록 1, 2, 3, 4, 5, 6을 1번씩 써서 빈칸을 채워 보세요.

___ . ___ ___ − ___ . ___ ___ = 1.31

3. 규칙에 따라 빈칸에 알맞은 수를 써넣어 보세요.

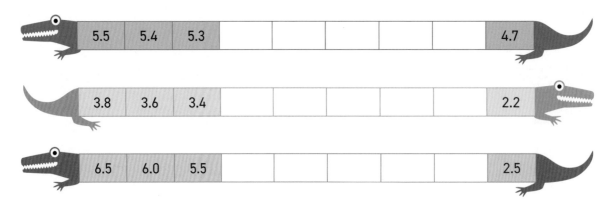

| 5.5 | 5.4 | 5.3 | | | | | | 4.7 |

| 3.8 | 3.6 | 3.4 | | | | | 2.2 |

| 6.5 | 6.0 | 5.5 | | | | | 2.5 |

4. 가로줄과 세로줄의 합이 아래 조건을 만족하도록 빈칸에 알맞은 수를 써넣어 보세요.

❶ 합이 3.0

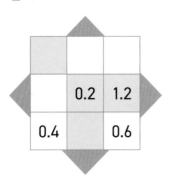

| | 0.2 | 1.2 |
| 0.4 | | 0.6 |

❷ 합이 5.5

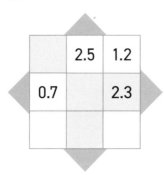

| | 2.5 | 1.2 |
| 0.7 | | 2.3 |

5. 선생님이 산 물건값은 모두 24유로예요. 다른 사람의 물건값을 알아맞혀 보세요.

❶ 엠마 엄마가 산 물건

정답 : _____

선생님이 산 물건

= 2.50 €

= 4.30 €

= 12.10 €

= _____

❷ 알렉 아빠가 산 물건

정답 : _____

❸ 칩이 산 물건

정답 : _____

6. 아래 암호를 읽어 보세요. 소수점이 나오면 읽는 방향이 바뀌어 S와 R부터 1번이 돼요.

❶
| L | R | A | E | W | N | M | I | S |

943.91　　32.6　　589.6　　3687.791

_____

❷
| L | K | I | A | M | C | E | S | R |

248.273　　132.32　　3676.1365

_____

❸ 여러분도 메시지를 암호로 만들어 부모님이나 친구가 풀게 해 보세요.

_____

한 번 더 연습해요!

1. 세로셈으로 답을 구해 보세요.

47.2 − 14.1　　　　　　47 − 16.2　　　　　　135.93 − 48.72

　　　　　　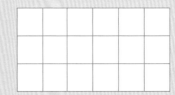

2. 아래 글을 읽고 세로셈으로 답을 구해 보세요.

❶ 에디는 65.50유로를 가지고 있었는데 28.15유로어치 물건을 샀어요. 에디에게 남은 돈은 얼마일까요?

식 : _____

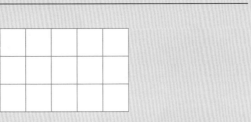

정답 : _____

❷ 스티나는 78.30유로어치 물건을 샀어요. 스티나는 100유로를 내고 거스름돈으로 얼마를 받았을까요?

식 : _____

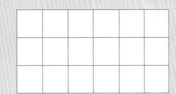

정답 : _____

1. 규칙에 따라 알맞은 수를 빈칸에 써넣어 보세요.

0.31	0.32	0.33						0.40

2.54	2.55	2.56						2.63

1.76	1.75	1.74						1.67

2. 아래 그림을 보고 금액을 다른 방법으로 나타내어 보세요.

〈보기〉 　　　　　　

1€ 50c = **1.50** €　　　_____€ _____c = _____€　　　_____€ _____c = _____€

_____€ _____c = _____€　　　_____€ _____c = _____€　　　_____€ _____c = _____€

3. □ 안에 >, =, <를 알맞게 써넣어 보세요.

3.2 □ 3.3		13.45 □ 13.52		9.1 □ 9.01
5.0 □ 4.9		18.1 □ 18.12		14.6 □ 14.60
4.2 □ 3.2		23.98 □ 23.89		25.8 □ 25.79

4. 세로셈으로 계산한 후, 정답을 애벌레에서 찾아 ○표 해 보세요.

29.71 + 32.15

5.9 + 54.17

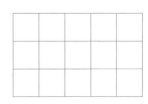

120 + 39.03

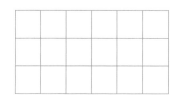

37.34 − 16.13

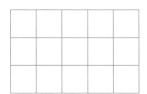

32.04 − 18.6

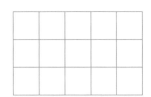

160 − 17.65

| 13.44 | 21.21 | 34.27 | 60.07 | 61.86 | 136.78 | 142.35 | 159.03 |

5. 아래 글을 읽고 세로셈으로 답을 구한 후, 정답을 애벌레에서 찾아 ○표 해 보세요.

❶ 레니는 35.60유로짜리 아이스하키 스틱 1개와 14.90유로짜리 하키 스틱 가방을 샀어요. 레니가 산 물건은 모두 얼마일까요?

식 :

정답 :

❷ 잉가는 56.60유로가 있었는데 14.75유로를 썼어요. 잉가에게 남은 돈은 얼마일까요?

식 :

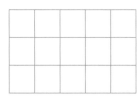

정답 :

 41.85 €   44.75 €   50.50 €   52.50 €

세로셈으로 계산할 때는 자리를 잘 맞추어서 수를 써야 해.

🔍 더 생각해 보아요!

니콜라스와 샌포드는 이번 시즌에 총 21골을 성공했어요. 샌포드는 니콜라스보다 3골을 더 넣었어요. 니콜라스와 샌포드는 각각 몇 골을 넣었을까요?

니콜라스 _____, 샌포드 _____

6. 더 큰 수를 따라가세요. 미로를 통과한 후 길을 거슬러 올라가며 알파벳을 읽어 보세요. 어떤 단어가 될까요?

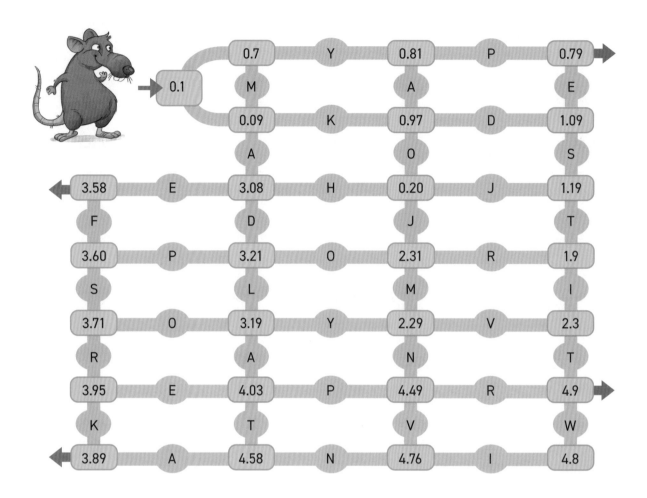

_____

7. 지갑에 1유로 동전과 50센트 동전이 몇 개씩 있는지 알아맞혀 보세요.

❶ 엘리는 동전 3개가 있고 합하면 2유로예요.

 _____   _____

❷ 맨디는 동전 5개가 있고 합하면 3.50유로예요.

 _____  _____

❸ 조단은 동전 7개가 있고 합하면 4유로예요.

 _____  _____

❹ 셀레나는 동전 7개가 있고 합하면 5.50유로예요.

 _____  _____

8. 계산한 후, 정답을 애벌레에서 찾아 ○표 해 보세요.

(1.2 + 2.8) − 2.5 = _____   (8.0 − 3.1) + 0.6 = _____

7.8 − (1.3 + 0.5) = _____   0.5 + (1.3 − 0.9) = _____

| 0.7 | 0.9 | 1.5 | 4.5 | 5.5 | 6.0 |

9. 저울이 수평이 되려면 어떤 상자 2개를 바꾸어야 할까요? 바꾸어야 할 상자의 소수를 빈칸에 써 보세요.

❶
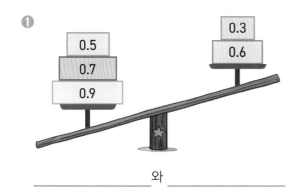

0.5
0.7
0.9

0.3
0.6

_____ 와 _____

❷
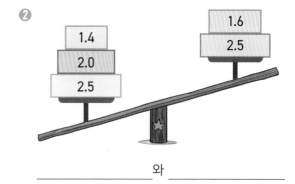

1.4
2.0
2.5

1.6
2.5

_____ 와 _____

한 번 더 연습해요!

1. 세로셈으로 답을 구해 보세요.

29.71 + 32.15

5.9 + 54.17

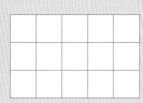

175 + 39.03

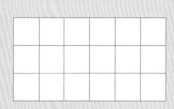

72.36 − 16.9

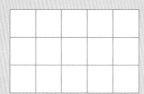

52.08 − 14.35

184 − 63.89

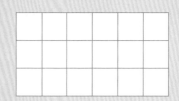

10. 가로와 세로줄의 합이 각각 주어진 수가 되도록 아래 표를 완성해 보세요.

❶ 1.5

1.2		0.0
	0.6	
0.1		

❷ 2.0

	0.4	
0.4		
	0.6	0.7

11. 아래 설명에 따라 순서대로 움직여서 길을 찾아보세요.

- 소수
- 소수 둘째 자리가 없는 수
- $\frac{1}{2}$과 같은 수
- 가장 큰 수
- 가장 작은 수
- 12의 절반
- 12를 3등분한 것 중 1등분
- 7보다 0.1만큼 작은 수
- 지금 있는 곳의 수와 같은 수
- 7.8보다 0.2 큰 수
- 지금 있는 곳의 수에 2.0를 더한 수

어떤 수에 도착했나요?

_____

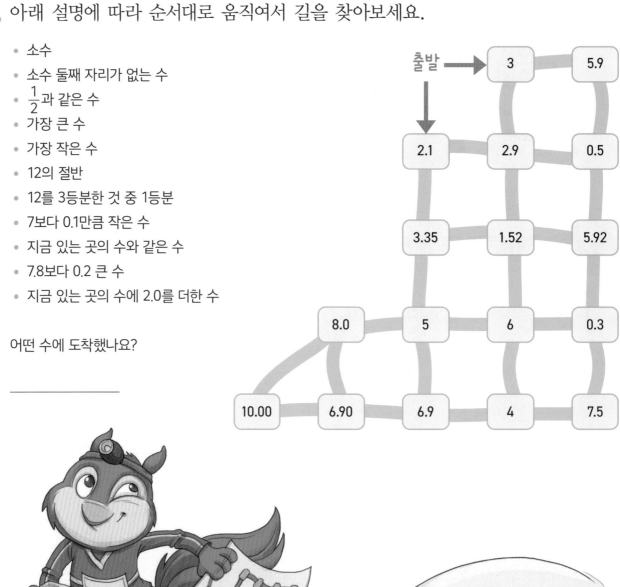

출발 → 3 5.9
2.1 2.9 0.5
3.35 1.52 5.92
8.0 5 6 0.3
10.00 6.90 6.9 4 7.5

12. 아래 카드를 이용하여 만들 수 있는 모든
수를 점점 커지는 순서로 써 보세요.
수마다 카드 4장을 모두 이용해야 해요.

| 0 | 6 | 6 | . |

_____ < _____ < _____ < _____ < _____

13. 스도쿠 퍼즐을 완성해 보세요. 가로줄과
세로줄에 빨강, 노랑, 초록, 파랑을 1번씩만
색칠할 수 있어요. 2가지 답을 생각해 보세요.

한 번 더 연습해요!

1. 세로셈으로 답을 구해 보세요.

11.72 + 6.44   16.37 + 32.9   23.64 − 11.48

2. 아래 글을 읽고 세로셈으로 답을 구해 보세요.

❶ 로냐는 62.90유로짜리 코트와
14.50유로짜리 모자를 샀어요.
물건값은 모두 얼마일까요?

식 : _____

정답 : _____

❷ 람세이는 118유로를 가지고 있었는데,
65.90유로를 썼어요. 람세이에게 남은
돈은 얼마일까요?

식 : _____

정답 : _____

1. 값이 같은 것끼리 선으로 이어 보세요.

3과 10분의 3		3.3
2와 100분의 14		2.41
2와 100분의 41		1.8
1과 10분의 8		3.66
3과 100분의 66		2.14

2. 수직선 위의 점을 소수로 나타내어 보세요.

3. □ 안에 >, =, <를 알맞게 써넣어 보세요.

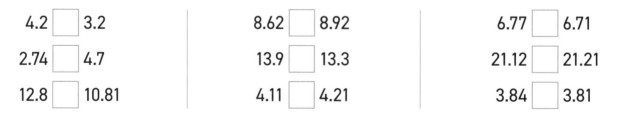

4.2 □ 3.2   8.62 □ 8.92   6.77 □ 6.71

2.74 □ 4.7   13.9 □ 13.3   21.12 □ 21.21

12.8 □ 10.81   4.11 □ 4.21   3.84 □ 3.81

4. 계산해 보세요.

0.4 + 0.5 = _____   0.4 + 1.8 = _____   1.6 + 5.5 = _____

0.6 + 0.2 = _____   2.4 − 0.5 = _____   4.6 + 2.4 = _____

3.7 − 0.4 = _____   4.1 − 0.3 = _____   5.3 − 1.4 = _____

5. 세로셈으로 답을 구해 보세요.

44.7 + 21.71   65.62 − 35.45   259.03 − 17.99

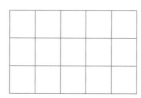

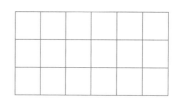

6. 아래 글을 읽고 세로셈으로 답을 구해 보세요.

❶ 오로라는 145.60유로짜리 코트와 22.55유로짜리 셔츠를 샀어요. 물건값은 모두 얼마일까요?

❷ 악셀은 70유로를 가지고 있었는데 54.65유로를 썼어요. 악셀에게 남은 돈은 얼마일까요?

식 : _____

식 : _____

정답 : _____

정답 : _____

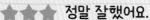 얼마나 잘했나요? ✦

실력이 자란 만큼 별을 색칠하세요.

★★★ 정말 잘했어요.
★★☆ 꽤 잘했어요.
★☆☆ 앞으로 더 노력할게요.

_____월 _____일 _____요일

1. 빈칸에 알맞은 수를 써넣어 수직선을 완성해 보세요.

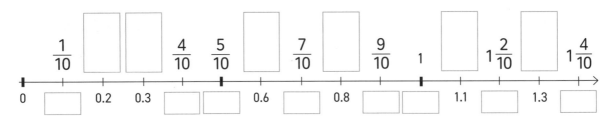

2. 자루 안의 수를 알맞게 써넣어 보세요.

14.88
11.16   7.43
11.61   11.75
14.80   7.34

_____ > _____ > _____ > _____ > _____ > _____ > _____

3. 칩의 뜀뛰기를 수직선에 나타내고 계산한 값을 빈칸에 써넣어 보세요.

1.4 + 0.3 = _____

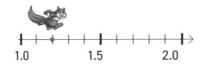

1.2 + 0.6 = _____

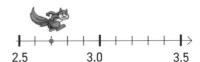

2.7 + 0.6 = _____

1.8 − 0.5 = _____

2.7 − 0.6 = _____

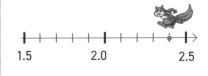

2.4 − 0.7 = _____

4. 세로셈으로 답을 구해 보세요.

15.77 + 9.12   28.2 − 7.02   33.03 − 12.88

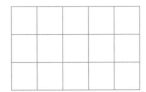      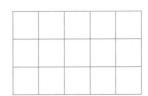

5. □ 안에 ＞, ＝, ＜를 알맞게 써넣어 보세요.

5.7 □ 5.3   2.34 □ 2.36   45.46 □ 45.64

7.0 □ 7.2   9.11 □ 9.10   25.25 □ 25.52

6. 계산해 보세요.

0.3 + 0.6 = _____   3.9 − 0.5 = _____

1.7 + 1.8 = _____   6.2 − 0.7 = _____

2.8 + 1.2 + 0.5 = _____   5.5 − 0.6 − 0.3 = _____

7. 세로셈으로 답을 구해 보세요.

36.93 + 7.4   81.44 − 45.74   70 − 28.62

      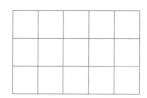

8. 아래 글을 읽고 세로셈으로 답을 구해 보세요.

❶ 바이올렛은 수영복과 수영모를 샀어요. 수영복은 51.85유로이고, 수영모는 29.25유로예요. 물건값은 모두 얼마일까요?

식 : _____

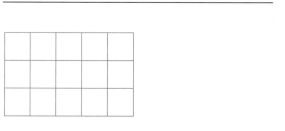

정답 : _____

❷ 버논은 책 2권을 샀는데 모두 합해서 110유로였어요. 그중 1권이 36.95유로라면 나머지 한 권은 얼마일까요?

식 : _____

정답 : _____

9. □ 안에 >, =, <를 알맞게 써넣어 보세요.

15.74 □ 15.70			36.1 □ 30.2 + 5.5	
28.87 □ 28.78			14.40 □ 11.9 + 2.5	
40.01 □ 40.10			25.2 □ 30 − 4.5	
29.99 □ 30			19.9 □ 25.8 − 6	

10. 식이 성립하도록 빈칸에 알맞은 수를 써넣어 보세요.

2.5 + _____ = 5.1   _____ + 3.7 = 6.0

8.9 − _____ = 6.8   _____ − 4.4 = 1.8

5.2 + _____ − 3.6 = 3.4

7.0 − _____ + 4.9 = 9.4

11. 아래 글을 읽고 세로셈으로 답을 구해 보세요.

❶ 알렉은 각각 46.55유로짜리 게임 2개를 샀어요. 물건값은 모두 얼마일까요?

식 : _____

정답 : _____

❷ 엠마는 32.95유로짜리 책을 1권 샀어요. 100유로 지폐를 내면 거스름돈으로 얼마를 받을까요?

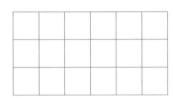

식 : _____

정답 : _____

12. 식이 성립하도록 빈칸에 알맞은 수를 써넣어 보세요.

	5	7	.		1
+		8	.	6	4
	6		.	0	5

	4	4	.	5	2
−	2		.		1
	2	0	.	6	1

★ 소수

자연수 → 4 . 2 ← 소수

↑ 소수점

자연수 4와
10분의 2

일의 자리 / 소수 첫째 자리 / 소수 둘째 자리

3 . 1 7

자연수 3과
100분의 17

- 일의 자리, 소수 첫째 자리, 소수 둘째 자리 등을 자리 수라고 해요.

★ 소수의 크기 비교

10.4 > 8.9

5.6 < 5.7

7.73 > 7.72

0.40 = 0.4

- 먼저 자연수끼리 비교해요.
- 자연수가 같다면 소수 첫째 자리끼리 비교해요.
- 소수 첫째 자리가 같다면 소수 둘째 자리끼리 비교해요.
- 소수 끝에 있는 0은 수의 크기에 아무 영향을 주지 않아요.

★ 소수의 덧셈과 뺄셈

1.3 + 0.5
= 1.8

4.8 - 0.6
= 4.2

0.6 + 0.7
= 0.6 + 0.4 + 0.3
= 1.0 + 0.3
= 1.3

1.4 - 0.7
= 1.4 - 0.4 - 0.3
= 1.0 - 0.3
= 0.7

5.3 - 2.4
= 5.3 - 2.0 - 0.4
= 3.3 - 0.3 - 0.1
= 3.0 - 0.1
= 2.9

★ 소수의 덧셈과 뺄셈 - 세로셈

백의 자리 / 십의 자리 / 일의 자리 / 소수 첫째 자리 / 소수 둘째 자리

3 3 5 . 6 9 + 4 7 . 5

십의 자리 / 일의 자리 / 소수 첫째 자리 / 소수 둘째 자리

4 3 . 0 5 - 1 4 . 7

		1	1		
	3	3	5 .	6	9
+		4	7 .	5	0
	3	8	3 .	1	9

	3	12	10	
	4̸	3̸ .	0	5
-	1	4 .	7	0
	2	8 .	3	5

- 네모 칸에 자리 수를 맞추어서 수를 써 보세요.
- 비어 있는 자리에는 0을 붙여서 자리 수를 모두 맞추어 주세요.
- 같은 자리끼리 세로로 덧셈이나 뺄셈을 하세요.
- 덧셈이나 뺄셈 후 나온 값에 소수점을 찍는 것을 잊지 마세요.

도전! 심화 문제

1 0.01에서 시작하여 점점 커지는 순서로 점을 연결해 보세요.

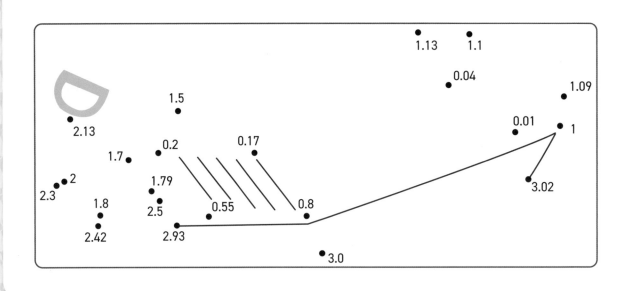

- 1.13
- 1.1
- 0.04
- 1.09
- 1.5
- 2.13
- 0.01
- 1
- 0.2
- 0.17
- 1.7
- 2
- 2.3
- 1.79
- 3.02
- 1.8
- 2.5
- 0.55
- 0.8
- 2.42
- 2.93
- 3.0

2 규칙에 따라 알맞은 수를 빈칸에 써넣어 보세요.

0.6	0.8					2.0

3.3	3.0					1.2

3 □ 안에 >, =, <를 알맞게 써넣어 보세요.

3.5 □ 5.3

1.4 □ 1.40

7.99 □ 7.98

6.9 □ 6.99

10 □ 10.0

4 세로셈으로 답을 구해 보세요.

21.4 + 8.75　　　　　　　42.7 − 23.47

5 계산한 값이 1인 곳을 색칠해 보세요.

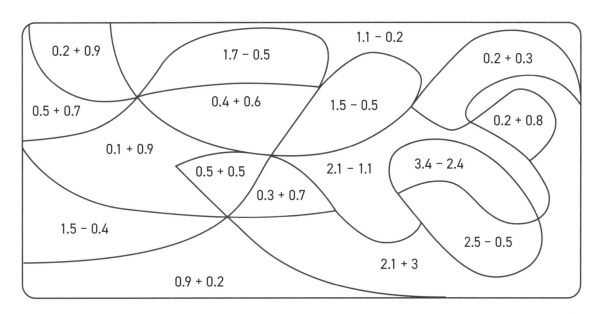

0.2 + 0.9
1.7 − 0.5
1.1 − 0.2
0.2 + 0.3
0.5 + 0.7
0.4 + 0.6
1.5 − 0.5
0.2 + 0.8
0.1 + 0.9
0.5 + 0.5
2.1 − 1.1
3.4 − 2.4
0.3 + 0.7
1.5 − 0.4
2.5 − 0.5
2.1 + 3
0.9 + 0.2

6 계산 결과가 맞도록 소수점을 알맞은 위치에 찍어 보세요.

① 4 2 0 + 4 8 9 = 90.9

② 6 7 9 − 1 7 7 = 66.13

③ 2 5 6 7 + 4 9 1 5 = 305.85

④ 스스로 식을 만들어 보세요.

_____ + _____ = _____

분수 복습

1. 주어진 분수, 분수를 나타낸 그림, 분수를 바르게 읽은 것을 선으로 이어 보세요.

$1\frac{2}{3}$ • • 1과 3분의 1 •

$2\frac{1}{4}$ • • 1과 4분의 1 •

$1\frac{1}{4}$ • • 1과 3분의 2 •

$1\frac{1}{3}$ • • 2와 4분의 1 •

2. 계산하여 답을 자연수나 대분수로 나타낸 후, 정답을 애벌레에서 찾아 ○표 해 보세요.

$\frac{4}{5} + \frac{4}{5} =$ _____

$\frac{7}{5} + \frac{3}{5} =$ _____

$\frac{13}{8} - \frac{4}{8} =$ _____

$\frac{13}{5} - \frac{7}{5} =$ _____

$\frac{11}{8} + \frac{6}{8} =$ _____

$\frac{5}{8} + \frac{6}{8} =$ _____

 $1\frac{1}{5}$ $1\frac{2}{5}$ $1\frac{3}{5}$ $1\frac{1}{8}$ $1\frac{3}{8}$ $1\frac{5}{8}$ 2 $2\frac{1}{8}$

3. 약분해 보세요.

$\frac{8}{10}^{(2} =$ _____

$\frac{9}{12}^{(3} =$ _____

$\frac{15}{20}^{(5} =$ _____

$\frac{4}{16}^{(4} =$ _____

4. 통분해 보세요.

$\frac{3}{4}^{2)} =$ _____

$\frac{3}{5}^{2)} =$ _____

$\frac{2}{5}^{4)} =$ _____

$\frac{2}{3}^{5)} =$ _____

5. 계산하여 답을 대분수로 나타낸 후, 정답을 애벌레에서 찾아 ◯표 해 보세요.

$\dfrac{5}{7} + \dfrac{9}{14}$　　　　　　$\dfrac{7}{15} + \dfrac{2}{3}$　　　　　　$\dfrac{17}{10} - \dfrac{2}{5}$

= _____　　　= _____　　　= _____

= _____　　　= _____　　　= _____

6. 계산한 후, 가능하다면 약분해 보세요. 정답을 애벌레에서 찾아 ◯표 해 보세요.

$\dfrac{11}{12} - \dfrac{2}{3}$　　　　　　$\dfrac{1}{6} + \dfrac{7}{12}$　　　　　　$\dfrac{9}{20} - \dfrac{1}{5}$

= _____　　　= _____　　　= _____

= _____　　　= _____　　　= _____

$\dfrac{5}{8} + \dfrac{1}{4}$　　　　　　$\dfrac{3}{5} - \dfrac{3}{15}$　　　　　　$\dfrac{11}{14} - \dfrac{4}{7}$

= _____　　　= _____　　　= _____

= _____　　　= _____　　　= _____

 $\dfrac{1}{4}$　$\dfrac{1}{4}$　$\dfrac{3}{4}$　$\dfrac{2}{5}$　$\dfrac{7}{8}$　$\dfrac{1}{10}$　$\dfrac{3}{14}$　$1\dfrac{3}{10}$　$1\dfrac{5}{14}$　$1\dfrac{9}{14}$　$1\dfrac{2}{15}$

더 생각해 보아요!

빅터의 나이는 앤보다 2세 적고, 앤의 나이는
에이노보다 3세 많아요. 아이들의 나이를 모두 합하면
28이에요. 아이들은 각각 몇 세일까요?

빅터 _____세　　앤 _____세　　에이노 _____세

7. 아래 설명이 맞으면 참, 틀리면 거짓으로 표시해 보세요.

❶ 분수를 약분할 때 분자와 분모 모두 같은 수로 나눠요.

_____

❷ 분수를 통분할 때 분자와 분모에 모두 같은 수를 곱해요.

_____

❸ $\dfrac{13}{27}$ 과 $\dfrac{4}{9}$ 는 같아요.

_____

❹ 어떤 분수를 2로 약분하면 그 분수는 절반 값으로 줄어요.

_____

8. 계산이 잘못된 곳을 찾아 바르게 고쳐 보세요.

$\overset{3)}{\dfrac{2}{5}} = \dfrac{5}{15}$ _____

$\dfrac{4^{(2}}{10} = \dfrac{8}{5}$ _____

$\overset{5)}{\dfrac{4}{5}} = \dfrac{12}{15}$ _____

$\dfrac{14^{(2}}{21} = \dfrac{7}{8}$ _____

$\dfrac{9}{2} = 4\dfrac{1}{3}$ _____

$\dfrac{15}{4} = 2\dfrac{1}{4}$ _____

9. 윌리가 학교에서 집으로 갈 수 있는 경로를 모두 그려 보세요. 학교에서 집까지의 거리는 4km예요.

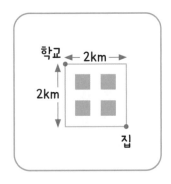

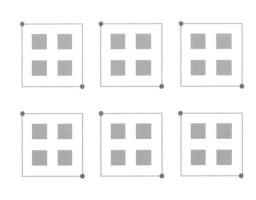

10. 오른쪽 육각형 칸에 1~19까지 숫자가
1개씩 들어가요. 세로줄과 대각선에
있는 수를 합했을 때 각각 38이
되도록 빈칸에 알맞은 수를 써넣어
보세요.

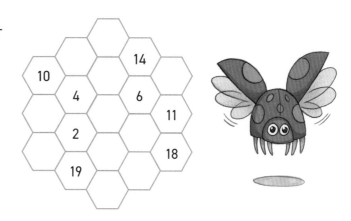

한 번 더 연습해요!

1. 계산한 후, 약분이 가능하다면 약분해 보세요.

$\dfrac{1}{2} + \dfrac{2}{8}$ $\dfrac{1}{10} + \dfrac{2}{5}$ $\dfrac{5}{18} + \dfrac{1}{3}$

= _____   = _____   = _____

= _____   = _____   = _____

$\dfrac{8}{9} - \dfrac{2}{3}$ $\dfrac{3}{4} - \dfrac{5}{12}$ $\dfrac{13}{15} - \dfrac{1}{5}$

= _____   = _____   = _____

= _____   = _____   = _____

2. 계산한 후, 답을 대분수로 나타내어 보세요.

$\dfrac{5}{8} + \dfrac{3}{4}$ $\dfrac{7}{9} + \dfrac{2}{3}$ $\dfrac{5}{12} + \dfrac{2}{3}$

= _____   = _____   = _____

= _____   = _____   = _____

1. 주어진 소수를 아래 수직선에 나타내어 보세요.

❶ [0.3] [0.9] [0.7]

```
├──┼──┼──┼──┼──┼──┼──┼──┼──┼──┼──→
0         0.5         1.0
```

❷ [1.1] [1.3] [0.8]

```
├──┼──┼──┼──┼──┼──┼──┼──┼──┼──┼──→
0.5        1.0         1.5
```

2. ☐ 안에 >, =, <를 알맞게 써넣어 보세요.

3.2 ☐ 3.3   13.45 ☐ 13.52   9.1 ☐ 9.01

5.0 ☐ 4.9   18.1 ☐ 18.12   14.6 ☐ 14.60

4.2 ☐ 3.2   23.98 ☐ 23.89   25.8 ☐ 25.79

3. 아래 그림을 보고 2가지 방법으로 나타내어 보세요.

_____ € _____ c = _____ €　　_____ € _____ c = _____ €　　_____ € _____ c = _____ €

_____ € _____ c = _____ €　　_____ € _____ c = _____ €　　_____ € _____ c = _____ €

4. 계산해 보세요. 아래 수직선을 참고해도 좋아요.

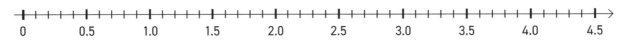

0.6 + 0.5 = _____　　　1.4 − 0.5 = _____　　　0.2 + 0.7 − 0.3 = _____

1.6 + 0.5 = _____　　　3.4 − 0.5 = _____　　　0.9 − 0.4 + 0.7 = _____

1.6 + 1.5 = _____　　　4.4 − 1.5 = _____　　　1.3 + 0.7 − 0.5 = _____

5. 세로셈으로 답을 구한 후, 정답을 애벌레에서 찾아 ○표 해 보세요.

19.75 + 45.03   107.9 + 34.17   139 − 48.03

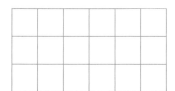

64.78   90.97   87.67   122.17   142.07

6. 아래 글을 읽고 세로셈으로 답을 구한 후, 정답을 애벌레에서 찾아 ○표 해 보세요.

❶ 매릴린은 103.50유로짜리 아이스 스케이트와 37.65유로짜리 헬멧을 샀어요. 물건값은 모두 얼마일까요?

식 : _____

정답 : _____

❷ 티노는 120유로를 가지고 있었는데 83.20유로를 썼어요. 티노에게 얼마가 남았을까요?

식 : _____

정답 : _____

32.30 €   36.80 €   141.15 €   151.35 €

더 생각해 보아요!

밀로는 1유로 동전 3개, 2유로 동전 2개, 20센트 동전 1개, 10센트 동전 3개, 1센트 동전 5개를 가지고 있어요. 제임스는 5유로 지폐 1장, 2유로 동전 1개, 20센트 동전 1개, 5센트 동전 1개를 가지고 있어요. 두 사람이 가진 돈이 같아지려면 밀로는 제임스에게 얼마를 주어야 할까요?

_____

7. 가로와 세로줄의 합이 각각 주어진 수가 되도록 아래 표를 완성해 보세요.

❶ 1.5

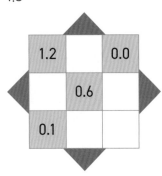

❷ 2.0

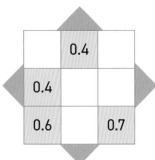

8. 아래 스도쿠 퍼즐을 완성해 보세요. 가로줄과 세로줄에 빨강, 노랑, 초록, 파랑을 1번씩만 색칠할 수 있어요. 2가지 답을 생각해 보세요.

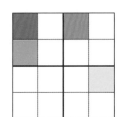

9. 각 부분에 별과 원이 1개씩 있도록 아래 그림을 4부분으로 똑같이 나누어 보세요.

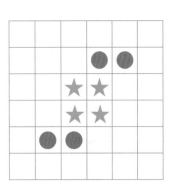

10. 식이 성립하도록 빈칸에 알맞은 수를 써넣어 보세요.

4.5 + _____ = 5.3   6.3 − _____ = 2.8   5.2 + _____ − 3.6 = 3.4

_____ + 2.1 = 4.0   _____ − 2.9 = 1.3   7.0 − _____ + 4.9 = 9.4

11. 저울이 수평이 되려면 어떤 상자 2개를 바꾸어야 할까요? 바꾸어야 할 상자의
소수를 빈칸에 써 보세요.

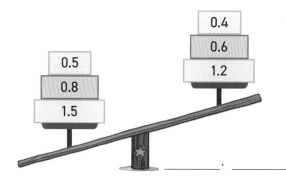

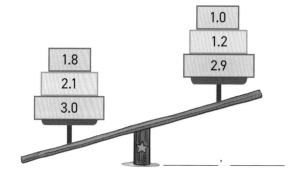

_____ , _____   _____ , _____

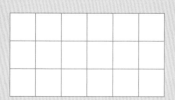

한 번 더 연습해요!

1. 계산해 보세요.

0.8 + 0.5 = _____   1.2 − 0.5 = _____   0.4 + 0.6 − 0.5 = _____

1.8 + 0.5 = _____   3.2 − 0.5 = _____   1.3 − 0.4 + 0.7 = _____

2. 아래 글을 읽고 세로셈으로 답을 구해 보세요.

❶ 제이미에게 100유로가 있었는데
63.20유로를 썼어요. 제이미에게
남은 돈은 얼마일까요?

식 : _____

정답 : _____

❷ 휴고는 125.90유로짜리 아이스 스케이트와
39.70유로짜리 아이스하키 스틱을 샀어요.
휴고가 산 물건은 모두 얼마일까요?

식 : _____

정답 : _____

놀이 수학

분수 관람차

인원 : 2명　준비물 : 놀이 말, 주사위 1개

$2\frac{1}{4}$ $1\frac{1}{5}$ $1\frac{3}{4}$ $1\frac{1}{4}$

$2\frac{1}{3}$

$2\frac{1}{2}$

$2\frac{2}{3}$

$3\frac{1}{3}$

$4\frac{1}{5}$

$4\frac{1}{4}$

$5\frac{1}{2}$

$5\frac{2}{5}$

관람차의 분수: $\frac{11}{2}$, $\frac{9}{4}$, $\frac{17}{4}$, $\frac{27}{5}$, $\frac{8}{3}$, $\frac{10}{3}$, $\frac{5}{4}$, $\frac{11}{2}$, $\frac{7}{3}$, $\frac{5}{2}$, $\frac{21}{5}$, $\frac{5}{4}$, $\frac{5}{2}$, $\frac{8}{3}$, $\frac{7}{4}$, $\frac{17}{4}$, $\frac{6}{5}$, $\frac{10}{3}$

출발

★125쪽 활동지로 한 번 더 놀이해요.

 놀이 방법

1. 한 명은 교재를, 다른 한 명은 활동지를 이용해요.

2. 순서를 정해 주사위를 굴려요. 나온 주사위 눈만큼 말을 옮기세요.

3. 도착한 관람차의 분수를 대분수로 바꾸고 옆의 깃대 에서 찾아 O표 하세요.

4. 모든 대분수에 가장 먼저 O표 한 사람이 놀이에서 이겨요.

약분 놀이

인원 : 2명 　준비물 : 수 카드 2세트

점수는
이런 방법으로
표시하세요.

참가자 1

참가자 2

 놀이 방법

1. 1~10까지의 수 카드 2세트를 각각 1세트씩 뒤집어서 잘 섞어요.

2. 자기 차례가 되면 각각의 수 카드 세트에서 카드를 1장씩 가져와 그 수로 분수를 만들어요.

3. 분수를 약분하거나 자연수로 바꿀 수 있으면 1점을 얻어요.

4. 수 카드가 부족해지면 다시 카드를 섞은 후 놀이를 계속 진행해요.

5. 먼저 5점을 얻은 사람이 놀이에서 이겨요.

자연수와 대분수 놀이

인원 : 2명 　준비물 : 수 카드 2세트

놀이1

분수	자연수	대분수	점수
합계			

놀이2

분수	자연수	대분수	점수
합계			

 놀이 방법

1. 한 명은 교재를, 다른 한 명은 활동지를 이용해요.

2. 자기 차례가 되면 각각의 수 카드 세트에서 카드를 1장씩 가져와 자연수나 대분수로 바꿀 수 있는 분수를 만들어요.

3. 카드로 만든 분수, 바꾼 자연수나 대분수 그리고 자신이 얻은 점수를 표에 기록해요.

4. 더 높은 점수를 얻은 사람이 놀이에서 이겨요.

★127쪽 활동지로 한 번 더 놀이해요.

<점수 매기는 방법>

• 자연수로 바꿀 수 있는 분수는 $\frac{1}{2}$점을 얻어요.

• 대분수일 경우 대분수의 자연수 부분만큼 점수를 얻어요. 예를 들어 대분수가 $2\frac{1}{3}$이라면 2점을 얻어요.

스키 대회

인원 : 2명   준비물 : 주사위 1개, 놀이 말

- 다음 차례에 주사위 눈에 2배 할 수 있어요.
- 한 번 쉬세요.
- 0.2만큼 앞으로 가세요.
- 0.3만큼 뒤로 가세요.

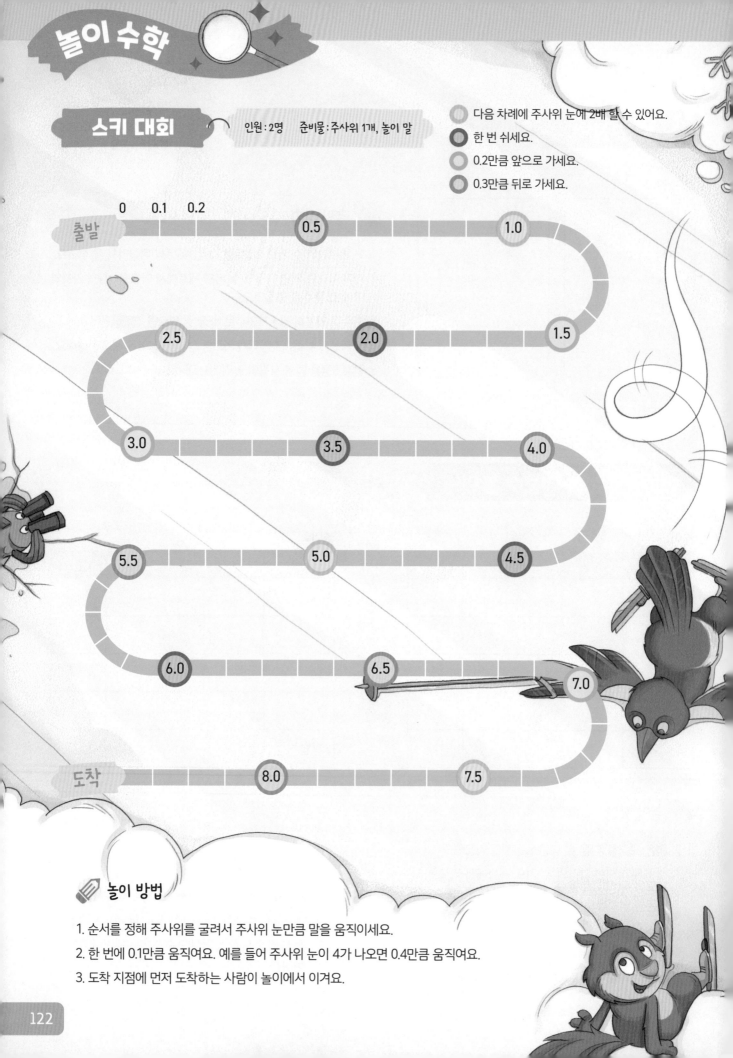

0   0.1   0.2

출발

0.5   1.0   1.5   2.0   2.5   3.0   3.5   4.0   4.5   5.0   5.5   6.0   6.5   7.0   7.5   8.0

도착

✏️ **놀이 방법**

1. 순서를 정해 주사위를 굴려서 주사위 눈만큼 말을 움직이세요.

2. 한 번에 0.1만큼 움직여요. 예를 들어 주사위 눈이 4가 나오면 0.4만큼 움직여요.

3. 도착 지점에 먼저 도착하는 사람이 놀이에서 이겨요.

가게 놀이

인원 : 2명   준비물 : 주사위, 놀이 말, 모형 돈 40유로

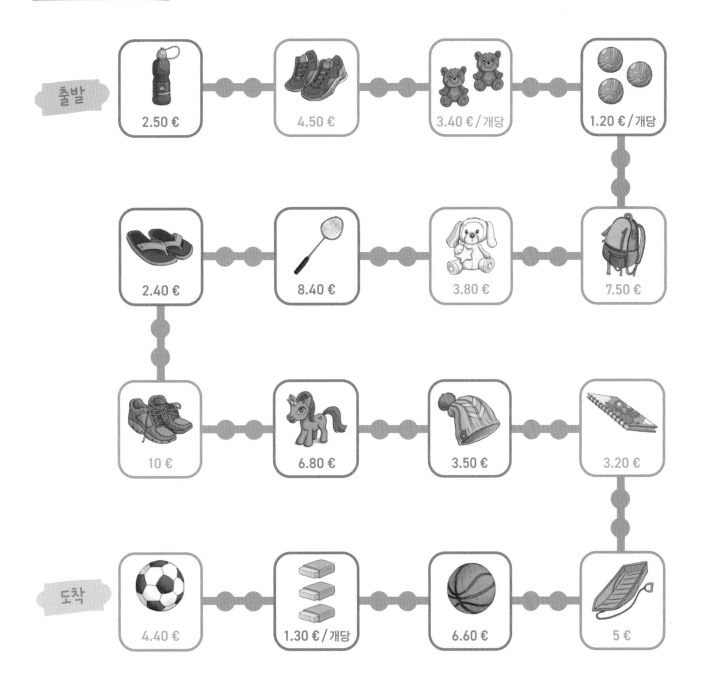

출발

2.50 €   4.50 €   3.40 € / 개당   1.20 € / 개당

2.40 €   8.40 €   3.80 €   7.50 €

10 €   6.80 €   3.50 €   3.20 €

도착

4.40 €   1.30 € / 개당   6.60 €   5 €

✏️ 놀이 방법

1. 모형 돈 40유로를 준비하세요. 계산하기 편하도록 잔돈을 섞으세요.

2. 순서를 정해 주사위를 굴려서 주사위 눈만큼 말을 움직이세요.

3. 빨간 사각형에 도착하면 물건을 사고 물건값을 게임 상대에게 주세요.

4. 파란 사각형에 도착하면 반대로 물건을 게임 상대에게 팔고 물건값을 받으세요.

5. 사거나 판 물건에 X표 하세요.

6. 놀이가 끝났을 때 돈이 더 많은 사람이 이겨요.

126

놀이1

분수	자연수	대분수	점수
합계			

놀이2

분수	자연수	대분수	점수
합계			

놀이1

분수	자연수	대분수	점수
합계			

놀이2

분수	자연수	대분수	점수
합계			

교육 경쟁력 1위 핀란드 초등학교에서 가장 많이 보는
핀란드 수학 교과서 로 집에서도 신나게 공부해요!

핀란드 수학 교과서 시리즈

핀란드 1학년 수학 교과서	핀란드 2학년 수학 교과서	핀란드 3학년 수학 교과서	핀란드 4학년 수학 교과서	핀란드 5학년 수학 교과서	핀란드 6학년 수학 교과서
1-1 1부터 10까지의 수 | 수의 크기 비교 | 덧셈과 뺄셈 | 세 수의 덧셈과 뺄셈	**2-1** 두 자리 수의 덧셈과 뺄셈 | 곱셈 구구 | 혼합 계산 | 도형	**3-1** 세 수의 덧셈과 뺄셈 | 시간 계산 | 받아 올림이 있는 곱셈하기	**4-1** 괄호가 있는 혼합 계산 | 곱셈 | 분수와 나눗셈 | 대칭	**5-1** 분수의 곱셈 | 분수의 혼합 계산 | 소수의 곱셈 | 각 | 원	**6-1** 분수와 소수의 나눗셈 | 약수와 공배수 | 넓이와 부피 | 직육면체의 겉넓이
1-2 100까지의 수 | 짝수와 홀수 | 시계 보기 | 여러 가지 모양 | 길이 재기	**2-2** 곱셈과 나눗셈 | 측정 | 시각과 시간 | 세 자리 수의 덧셈과 뺄셈	**3-2** 나눗셈 | 분수 | 측정(mm, cm, m, km) | 도형의 둘레와 넓이	**4-2** 분수와 소수의 덧셈과 뺄셈 | 측정 | 음수 | 그래프	**5-2** 소수의 나눗셈 | 단위 환산 | 백분율 | 평균 | 그래프 | 도형의 닮음 | 비율	**6-2** 시간과 날짜 | 평균 속력 | 확률 | 방정식과 부등식 | 도형의 이동, 둘레와 넓이

☑ 스스로 공부하는 학생을 위한 최적의 학습서
전국수학교사모임

☑ 학생들이 수학에 쏟는 노력과 시간이 높은 수준의 창의적 문제 해결력이라는 성취로 이어지게 하는 교재
손재호(KAGE영재교육학술원 동탄본원장)

☑ 다양한 수학적 활동을 통하여 수학 개념을 자연스럽게 깨닫게 하고, 논리적 사고를 유도하는 문제들로 가득한 책
하동우(민족사관고등학교 수학 교사)

☑ 배운 개념이 거미줄처럼 수평으로 확장, 반복되고, 아이들은 넓고 깊게 스며들 듯이 개념을 이해
정유숙(쑥샘TV 운영자)

☑ 놀이와 탐구를 통해 수학에 대한 흥미를 높이고 문제를 스스로 이해하고 터득하는 데 도움을 주는 교재
김재련(사월이네 공부방 원장)

1~6학년까지 초등 수학은 핀란드 수학 교과서와 함께!

글   **파이비 키빌루오마** | Päivi Kiviluoma
탐페레에서 초등학교 교사로 일하고 있습니다. 학생들마다 문제 해결 도출 방식이 다르므로 수학 교수법에 있어서도 어떻게 접근해야 할지 늘 고민하고 도전합니다.

킴모 뉘리넨 | Kimmo Nyrhinen
투루쿠에서 수학과 과학을 가르치고 있습니다. 「핀란드 수학 교과서」 외에도 화학, 물리학 교재를 집필했습니다. 낚시와 버섯 채집을 즐겨하며, 체력과 인내심은 자연에서 얻을 수 있는 놀라운 선물이라 생각합니다.

피리타 페랄라 | Pirita Perälä
탐페레에서 초등학교 교사로 일하고 있습니다. 수학을 제일 좋아하지만 정보통신기술을 활용한 수업에도 관심이 많습니다. 「핀란드 수학 교과서」를 집필하면서 다양한 수준의 학생들이 즐겁게 도전하며 배울 수 있는 교재를 만드는 데 중점을 두었습니다.

페카 록카 | Pekka Rokka
교사이자 교장으로 30년 이상 재직하며 1~6학년 모든 과정을 가르쳤습니다. 학생들이 수학 학습에서 영감을 얻고 자신만의 강점을 더 발전시킬 수 있는 교재를 만드는 게 목표입니다.

마리아 살미넨 | Maria Salminen
오울루에서 초등학교 교사로 일하고 있습니다. 체험과 실습을 통한 배움, 협동, 유연한 사고를 중요하게 생각합니다. 수학 교육에 있어서도 이를 적용하여 똑같은 결과를 도출하기 위해 얼마나 다양한 방식으로 접근할 수 있는지 토론하는 것을 좋아합니다.

티모 타피아이넨 | Timo Tapiainen
오울루에 있는 고등학교에서 수학 교사로 있습니다. 다양한 교구를 활용하여 수학을 가르치고, 학습 성취가 뛰어난 학생들에게 적절한 도전 과제를 제공하는 것을 중요하게 생각합니다.

옮김 **박문선**
연세대학교 불어불문학과를 졸업하고 한국외국어대학교 통역번역대학원 영어과를 전공하였습니다. 졸업 후 부동산 투자 회사 세빌스코리아(Savills Korea)에서 5년간 에디터로 근무하면서 다양한 프로젝트 통번역과 사내 영어 교육을 담당했습니다. 현재 프리랜서로 번역 활동 중입니다.

감수 **이경희**
서울교육대학교와 동 대학원에서 초등교육방법을 전공했으며, 2009 개정 교육과정에 따른 초등학교 수학 교과서 집필진으로 활동했습니다. ICME12(세계 수학교육자대회)에서 한국 수학 교과서 발표, 2012년 경기도 연구년 교사로 덴마크에서 덴마크 수학을 공부했습니다. 현재 학교를 은퇴하고 외국인들에게 한국어를 가르쳐 주며 봉사활동을 하고 있습니다. 집필한 책으로는 『외우지 않고 구구단이 술술술』『예비 초등학생을 위한 든든한 수학 짝꿍』『한 권으로 끝내는 초등 수학사전』 등이 있습니다.

핀란드수학교육연구회
학생들이 수학을 사랑할 수 있도록 그 방법을 고민하며 찾아가는 선생님들이 모였습니다. 강주연(위림초), 김영훈(위성초), 김태영(서하초), 박성수(위성초), 심지원(위성초), 이은철(수동초), 정원상(금반여), 홍수진(위성초) 선생님이 참여하였습니다.

핀란드
4학년
수학 교과서

초등학교 ____ 학년 ____ 반

이름 _____

Star Maths 4B : ISBN 978-951-1-32173-6

©2018 Katarina Asikainen, Päivi Kiviluoma, Kimmo Nyrhinen, Pirita Perälä, Pekka Rokka, Maria Salminen, Timo Tapiainen, Päivi Vehmas and Otava Publishing Company Ltd., Helsinki, Finland

Korean Translation Copyright ©2022 Mind Bridge Publishing Company

QR코드를 스캔하면 놀이 수학
동영상을 보실 수 있습니다.

핀란드 4학년 수학 교과서 4-2 2권

초판 1쇄 발행 2022년 1월 10일
초판 2쇄 발행 2022년 12월 30일

지은이 파이비 키빌루오마, 킴모 뉘리넨, 피리타 페랄라, 페카 록카, 마리아 살미넨, 티모 타피아이넨
그린이 미리야미 만니넨   **옮긴이** 박문선   **감수** 이경희, 핀란드수학교육연구회
펴낸이 정혜숙   **펴낸곳** 마음이음

책임편집 이금정   **디자인** 디자인서가
등록 2016년 4월 5일(제2018-000037호)
주소 03925 서울시 마포구 월드컵북로 402, 9층 917A호(상암동, KGIT센터)
전화 070-7570-8869 **팩스** 0505-333-8869
전자우편 ieum2016@hanmail.net
블로그 https://blog.naver.com/ieum2018

ISBN 979-11-92183-08-4 64410
      979-11-92183-06-0 (세트)

이 책의 내용은 저작권법의 보호를 받는 저작물이므로 무단전재와 복제를 금합니다.
책값은 뒤표지에 있습니다.

어린이제품안전특별법에 의한 제품표시
제조자명 마음이음   **제조국명** 대한민국   **사용연령** 만 10세 이상 어린이 제품
KC마크는 이 제품이 공통안전기준에 적합하였음을 의미합니다.

핀란드 4학년 수학 교과서

4-2

2권

글 파이비 키빌루오마, 킴모 뉘리넨, 피리타 페랄라,
　　페카 록카, 마리아 살미넨, 티모 타피아이넨
그림 미리야미 만니넨
옮김 박문선
감수 이경희(전 수학 교과서 집필진), 핀란드수학교육연구회

마음이음

아이들이 수학을 공부해야 하는 이유는 수학 지식을 위한 단순 암기도 아니며, 많은 문제를 빠르게 푸는 것도 아닙니다. 시행착오를 통해 정답을 유추해 가면서 스스로 사고하는 힘을 키우기 위함입니다.

핀란드의 수학 교육은 다양한 수학적 활동을 통하여 수학 개념을 자연스럽게 깨닫게 하고, 논리적 사고를 유도하는 문제들로 학생들이 수학에 흥미를 갖도록 하는 데 성공했습니다. 이러한 자기 주도적인 수학 교과서가 우리나라에 번역되어 출판하게 된 것을 두 팔 벌려 환영하며, 학생들이 수학을 즐겁게 공부하게 될 것이라 생각하여 감히 추천하는 바입니다.

하동우(민족사관고등학교 수학 교사)

수학은 언어, 그림, 색깔, 그래프, 방정식 등으로 다양하게 표현하는 의사소통의 한 형태입니다. 이들 사이의 관계를 파악하면서 수학적 사고력도 높아지는데, 안타깝게도 우리나라 교육 환경에서는 수학이 의사소통임을 인지하기 어렵습니다. 수학 교육 과정이 수직적으로 배열되어 있기 때문입니다. 그런데 『핀란드 수학 교과서』는 배운 개념이 거미줄처럼 수평으로 확장, 반복되고, 아이들은 넓고 깊게 스며들 듯이 개념을 이해할 수 있습니다.

정유숙(쑥샘TV 운영자)

『핀란드 수학 교과서』를 보는 순간 다양한 문제들을 보고 놀랐습니다. 다양한 형태의 문제를 풀면서 생각의 폭을 넓히고, 생각의 힘을 기르고, 수학 실력을 보다 안정적으로 만들 수 있습니다. 또한 놀이와 탐구로 학습하면서 수학에 대한 흥미가 높아져 문제를 스스로 이해하고 터득하는 데 도움이 됩니다.

숫자가 바탕이 되는 수학은 세계적인 유일한 공통 과목입니다. 21세기를 이끌어 갈 아이들에게 4차산업혁명을 넘어 인공지능 시대에 맞는 창의적인 사고를 길러 주는 바람직한 수학 교육이 이 책을 통해 이루어지길 바랍니다.

김재련(사월이네 공부방 원장)

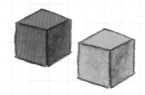

「핀란드 수학 교과서(Star Maths)」시리즈를 펴낸 오타바(Otava) 출판사는 교재 전문 출판사로 120년이 넘는 역사를 지닌 명실상부한 핀란드의 대표 출판사입니다. 특히 「Star Maths」 시리즈는 핀란드 학교 현장의 수학 전문가들이 최신 핀란드 국립교육과정을 반영하여 함께 개발한 핀란드의 대표 수학 교과서입니다.

수 개념과 십진법을 이해하기 위한 탄탄한 기반을 제공하여 연산 능력을 키우고, 기본, 응용, 심화 문제 등 학생 개개인의 학습 차이를 다각도에서 고려하여 다양한 평가 문제를 실었습니다. 또한 친구 또는 부모님과 함께 놀이를 통해 문제 해결을 하며 수학적 즐거움을 발견하여 수학에 대한 긍정적인 태도를 갖도록 합니다.

한국의 학생들이 이 책과 함께 즐거운 수학 세계로 여행을 떠나길 바랍니다.

파이비 키빌루오마, 킴모 뉘리넨, 피리타 페랄라, 페카 록카,
마리아 살미넨, 티모 타피아이넨(STAR MATHS 공동 저자)

차례

1 길이

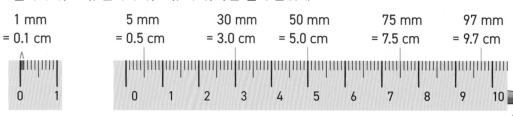

- 밀리미터(mm), 센티미터(cm), 미터(m)는 길이 단위예요.

1 mm = 0.1 cm	5 mm = 0.5 cm	30 mm = 3.0 cm	50 mm = 5.0 cm	75 mm = 7.5 cm	97 mm = 9.7 cm

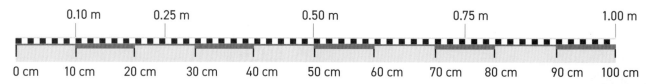

- 10 mm = 1 cm이므로 1 mm = 0.1 cm예요.

0.10 m	0.25 m	0.50 m	0.75 m	1.00 m

- 100 cm = 1 m이므로 10 cm = 0.10 m, 1 cm = 0.01 m예요.

작은 단위에서 큰 단위로 바꾸기

23 mm = 20 mm + 3 mm
      = 2 cm + 0.3 cm
      = 2.3 cm

450 cm = 400 cm + 50 cm
       = 4 m + 0.50 m
       = 4.50 m

큰 단위에서 작은 단위로 바꾸기

2.5 cm = 2 cm + 0.5 cm
      = 20 mm + 5 mm
      = 25 mm

4.20 m = 4 m + 0.20 m
      = 400 cm + 20 cm
      = 420 cm

1. 아래 눈금에 해당하는 길이를 센티미터와 밀리미터로 나타내어 보세요.

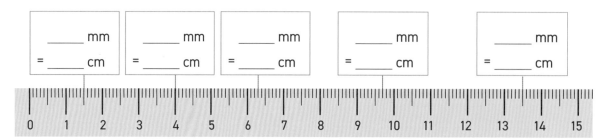

_____ mm = _____ cm	_____ mm = _____ cm	_____ mm = _____ cm	_____ mm = _____ cm	_____ mm = _____ cm

2. 길이가 같은 것끼리 선으로 이어 보세요.

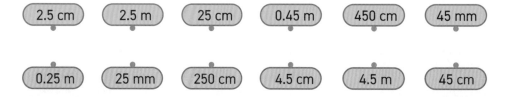

2.5 cm	2.5 m	25 cm	0.45 m	450 cm	45 mm

0.25 m	25 mm	250 cm	4.5 cm	4.5 m	45 cm

3. 주어진 단위로 바꾸어 보세요.

35 mm = _____ cm   250 cm = _____ m

21 mm = _____ cm   620 cm = _____ m

60 mm = _____ cm   75 cm = _____ m

3.5 cm = _____ mm   1.3 m = _____ cm

4.2 cm = _____ mm   5.8 m = _____ cm

0.5 cm = _____ mm   0.7 m = _____ cm

4. 계산한 후, 정답을 애벌레에서 찾아 ○표 해 보세요.

2.1 m + 0.3 m   3.2 m + 0.7 m   1.4 m + 2.8 m

= _____   = _____   = _____

2.8 m – 1.2 m   4.5 m – 1.5 m   3.5 m – 2.7 m

= _____   = _____   = _____

5. 아래 글을 읽고 알맞은 식을 세워 답을 구한 후, 정답을 애벌레에서 찾아 ○표 해 보세요.

❶ 엠마의 줄넘기 길이는 1.8m인데, 알렉의 줄넘기 길이는 엠마의 것보다 0.7 m 짧아요. 알렉의 줄넘기 길이는 몇 m일까요?

식 : _____

정답 : _____

❷ 앤의 리본 길이는 0.7m인데, 폴의 리본은 앤의 것보다 0.5m 길어요. 폴의 리본 길이는 몇 m일까요?

식 : _____

정답 : _____

0.6 m   0.8 m   1.1 m   1.2 m   1.6 m   2.4 m   3.0 m   3.2 m   3.9 m   4.2 m

더 생각해 보아요!

제리의 막대는 엘리사의 막대보다 20cm 길고, 로렌스의 막대보다 10cm 길어요. 세 막대를 모두 이으면 길이가 120cm예요. 아이들의 막대 길이는 각각 몇 cm일까요?

제리 _____, 엘리사 _____, 로렌스 _____

6. 1미터를 만들 수 있는 길이 2개를 선으로 이어 보세요.

❶
20 cm	55 cm
45 cm	85 cm
90 cm	80 cm
15 cm	45 cm
55 cm	10 cm

❷
0.50 m	0.80 m
0.20 m	0.50 m
0.15 m	0.85 m
0.30 m	0.65 m
0.35 m	0.70 m

❸
0.90 m	40 cm
0.50 m	10 cm
0.60 m	90 cm
0.30 m	50 cm
0.10 m	70 cm

7. 길이가 더 긴 쪽으로 길을 따라가 보세요. 캐시가 무엇을 발견했나요?

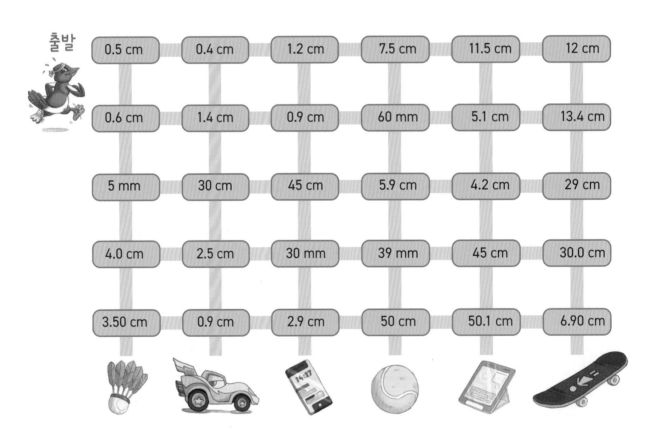

출발

0.5 cm	0.4 cm	1.2 cm	7.5 cm	11.5 cm	12 cm
0.6 cm	1.4 cm	0.9 cm	60 mm	5.1 cm	13.4 cm
5 mm	30 cm	45 cm	5.9 cm	4.2 cm	29 cm
4.0 cm	2.5 cm	30 mm	39 mm	45 cm	30.0 cm
3.50 cm	0.9 cm	2.9 cm	50 cm	50.1 cm	6.90 cm

8. ☐ 안에 >, =, <를 알맞게 써넣어 보세요.

25 cm ☐ 0.2 m   50 cm ☐ 0.5 m   4.0 m ☐ 40 cm

2.0 m ☐ 150 cm   3.4 m ☐ 405 cm   6.0 m ☐ 5.9 m

9. 아래와 같은 조건일 때 1미터의 가격이 얼마인지 알아맞혀 보세요.

① 8미터에 40유로

② 10센티미터에 2유로

③ 0.5미터에 11유로

_____

_____

_____

④ 25센티미터에 3유로

⑤ 5센티미터에 50센트

⑥ 2미터 50센티미터에 25유로

_____

_____

_____

10. 아래 글을 읽고 질문에 답해 보세요.

① 애나와 빅터가 가진 줄 길이의 합이 같아지도록 애나의 줄 1개를 빅터 쪽으로 옮겨 보세요. 옮길 줄에 X표 해 보세요.

② 애나와 빅터가 가진 줄 길이의 합이 같아지도록 각자 가진 줄에서 1개씩 서로 바꾸어 보세요. 바꿀 줄에 O표 해 보세요.

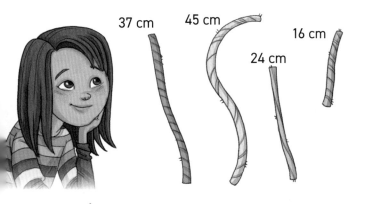

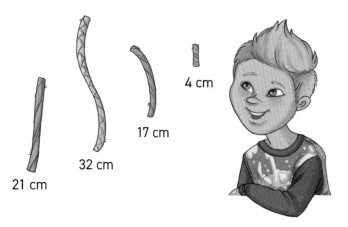

한 번 더 연습해요!

1. 주어진 단위로 바꾸어 보세요.

49 mm = _____ cm

670 cm = _____ m

15 mm = _____ cm

140 cm = _____ m

1.3 cm = _____ mm

4.5 m = _____ cm

3.7 cm = _____ mm

6.1 m = _____ cm

2. 계산해 보세요.

4.2 m + 0.8 m

3.4 m + 1.6 m

2.8 m + 2.8 m

= _____

= _____

= _____

2 길이의 반올림

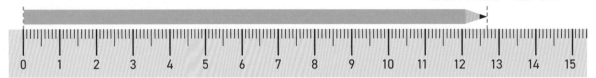

12 cm 7 mm = 12.7 cm

- 길이는 주로 센티미터로 나타내요.
- 이 연필의 길이는 정확히 12.7cm예요. 다시 말해서 12cm와 13cm 사이예요. 그런데 12cm와 13cm 중 13cm에 더 가까워서 반올림하여 13cm라고 할 수 있어요.

반올림하기
- 0.1, 0.2, 0.3, 0.4와 같은 소수는 반올림할 경우 버려요.
- 0.5, 0.6, 0.7, 0.8, 0.9와 같은 소수는 반올림할 경우 윗자리로 올려요.

<보기>
- 7.2m는 반올림해서 7m예요. 7.2m는 8m보다 7m에 더 가깝기 때문이에요.
- 반면 7.7m는 반올림해서 8m예요. 7.7m는 7m보다 8m에 더 가깝기 때문이에요.

1. 줄의 길이를 재고 길이를 2가지 방법으로 나타내어 보세요.

길이 : __5__ cm __7__ mm = __5.7__ cm

길이 : ___ cm ___ mm = _____ cm

길이 : ___ cm ___ mm = _____ cm

길이 : ___ cm ___ mm = _____ cm

2. 연필 길이를 센티미터로 나타내고 소수 첫째 자리에서 반올림하여 보세요.

길이 : _____ cm

반올림한 값 : ___ cm

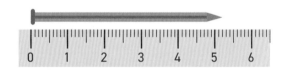

길이 : _____ cm

반올림한 값 : ___ cm

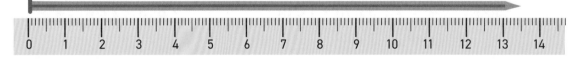

길이 : _____ cm   반올림한 값 : ___ cm

3. 소수 첫째 자리에서 반올림하여 보세요.

7.6 cm _____ cm   18.5 cm _____ cm   9.7 cm _____ cm

9.1 cm _____ cm   65.9 cm _____ cm   93.0 cm _____ cm

4. 소수 첫째 자리에서 반올림하여 미터로 나타내어 보세요.

❶ 알렉이 널빤지 길이를 쟀는데 2.7m였어요.   _____ m

❷ 엠마가 널빤지 길이를 쟀는데 3.5m였어요.   _____ m

❸ 줄리가 끈 길이를 쟀는데 5m 30cm였어요.   _____ m

❹ 트레비스가 끈 길이를 쟀는데 12m 15cm였어요.   _____ m

5. 아래 글을 읽고 알맞은 식을 세워 답을 구한 후, 정답을 애벌레에서 찾아 ○표 해 보세요.

❶ 에반은 집에서 학교까지 거리가 1.7km예요. 에반이 학교에 갔다 집에 오는 거리는 몇 km일까요?

식 : _____

정답 : _____

❷ 앨리스는 화요일에 14.5km, 수요일에 6.3km 자전거를 탔어요. 자전거를 화요일에 수요일보다 몇 km를 더 탔을까요?

식 : _____

정답 : _____

❸ 엠마, 앤, 메이는 함께 2.3km 산책을 했어요. 이들이 각각 걸은 거리를 모두 합하면 몇 km일까요?

식 : _____

정답 : _____

❹ 선생님은 3.5km 코스를 2번 달린 후 5.2km를 더 달렸어요. 선생님이 달린 거리는 모두 몇 km일까요?

식 : _____

정답 : _____

3.4 km   6.9 km   7.9 km   8.2 km   11.5 km   12.2 km

더 생각해 보아요!

피아는 4일 연속 달리기를 했어요. 매일 1km씩 더 달려서 총 34km를 달렸어요. 피아가 3번째 날 달린 거리는 몇 km일까요?

_____

6. 길을 찾아보세요. 같은 색깔을 연속 2번 지나갈 수 없어요.

7. 아래 전개도를 접었을 때 바닥에 위치할 모양을 □ 안에 그려 보세요.

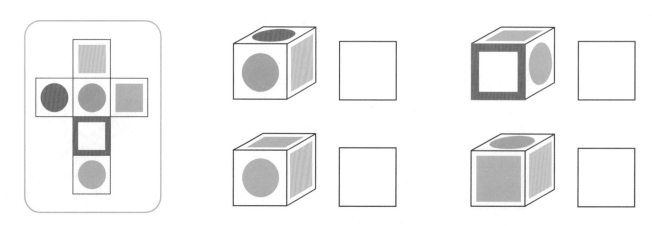

8. 아이들은 최단 거리로 이동해요. 아래 글을 읽고 질문에 답해 보세요.

- 타라의 집에서 영화관까지의 거리는 5.2km예요.
- 노라의 집에서 타라의 집까지의 거리는 4.7km예요.
- 카밀라의 집에서 노라의 집까지의 거리는 2.7km예요.

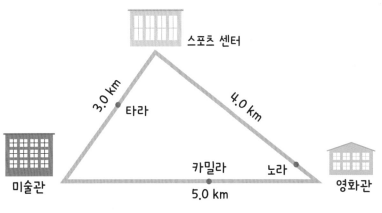

❶ 카밀라의 집에서 미술관까지의 거리는 몇 km일까요? _____ km

❷ 타라의 집에서 미술관까지의 거리는 몇 km일까요? _____ km

❸ 노라의 집에서 영화관까지의 거리는 몇 km일까요? _____ km

❹ 카밀라의 집에서 타라의 집까지의 거리는 몇 km일까요? _____ km

❺ 노라의 집에서 미술관까지의 거리는 몇 km일까요? _____ km

❻ 카밀라의 집에서 스포츠 센터까지의 거리는 몇 km일까요? _____ km

 한 번 더 연습해요!

1. 연필의 길이를 센티미터로 나타내고 소수 첫째 자리에서 반올림해 보세요.

길이 : _____ cm

반올림한 값 : _____ cm

길이 : _____ cm

반올림한 값 : _____ cm

2. 아래 글을 읽고 알맞은 식을 세워 답을 구해 보세요.

❶ 앨리스는 사이클을 13.7km 탄 후 8.3km를 더 탔어요. 앨리스가 사이클을 탄 거리는 모두 몇 km일까요?

식 : _____

정답 : _____

❷ 알렉의 집에서 학교까지 거리는 2.5km이고, 엠마의 집에서 학교까지 거리는 알렉보다 1.9km 더 멀어요. 엠마의 집에서 학교까지 거리는 몇 km일까요?

식 : _____

정답 : _____

3 무게

- 그램(g)과 킬로그램(kg)은 무게 단위예요.
- 1 kg = 1000 g
- 100 g = 0.1 kg

100g은
0.1kg이에요.

1200 g

1.3 kg

작은 단위에서 큰 단위로 바꾸기

1200 g = 1000 g + 200 g
        = 1 kg + 0.2 kg
        = 1.2 kg

큰 단위에서 작은 단위로 바꾸기

1.3 kg = 1 kg + 0.3 kg
       = 1000 g + 300 g
       = 1300 g

<보기>

500 g = 0.5 kg   3 kg 500 g = 3.5 kg   4000 g = 4 kg

1. 같은 무게끼리 선으로 이어 보세요.

❶

| 1.7 kg | 0.7 kg | 7 kg | 8 kg | 0.8 kg |

| 700 g | 7000 g | 800 g | 1700 g | 8000 g |

❷

| 9000 g | 900 g | 200 g | 2000 g | 2 kg 500 g |

| 0.9 kg | 9 kg | 2 kg | 2.5 kg | 0.2 kg |

2. 주어진 단위로 바꾸어 보세요.

1000 g = _____ kg   100 g = _____ kg

9100 g = _____ kg   600 g = _____ kg

1.7 kg = _____ g   5.5 kg = _____ g

8.3 kg = _____ g   0.2 kg = _____ g

3. 계산한 후, 정답을 애벌레에서 찾아 ○표 해 보세요.

3.4 kg + 0.5 kg   2.6 kg + 0.8 kg   2.9 kg + 1.3 kg

= _____   = _____   = _____

3.7 kg − 2.4 kg   7.7 kg − 2.7 kg   4.4 kg − 2.5 kg

= _____   = _____   = _____

4. 아래 글을 읽고 알맞은 식을 세워 답을 구한 후, 정답을 애벌레에서 찾아 ○표 해 보세요.

❶ 멜론의 무게가 1200g인데 400g을 먹었어요. 남은 멜론의 무게는 몇 kg일까요?

식 : _____

정답 : _____

❷ 과일 샐러드의 무게가 원래 2600g인데 과일 500g을 더 추가했어요. 샐러드의 무게는 몇 kg일까요?

식 : _____

정답 : _____

0.8 kg   1.3 kg   1.7 kg   1.9 kg   3.1 kg

3.4 kg   3.9 kg   4.2 kg   4.5 kg   5.0 kg

더 생각해 보아요!

회색 돌은 붉은색 돌보다 2배 더 무거워요. 검은색 돌의 무게는 회색 돌과 붉은색 돌의 무게를 합한 것과 같고, 돌의 무게를 모두 합하면 90kg이에요. 돌의 무게는 각각 몇 kg일까요?

 _____ _____  _____

5. 1킬로그램이 되는 길을 따라가 보세요.

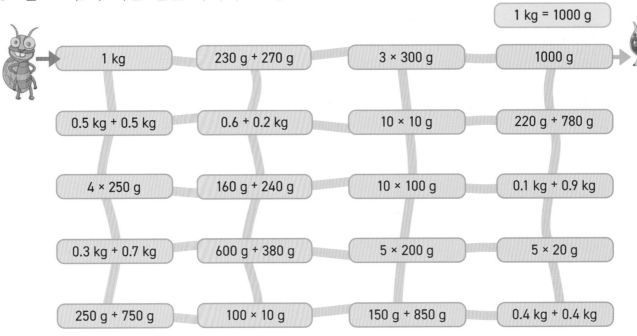

1 kg = 1000 g

1 kg	230 g + 270 g	3 × 300 g	1000 g
0.5 kg + 0.5 kg	0.6 + 0.2 kg	10 × 10 g	220 g + 780 g
4 × 250 g	160 g + 240 g	10 × 100 g	0.1 kg + 0.9 kg
0.3 kg + 0.7 kg	600 g + 380 g	5 × 200 g	5 × 20 g
250 g + 750 g	100 × 10 g	150 g + 850 g	0.4 kg + 0.4 kg

6. 아래 표를 완성해 보세요.

구매 목록	1kg당 가격	구매할 과일 무게	구매할 과일 가격
바나나	1 €	3 kg	
키위	8 €	500 g	
사과	2 €		4 €
멜론	3 € 50 c		7 €
오렌지		0.5 kg	1 € 50 c
대추야자		250 g	2 € 50 c
귤	2 € 50 c	3 kg	

7. 아래 글을 읽고 가장 가벼운 드럼통부터 무거운 드럼통의 순서로 색칠해 보세요.

- 물이 빨간 드럼통에는 360kg, 노란 드럼통에는 180kg, 파란 드럼통에는 40kg, 갈색 드럼통에는 20kg이 들어 있어요.
- 먼저 빨간 드럼통의 물 절반을 노란 드럼통에 부었고, 노란 드럼통의 물 $\frac{1}{3}$을 파란 드럼통에 부었어요.
- 마지막으로 파란 드럼통의 물 $\frac{1}{4}$을 갈색 드럼통에 부었어요.

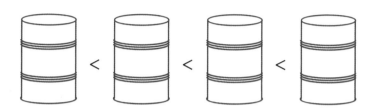

360 kg   180 kg   40 kg   20 kg

8. 저울을 살펴보고 A부터 D까지 가장 가벼운 것부터 무거운 순서로 빈칸에 써보세요.

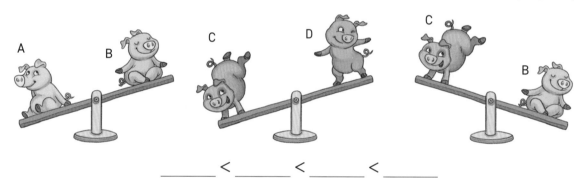

_____ < _____ < _____ < _____

한 번 더 연습해요!

1. 주어진 단위로 바꾸어 보세요.

1700 g = _____ kg   2500 g = _____ kg   2.1 kg = _____ g

3900 g = _____ kg   600 g = _____ kg   0.4 kg = _____ g

2. 계산해 보세요.

2.1 kg + 1.3 kg   3.5 kg + 1.7 kg   4.5 kg + 3.5 kg

= _____   = _____   = _____

6.9 kg − 3.6 kg   5.4 kg − 0.6 kg   7.2 kg − 1.7 kg

= _____   = _____   = _____

4 무게의 반올림

고양이의 무게는 반올림하여 5kg이에요.

정확한 측정과 반올림

- 측정값을 킬로그램으로 나타낸다면 그램은 반올림하여 가장 가까운 킬로그램으로 나타내요.

개의 무게는 반올림하여 28kg이에요.

반올림하기

- 0.1, 0.2, 0.3, 0.4와 같은 소수는 반올림할 경우 버려요.
- 0.5, 0.6, 0.7, 0.8, 0.9와 같은 소수는 반올림할 경우 윗자리로 올려요.

1. 소수 첫째 자리에서 반올림하여 보세요.

1.3 kg

_____

2.6 kg

_____

4.7 kg

_____

3.4 kg

_____

2. 소수 첫째 자리에서 반올림하여 보세요.

2.9 kg _____ kg   12.6 kg _____ kg   8.5 kg _____ kg

4.1 kg _____ kg   37.2 kg _____ kg   90.4 kg _____ kg

3. 아래 글을 읽고 알맞은 식을 세워 답을 구한 후, 정답을 애벌레에서 찾아 ○표 해 보세요.

벨라
25.5kg

버디
32.0kg

토비
42.4kg

베시
50.7kg

❶ 버디는 벨라보다 몇 kg 더 무거울까요?

식 : _____

정답 : _____

❷ 베시의 몸무게는 60kg에서 몇 kg 부족할까요?

식 : _____

정답 : _____

❸ 버디의 몸무게가 1.2kg 늘었어요. 이제 버디의 몸무게는 몇 kg일까요?

식 : _____

정답 : _____

❹ 토비의 몸무게가 0.6kg 줄었어요. 이제 토비의 몸무게는 몇 kg일까요?

식 : _____

정답 : _____

❺ 베시의 몸무게는 벨라와 버디의 몸무게를 합한 것보다 몇 kg 적을까요?

식 : _____

_____

정답 : _____

❻ 벨라와 베시의 몸무게를 합한 것은 버디와 토비의 몸무게를 합한 것보다 몇 kg 더 무거울까요?

식 : _____

_____

정답 : _____

1.8 kg   5.5 kg   6.5 kg   6.8 kg   9.3 kg   33.2 kg   38.5 kg   41.8 kg

4. 합해서 1킬로그램이 되는 것끼리 선으로 이어 보세요.

| 1 kg = 1000 g |
| 100 g = 0.1 kg |

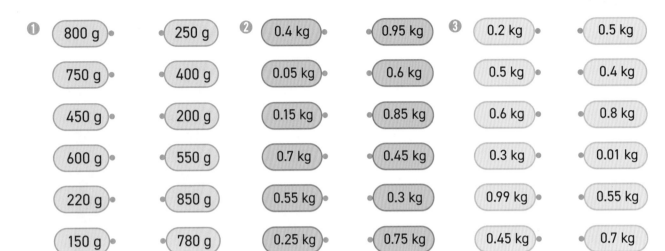

❶
800 g · · 250 g
750 g · · 400 g
450 g · · 200 g
600 g · · 550 g
220 g · · 850 g
150 g · · 780 g

❷
0.4 kg · · 0.95 kg
0.05 kg · · 0.6 kg
0.15 kg · · 0.85 kg
0.7 kg · · 0.45 kg
0.55 kg · · 0.3 kg
0.25 kg · · 0.75 kg

❸
0.2 kg · · 0.5 kg
0.5 kg · · 0.4 kg
0.6 kg · · 0.8 kg
0.3 kg · · 0.01 kg
0.99 kg · · 0.55 kg
0.45 kg · · 0.7 kg

1kg은 1000g, 100g은 0.1kg인 걸 기억해~!

5. 상자 1개의 무게를 알아맞혀 보세요.

- 양쪽 저울의 무게는 같아요.
- 같은 색깔의 상자는 무게가 같아요.

❶

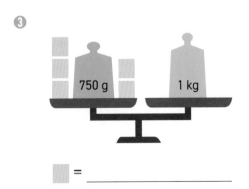

250 g   200 g   200 g

▨ = _____

❷

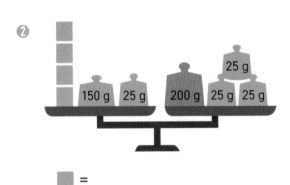

150 g   25 g   200 g   25 g   25 g   25 g

▨ = _____

❸

750 g   1 kg

▨ = _____

❹

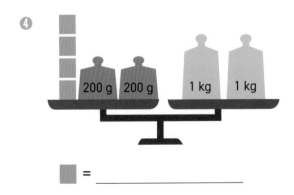

200 g   200 g   1 kg   1 kg

▨ = _____

6. 양쪽 저울의 무게는 같아요. 그림의 값을 구해 보세요.

1. 소수 첫째 자리에서 반올림하여 보세요.

1.3 kg _____ kg   10.0 kg _____ kg   19.2 kg _____ kg

3.5 kg _____ kg   25.8 kg _____ kg   20.4 kg _____ kg

2. 아래 글을 읽고 알맞은 식을 세워 답을 구해 보세요.

❶ 잼 1병이 1.5kg이라면 잼 2병은
   몇 kg일까요?

   식 : _____

   정답 : _____

❷ 과일이 12.5kg인데 그중 4.5kg을 먹었어요.
   남은 과일은 몇 kg일까요?

   식 : _____

   정답 : _____

1. 눈금에 해당하는 길이를 밀리미터와 센티미터로 나타내어 보세요.

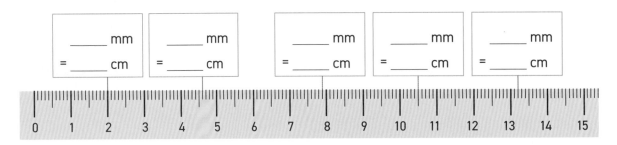

| _____ mm | _____ mm | _____ mm | _____ mm | _____ mm |
| = _____ cm | = _____ cm | = _____ cm | = _____ cm | = _____ cm |

2. 빈칸에 알맞은 길이를 써넣어 보세요.

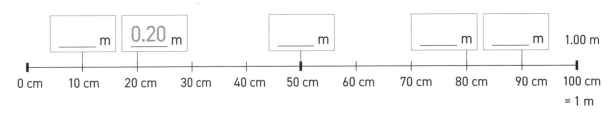

3. 소수 첫째 자리에서 반올림하여 보세요.

1.2 cm _____ cm   15.9 m _____ m   6.4 kg _____ kg

4.5 cm _____ cm   20.2 m _____ m   29.6 kg _____ kg

4. 주어진 단위로 바꾸어 보세요.

45 mm = _____ cm   490 cm = _____ m

38 mm = _____ cm   510 cm = _____ m

72 mm = _____ cm   90 cm = _____ m

5.1 cm = _____ mm   4.7 m = _____ cm

5. 주어진 단위로 바꾸어 보세요.

2000 g = _____ kg   300 g = _____ kg

1500 g = _____ kg   5100 g = _____ kg

3700 g = _____ kg   9600 g = _____ kg

1.0 kg = _____ g   0.8 kg = _____ g

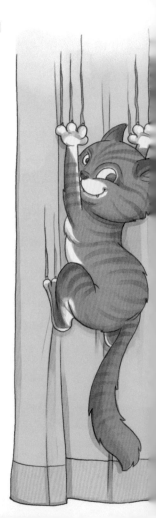

6. 계산한 후, 정답을 애벌레에서 찾아 ◯표 해 보세요.

3.2 kg + 0.7 kg = _____

2.5 kg − 0.3 kg = _____

0.8 kg + 1.9 kg = _____

5.0 kg − 0.5 kg = _____

3.2 kg + 0.9 kg = _____

6.4 kg − 2.6 kg = _____

| 2.2 kg | 2.4 kg | 2.7 kg | 3.8 kg |

| 3.9 kg | 4.1 kg | 4.3 kg | 4.5 kg |

7. 질문에 답해 보세요.

티피 3.8kg   애쉬즈 4.5kg   미시 2.8kg   진저 3.0kg   키티 5.6kg

❶ 진저보다 무거운 고양이는 어느 고양이일까요?

_____

❷ 애쉬즈보다 가벼운 고양이는 어느 고양이일까요?

_____

❸ 티피보다 1kg 가벼운 고양이는
어느 고양이일까요?

_____

❹ 미시의 몸무게가 200g 늘어나면 어느 고양이와
몸무게가 같을까요?

_____

❺ 몸무게가 키티 몸무게의 절반인 고양이는
어느 고양이일까요?

_____

❻ 몸무게가 700g 차이 나는 고양이 2마리는
누구일까요?

_____

🔍 더 생각해 보아요!

할아버지는 여름 별장으로 가다가 150km 지점에 있는 휴게실에 들러 잠시 쉬었어요.
휴게실은 가야 할 총 거리의 중간 지점에서 50km 이전에 위치해 있어요. 할아버지가
앞으로 운전해야 할 거리는 몇 km 남았을까요?

_____

8. 아래 설명대로 캐시가 움직이는 길을 그려 보세요.

- 2cm 오른쪽으로
- 3cm 아래쪽으로
- 50mm 오른쪽으로
- 10mm 아래쪽으로
- 4cm 왼쪽으로
- 30mm 위쪽으로
- 같은 길이만큼 오른쪽으로
- 3×3cm 아래쪽으로
- 40mm 왼쪽으로
- 5cm 위쪽으로
- 3cm + 30mm 오른쪽으로
- 전 길이의 절반만큼 위쪽으로
- 맨 처음 길이만큼 오른쪽으로

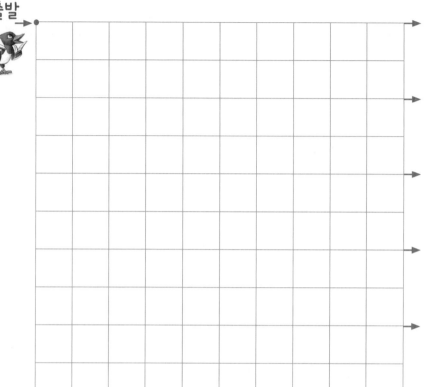

9. 저울추를 합한 무게를 그램으로 구한 후, 킬로그램으로 나타내어 보세요.

 150 g   200 g   250 g   🔲 300 g

_____

_____

_____

_____

_____

_____

_____

_____

_____

10. 아래 단서를 읽고 로봇의 주인이 누구인지 알아맞혀 보세요.

20 cm   0.5 m   600 mm   80 cm   300 mm

_____   _____   _____   _____   _____

- 저드의 로봇은 시오반의 로봇보다 20cm 작아요.
- 저드의 로봇은 오나의 로봇보다 10cm 커요.
- 페이톤의 로봇은 엘라의 로봇보다 10cm 작아요.
- 엘라의 로봇은 2번째로 작아요.

11. 리본의 길이가 각각 얼마인지 알아맞혀 보세요.

❶ 노란색 리본은 빨간색 리본보다 1m 짧고, 빨간색 리본은 파란색 리본보다 2m 길어요. 리본의 길이를 모두 합하면 9m예요.

⬤ _____   ⬤ _____   ⬤ _____

❷ 주황색 리본이 3개, 초록색 리본이 1개 있어요. 주황색 리본은 길이가 모두 같고, 초록색 리본은 주황색 리본보다 5m 길어요. 리본 4개의 길이를 모두 합하면 13m예요.

⬤ _____   ⬤ _____

한 번 더 연습해요!

1. 계산해 보세요.

2 kg - 0.4 kg = _____   1.7 kg + 1.8 kg = _____

3 kg - 1.2 kg = _____   3.5 kg - 0.8 kg = _____

2. 아래 글을 읽고 알맞은 식을 세워 답을 구해 보세요.

❶ 올리비아는 사이클을 13.7km 타고, 이후에 15.3km를 더 탔어요. 올리비아가 사이클을 탄 거리는 모두 얼마일까요?

식 : _____

정답 : _____

❷ 조슈아가 사이클을 7.5km씩 2번 탔어요. 조슈아가 사이클을 탄 거리는 모두 얼마일까요?

식 : _____

정답 : _____

12. 합해서 1킬로그램이 되는 것끼리 선으로 이어 보세요.

(400 g) (200 g) (650 g) (950 g) (995 g) (0.25 kg)

(350 g) (0.6 kg) (0.8 kg) (5 g) (0.75 kg) (50 g)

13. □ 안에 >, =, <를 알맞게 써넣어 보세요.

150 g □ 15 kg   2800 g □ 2.8 kg   5 kg 500 g □ 5.5 kg

700 g □ 7 kg   5000 g □ 4.9 kg   9 kg 100 g □ 9.9 kg

10 g □ 1 kg   1000 g □ 1 kg   1 kg 200 g □ 1.1 kg

14. 아래 그림을 보고 화살표를 그려 보세요.

❶ 톱니바퀴 C가 도는 방향   ❷ 톱니바퀴 D가 도는 방향

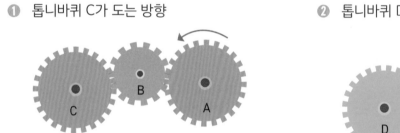

❸ 돌림판 B가 도는 방향   ❹ 돌림판 B가 도는 방향

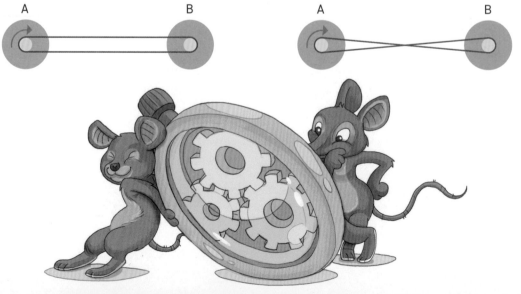

15. 아래 선의 길이를 미터로 나타내어 보세요.

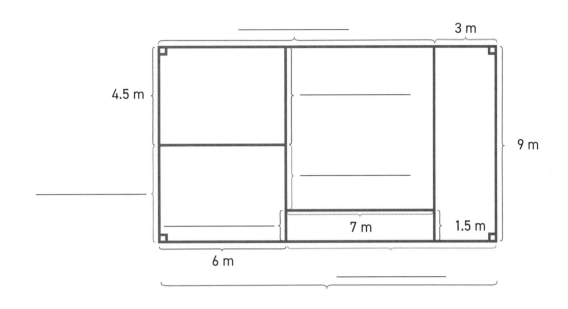

한 번 더 연습해요!

1. 계산해 보세요.

5.7 m + 2.2 m   2.6 m + 1.4 m   3.8 m + 3.8 m

= _____   = _____   = _____

7.0 m − 3.5 m   7.3 m − 2.4 m   8.2 m − 0.7 m

= _____   = _____   = _____

2. 아래 글을 읽고 알맞은 식을 세워 답을 구해 보세요.

❶ 아순타가 학교까지 가는 거리는 3.7km예요. 에밀리아가 학교까지 가는 거리는 아순타가 가는 거리보다 1.8km 가까워요. 에밀리아가 학교까지 가는 거리는 몇 km일까요?

식 : _____

정답 : _____

❷ 제리의 집에서 학교까지 가는 거리는 1.7km예요. 제리가 학교에 갔다 집에 오는 거리는 모두 몇 km일까요?

식 : _____

정답 : _____

5 들이

- 들이는 물병과 같은 용기의 내부 공간의 부피를 말해요.
  데시리터(dL), 리터(L)는 들이 단위예요.

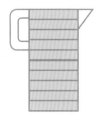 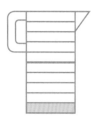 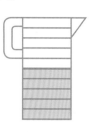 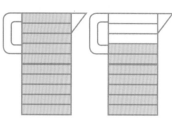

| 1 L = 10 dL | 0.1 L = 1 dL | 0.5 L = 5 dL | 1.7 L = 17 dL |

작은 단위에서 큰 단위로 바꾸기

25 dL = 20 dL + 5 dL
      = 2 L + 0.5 L
      = 2.5 L

큰 단위에서 작은 단위로 바꾸기

3.4 L = 3 L + 0.4 L
      = 30 dL + 4 dL
      = 34 dL

정확한 측정과 반올림

- 측정값을 리터로 나타낸다면 데시리터는
  반올림하여 가장 가까운 리터로 나타내요.

<보기>

- 3.1 L를 반올림하면 3 L예요.
- 7.6 L를 반올림하면 8 L예요.

---

1. 데시리터와 리터로 나타내어 보세요.

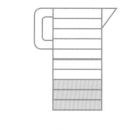 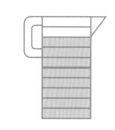 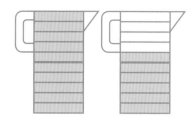

_____ dL = _____ L   _____ dL = _____ L   _____ dL = _____ L

2. 주어진 단위로 바꾸어 보세요.

12 dL = _____ L   1.2 L = _____ dL   46 dL = _____ L

35 dL = _____ L   2.5 L = _____ dL   5.0 L = _____ dL

3. 소수 첫째 자리에서 반올림하여 보세요.

1.7 L _____ L   10.5 L _____ L   2.8 L _____ L

3.2 L _____ L   12.8 L _____ L   20.2 L _____ L

4. 계산한 후, 애벌레에서 답을 찾아 ◯표 해 보세요.

0.7 L + 2.7 L

= _____

0.8 L + 0.8 L

= _____

2.4 L + 2.0 L

= _____

5.0 L − 0.9 L

= _____

3.2 L − 0.7 L

= _____

6.5 L − 4.6 L

= _____

1.4 L   1.6 L   1.9 L   2.5 L   3.4 L   4.1 L   4.2 L   4.4 L

5. 아래 글을 읽고 알맞은 식을 세워 답을 구한 후, 정답을 애벌레에서 찾아 ◯표 해 보세요.

1 L 5 dL   2 L 8 dL   3 dL   1 L 2 dL   8 L

❶ 냄비의 들이가 탄산음료 병의 들이보다 얼마나 더 클까요?

식 : _____

정답 : _____

❷ 대접의 들이가 냄비의 들이보다 얼마나 더 작을까요?

식 : _____

정답 : _____

❸ 탄산음료 2병에 음료가 얼마나 들어갈까요?

식 : _____

정답 : _____

❹ 냄비와 양동이에 물이 모두 얼마나 들어갈까요?

식 : _____

정답 : _____

❺ 탄산음료를 가득 차게 2잔 따랐어요. 병에 탄산음료가 얼마 남았을까요?

식 : _____

_____

정답 : _____

0.9 L   1.3 L   1.6 L   1.8 L

3 L   10.8 L   12.5 L

6. 합해서 아래 조건이 되도록 짝을 지어 보세요.

1 L = 10 dL	0.1 L = 1 dL

① 1리터

3 dL•	•5 dL
2 dL•	•9 dL
5 dL•	•7 dL
1 dL•	•8 dL

② 2리터

1 L 5 dL•	•1 dL
1 L 9 dL•	•5 dL
2 dL•	•1 L 3 dL
7 dL•	•1 L 8 dL

③ 3리터

1.5 L•	•2.3 L
2.2 L•	•0.8 L
0.7 L•	•1.2 L
1.8 L•	•1.5 L

7. 1리터가 되는 곳을 따라 길을 찾아보세요.

출발 ➡

0.5 L + 0.5 L	2.8 L − 1.3 L	2 L − 1.8 L	4 dL + 16 dL
9 dL + 1 dL	10 × 1 dL	0.3 L + 4 dL	16 L − 14 L
10 L − 1 L	5 dL + 5 dL	0.5 L + 0.5 L	10 L − 9 L
15 dL − 4 dL	10 dL ÷ 2	3 L − 1.6 L	1 × 1.0 L
1.5 L − 5 dL	13 dL − 3 dL	1 dL + 9 dL	1.2 L − 0.2 L
5 × 2 dL	2 × 6 dL	10 × 10 dL	20 L ÷ 5

8. 1리터당 가격을 구해 표에 써넣어 보세요.

물건	가격	물건의 양	1리터당 가격
탄산음료	2 €	0.5 L	
향수	45 €	1 dL	
주스	6 €	5 dL	
팝콘	10 €	5 L	
석유	15 €	10 L	
감기 시럽	8 €	2 dL	
샴푸	4 €	0.5 L	
치약	2 €	1 dL	

9. 물병의 주인이 누구인지 알아맞혀 보세요.

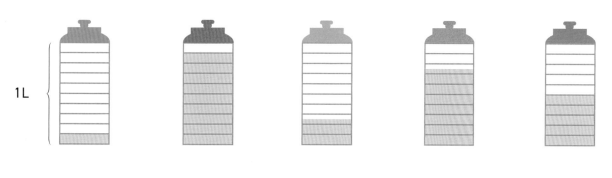

1L

_____ _____ _____ _____ _____

- 알렉은 $\frac{1}{10}$L를 마셨어요.
- 엠마는 알피보다 3배 많은 물을 마셨어요.
- 알피는 2.5dL를 마셨어요.

- 스텔라는 0.9L를 마셨어요.
- 버논은 알피보다 2배 많은 물을 마셨어요.

 한 번 더 연습해요!

1. 소수 첫째 자리에서 반올림하여 보세요.

2.3 L _____ L   12.7 L _____ L   24.5 L _____ L

5.5 L _____ L   9.3 L _____ L   19.2 L _____ L

2. 아래 글을 읽고 알맞은 식을 세워 답을 리터로 구해 보세요.

❶ 병에 주스가 1L 있었는데 5dL를 마셨어요. 병에 남은 주스의 양은 얼마일까요?

식 : _____

정답 : _____

❷ 2dL의 주스 농축액에 물 1L를 부었어요. 주스의 양은 얼마가 되었을까요?

식 : _____

정답 : _____

❸ 알렉은 2dL가 담기는 컵에 물을 가득 따라 3잔을 마셨어요. 알렉이 마신 물의 양은 모두 얼마일까요?

식 : _____

정답 : _____

❹ 주스가 엠마의 병에는 1.5L, 샌디의 병에는 1.7L 들어 있어요. 주스의 양은 모두 얼마일까요?

식 : _____

정답 : _____

6 시간

잰은 9.45초 만에 60m를 달렸고, 톰은 8.72초 만에 60m를 달렸어요.
톰은 잰보다 얼마나 빨리 달렸을까요?

9.45초 – 8.72초

자연수(초)
↓
8.72초

1초의 $\frac{2}{100}$

1초의 $\frac{7}{10}$

8.72초는 8초 72로
읽어요.

정답 : 0.73초

1. 계산한 후, 정답을 애벌레에서 찾아 ○표 해 보세요.

3.4초 + 1.2초 = _____   2.5초 + 4.5초 = _____   0.8초 + 1.7초 = _____

2. 계산한 후, 정답을 애벌레에서 찾아 ○표 해 보세요.

4.8초 – 1.6초 = _____   3.7초 – 0.7초 = _____   5.0초 – 3.6초 = _____

1.4초   2.5초   2.8초   3.0초   3.2초   4.6초   6.5초   7.0초

3. 표를 살펴보고 아래 질문에 답을 구해 보세요.

❶ 누가 1, 2, 3, 4, 5등인지 표에 써넣어 보세요.

❷ 누구의 기록이 10초보다 0.01초 더 걸렸을까요? _____

❸ 0.1초를 단축하면 기록이 9.00초가 되는 사람은
누구일까요? _____

❹ 기록이 알렉스보다 정확히 1초 빠른 사람은 누구일까요? _____

❺ 기록이 타냐보다 0.2초 빠른 사람은 누구일까요? _____

❻ 기록이 닉보다 0.05초 느린 사람은 누구일까요? _____

❼ 기록이 올리비아보다 0.15초 느린 사람은 누구일까요? _____

60미터 달리기 기록

이름	시간	등수
타냐	9.30초	
닉	9.10초	
마이크	9.01초	
올리비아	9.15초	
알렉스	10.01초	

4. 표를 살펴보세요. 아래 글을 읽고 세로셈으로 답을 구한 후, 정답을 애벌레에서 찾아 ○표 해 보세요.

❶ 엘레나는 라몬보다 기록이 얼마나 빠를까요?

식 : _____

정답 : _____

50m 수영 기록

이름	시간
엘레나	42.05초
노라	37.16초
루카스	51.26초
애런	38.52초
엘리	44.32초
라몬	50.26초
래리	53.35초

❷ 래리가 루카스와 기록이 같아지려면 기록을 얼마나 단축해야 할까요?

식 : _____

정답 : _____

❸ 엘리의 기록은 노라에 비해 얼마나 느릴까요?

식 : _____

정답 : _____

❹ 애런의 기록은 40초보다 얼마나 빠를까요?

식 : _____

정답 : _____

더 생각해 보아요!

수돗물을 틀어서 욕조에 1분에 8L씩 담고 있어요. 그런데 이와 동시에 1분에 3L의 물이 욕조에서 빠져나가고 있어요. 30분 뒤에 욕조에는 몇 L의 물이 있을까요?

_____

 1.18초 1.48초 2.09초

7.06초 7.16초 8.21초

5. 시머스는 수영을 연습해서 기록을 계속 단축했어요. 단축된 기록을 따라 길을 찾아보세요.

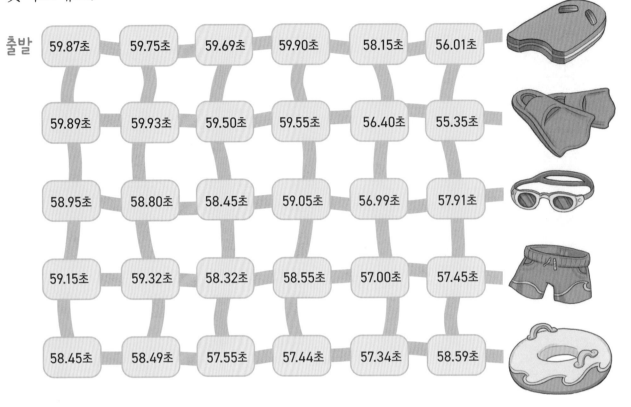

6. 질문에 답해 보세요.

- 애벌레 케빈은 4초에 6cm를 기어가요.
- 애벌레 콜린은 3초에 5cm를 기어가요.

1분 = 60초

❶ 케빈과 콜린이 1분 동안 기어간 거리는 각각 얼마일까요?

케빈 _____   콜린 _____

❷ 30cm를 기어갈 때 케빈은 콜린보다 시간이 얼마나 더 걸릴까요?

_____

❸ 두 애벌레가 동시에 출발해서 3m를 기어가요. 콜린이 결승선을 지난 후 케빈이 결승선에 도착하기까지 몇 초가 더 걸릴까요?

_____

7. 가장 느린 사람부터 가장 빠른 사람의 순서로 빈칸에 써 보세요.

_____ _____ _____ _____ _____

- 에릭은 페이톤보다 빨라요.
- 앤서니는 카이보다 빨라요.

- 카이는 샘과 에릭보다 빨라요.
- 샘은 3번째로 빨라요.

한 번 더 연습해요!

1. 35쪽 문제 4번에 있는 수영 기록을 살펴보고 질문에 답해 보세요.

❶ 가장 빠른 사람은 누구일까요?

_____

❷ 3번째로 빠른 사람은 누구일까요?

_____

❸ 루카스보다 정확히 1초 빠른 사람은 누구일까요?

_____

❹ 기록이 42초보다 0.05초 느린 사람은 누구일까요?

_____

2. 35쪽 문제 4번에 있는 수영 기록을 살펴본 후, 아래 글을 읽고 세로셈으로 답을 구해 보세요.

❶ 노라는 엘레나에 비해 기록이 얼마나 더 빠를까요?

식 : _____

❷ 엘리의 이전 기록은 46.15초예요. 이번에 기록을 얼마나 단축했을까요?

식 : _____

정답 : _____

정답 : _____

1. 들이를 데시리터와 리터로 나타내어 보세요.

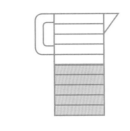

_____ dL = _____ L

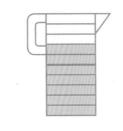

_____ dL = _____ L

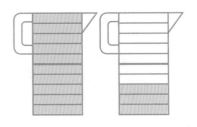

_____ dL = _____ L

2. 계산한 후, 정답을 애벌레에서 찾아 ○표 해 보세요.

8.4 L - 4.2 L

= _____

0.9 L + 0.9 L

= _____

5.0 L - 2.5 L

= _____

4.0 L - 0.4 L

= _____

1.6 L + 1.8 L

= _____

2.9 L + 2.6 L

= _____

 1.8 L   2.5 L   3.2 L   3.4 L   3.6 L   4.2 L   5.5 L   6.0 L

3. 소수 첫째 자리에서 반올림하여 보세요.

3.3 L _____ L

18.2 L _____ L

4.5 L _____ L

9.9 L _____ L

28.9 L _____ L

66.8 L _____ L

4. 아래 글을 읽고 알맞은 식을 세워 답을 구해 보세요.

❶ 카이의 달리기 시합 기록은 15.72초예요. 믹은 카이보다 0.02초 빨랐어요. 믹의 기록은 얼마일까요?

_____

❷ 자넷의 달리기 시합 기록은 14.12초예요. 미사는 자넷보다 0.03초 느렸어요. 미사의 기록은 얼마일까요?

_____

❸ 빈센트의 이전 달리기 시합 기록은 12.29초였는데 이번에 기록을 0.1초 단축했어요. 빈센트의 새 기록은 얼마일까요?

_____

❹ 세라의 이전 달리기 시합 기록은 16.35초였는데 이번에 기록을 1.1초 단축했어요. 세라의 새 기록은 얼마일까요?

_____

5. 아래 글을 읽고 세로셈으로 답을 구한 후, 정답을 애벌레에서 찾아 ○표 해 보세요.

❶ 달리기 기록이 엘리는 52.75초이고, 칼라는 45.25초예요. 칼라는 엘리보다 얼마나 빠를까요?

식 : _____

정답 : _____

❷ 달리기 기록이 사라는 48.15초이고, 카림은 50.29초예요. 사라는 카림보다 얼마나 빠를까요?

식 : _____

정답 : _____

❸ 에밀리아의 첫 기록은 63.44초이고, 2번째 기록은 56.60초예요. 에밀리아는 기록을 얼마나 단축했을까요?

식 : _____

정답 : _____

❹ 제리의 목표는 50.00초인데, 기록이 목표보다 12.15초 빨랐어요. 제리의 기록은 얼마일까요?

식 : _____

정답 : _____

2.14초   6.75초   6.84초   7.50초   37.85초   38.15초

더 생각해 보아요!

숫자 1, 1, 3, 5로 만들 수 있는 모든 시각을 <보기>와 같이 4자리로 써 보세요.
<보기> 11 : 35

_____

6. 합해서 1리터가 되는 것끼리 선으로 이어 보세요.

| 1 L = 10 dL |
| 0.1 L = 1 dL |

❶
0.8 L • • 0.1 L
0.9 L • • 0.7 L
0.5 L • • 0.2 L
0.3 L • • 0.5 L
0.4 L • • 0.6 L

❷
0.2 L • • 4 dL
0.6 L • • 7 dL
0.5 L • • 8 dL
0.3 L • • 6 dL
0.4 L • • 5 dL

❸
0.40 L • • 0.30 L
0.70 L • • 0.60 L
0.85 L • • 0.15 L
0.55 L • • 0.05 L
0.95 L • • 0.45 L

7. 아래 표를 완성해 보세요.

물이 빠지는 양	욕조의 들이(L)	시간(분)
50 L/분	150 L	
10 L/분		3분
/분	20 L	10분
3 L/분	60 L	
/초	30 L	$\frac{1}{2}$분

8. 아래 글을 읽고 질문에 답해 보세요.

지하실에 주스가 16병 있어요. 주스의 양은 총 14L예요.
주스는 1L 병이나 0.5L 병에 담겨 있어요.

❶ 지하실에 1L 병은 몇 개 있을까요?

_____

❷ 지하실에 0.5L 병은 몇 개 있을까요?

_____

9. 병이 몇 개 있는지 알아맞혀 보세요. 탄산음료의 양은 총 6L예요.

❶ 탄산음료가 모두 $\frac{1}{3}$L 병에 담겨 있다면 병은 모두 몇 개일까요? _____

❷ 탄산음료 양의 절반은 1L 병에, 나머지는 0.5L 병에 담겨 있어요.
 • 1L 병은 몇 개일까요?   _____
 • 0.5L 병은 몇 개일까요?   _____

❸ 1L 병, 0.5L 병, $\frac{1}{3}$L 병에 같은 양의 탄산음료가 담겨 있어요.
 • 1L 병은 몇 개일까요?   _____
 • 0.5L 병은 몇 개일까요?   _____
 • $\frac{1}{3}$L 병은 몇 개일까요?   _____

 한 번 더 연습해요!

1. 계산해 보세요.

1.7 L + 0.5 L = _____   2.5 L + 3.5 L = _____

3.6 L + 4.6 L = _____   4.0 L – 1.5 L = _____

3.6 L – 2.7 L = _____   5.1 L – 3.6 L = _____

2. 아래 글을 읽고 세로셈으로 답을 구해 보세요.

❶ 달리기 기록이 이나는 47.45초이고, 필리는 52.65초예요. 이나는 필리보다 얼마나 빠를까요?

식 : _____

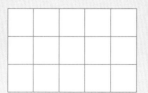

정답 : _____

❷ 사무엘의 첫 기록은 37.25초이고, 2번째 기록은 36.72초예요. 사무엘은 기록을 얼마나 단축했을까요?

식 : _____

정답 : _____

10. 스도쿠 퍼즐을 완성해 보세요.
가로줄과 세로줄에 노랑, 빨강, 초록, 주황,
파랑, 보라를 1번씩만 색칠할 수 있어요.

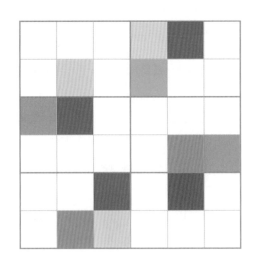

11. 줄의 길이가 얼마인지 알아맞혀 보세요.

❶ 줄의 길이를 모두 합하면 12m예요. 주황색 줄은 파란색 줄보다 1m 길고,
갈색 줄은 주황색 줄보다 1m 길어요.

⬤ _____   ⬤ _____   ⬤ _____

❷ 줄의 길이를 모두 합하면 12m예요. 노란색 줄과 초록색 줄은 길이가 같아요.
검은색 줄은 노란색과 초록색 줄을 합한 길이와 같아요.

⬤ _____   ⬤ _____   ⬤ _____

❸ 줄의 길이를 모두 합하면 14m예요. 초록색 줄의 길이는 갈색 줄의
2배이고, 회색 줄의 길이는 갈색 줄보다 2m 길어요.

⬤ _____   ⬤ _____   ⬤ _____

12. 5dL와 2dL 계량컵이 있어요. 주어진 양의 물을
측정하려면 계량컵을 어떻게 이용해야 할지 식으로
나타내어 보세요.

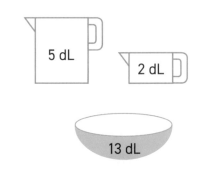

3 dL

1 dL

13 dL

_____   _____   _____

13. 아래 글을 읽고 질문에 답해 보세요.

- 아트, 키라, 로라 모두 처음에 스티커를 10장씩 가지고 있었어요.
- 오시안과 사마라는 둘 다 스티커를 20장씩 가지고 있었어요.
- 오시안은 다른 친구들에게 모두 스티커를 2장씩 주었어요.

- 키라는 로라에게 스티커 5장을 주었고, 사마라에게서 3장을 받았어요.
- 아트는 오시안과 스티커 4장을 교환했고, 키라에게 2장을 주었어요. 그리고 사마라에게서 6장을 받았어요.
- 오시안은 키라, 로라, 사마라에게 각각 2장씩 주었고, 아트에게 1장을 주었어요.

최종적으로

❶ 아트가 가진 스티커는 몇 장일까요? _____

❷ 키라가 가진 스티커는 몇 장일까요? _____

❸ 로라가 가진 스티커는 몇 장일까요? _____

❹ 오시안이 가진 스티커는 몇 장일까요? _____

❺ 사마라가 가진 스티커는 몇 장일까요? _____

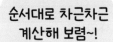

순서대로 차근차근 계산해 보렴~!

한 번 더 연습해요!

1. 계산해 보세요.

1.5 km + 3.5 km   8.2 km + 1.9 km   7.5 km + 2.8 km

= _____   = _____   = _____

2.7 km − 1.4 km   5 km − 1.7 km   4.3 km − 2.5 km

= _____   = _____   = _____

2. 아래 글을 읽고 알맞은 식을 세워 답을 구해 보세요.

❶ 선생님은 처음에 5.4km를 달렸고 이후에 6.8km를 더 달렸어요. 선생님이 달린 거리는 모두 몇 km일까요?

식 : _____

정답 : _____

❷ 선생님 집에서 도서관까지의 거리가 3.7km예요. 도서관에 갔다 집에 돌아오는 거리는 몇 km일까요?

식 : _____

정답 : _____

1. 눈금에 해당하는 길이를 밀리미터와 센티미터로 나타내어 보세요.

| _____ mm | _____ mm | _____ mm | _____ mm | _____ mm |
| = _____ cm | = _____ cm | = _____ cm | = _____ cm | = _____ cm |

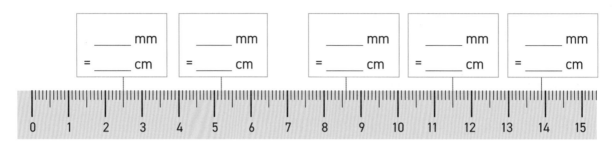

2. 주어진 단위로 바꾸어 보세요.

45 mm = _____ cm   180 cm = _____ m

33 mm = _____ cm   50 cm = _____ m

3.8 cm = _____ mm   5.7 m = _____ cm

0.7 cm = _____ mm   12.3 m = _____ cm

3. 무게가 같은 것끼리 선으로 이어 보세요.

(700 g)   (7900 g)   (7000 g)   (9600 g)   (9 kg 700 g)

(7 kg)   (9.6 kg)   (0.7 kg)   (9.7 kg)   (7.9 kg)

4. 소수 첫째 자리에서 반올림하여 보세요.

4.2 m _____ m   10.5 m _____ m

0.6 m _____ m   29.8 m _____ m

5. 계산해 보세요.

4.7 L - 0.5 L = _____   0.7 L + 1.7 L = _____   10.6 L - 7.4 L = _____

2.8 L - 0.9 L = _____   2.5 L + 1.5 L = _____   3 L - 0.3 L = _____

6. 아래 글을 읽고 알맞은 식을 세워 답을 구해 보세요.

❶ 카밀라는 자전거를 11.7km를 탄 다음 7.2km를 더 탔어요. 카밀라가 자전거를 탄 거리는 모두 몇 km일까요?

식 : _____

정답 : _____

❷ 넬라의 집에서 학교까지 거리는 3.7km예요. 나일스의 집에서 학교까지 거리는 넬라보다 1.8km 더 가까워요. 나일스가 학교까지 가는 거리는 몇 km일까요?

식 : _____

정답 : _____

❸ 주스 병에 주스가 1L 있었는데 그중 0.7L를 마셨어요. 남은 주스는 몇 L일까요?

식 : _____

정답 : _____

❹ 0.6L의 주스 농축액에 물 0.8L를 부었어요. 주스의 양은 얼마가 되었을까요?

식 : _____

정답 : _____

7. 아래 글을 읽고 알맞은 식을 세워 답을 구해 보세요.

❶ 수영 대회에서 엘리는 54.65초, 델마는 43.37초의 기록을 세웠어요. 델마는 엘리에 비해 얼마나 빠를까요?

식 : _____

정답 : _____

❷ 캐시의 수영 기록 목표는 50.00초인데, 42.51초를 기록했어요. 캐시는 목표에서 기록을 얼마나 단축했을까요?

식 : _____

정답 : _____

얼마나 잘했나요?

실력이 자란 만큼 별을 색칠하세요.

★★★ 정말 잘했어요.
★★☆ 꽤 잘했어요.
★☆☆ 앞으로 더 노력할게요.

1. 주어진 단위로 바꾸어 보세요.

   3100 g = _____ kg   800 g = _____ kg

   2.9 kg = _____ g   7.1 kg = _____ g

2. 소수 첫째 자리에서 반올림하여 보세요.

   2.7 m _____ m   17.5 m _____ m   8.2 m _____ m   47.9 m _____ m

3. ☐ 안에 >, =, <를 알맞게 써넣어 보세요.

   3.0 m ☐ 9 cm   7.5 cm ☐ 7.5 m

   600 cm ☐ 0.5 m   1.2 m ☐ 4 m

4. 계산해 보세요.

   3.2 L + 1.4 L   4.8 L + 0.4 L   5.6 L − 0.7 L

   = _____   = _____   = _____

5. 아래 글을 읽고 알맞은 식을 세워 답을 구해 보세요.

   ❶ 수박 무게가 처음에 2.2kg이었는데 0.2kg을 먹었어요. 이제 수박은 몇 kg일까요?

      식 : _____

      정답 : _____

   ❷ 과일 바구니 무게가 3.6kg인데 0.8kg만큼 과일이 추가되었어요. 이제 과일 바구니는 몇 kg일까요?

      식 : _____

      정답 : _____

6. 앤의 옷은 3가지 다른 색깔로 되어 있고, 리사의 옷은 2가지 다른 색깔로 되어 있어요. 두 옷에는 공통된 색깔이 하나 있어요. 앤과 리사의 옷에는 모두 몇 가지 색깔이 있을까요?

   _____

7. 소수 첫째 자리에서 반올림하여 보세요.

3.4 kg _____ kg   15.7 kg _____ kg

5.5 kg _____ kg   39.8 kg _____ kg

8. □ 안에 >, =, <를 알맞게 써넣어 보세요.

0.4 m ☐ 450 cm   900 g ☐ 9 kg

30 cm ☐ 0.35 m   2.5 kg ☐ 3000 g

9. 계산해 보세요.

5.8 kg + 2.6 kg   17.6 kg + 5.4 kg   8.0 kg – 2 kg 700 g

= _____   = _____   = _____

10. 아래 글을 읽고 알맞은 식을 세워 답을 리터로 구해 보세요.

탄산음료 병의 들이는 1.5L이고, 컵의 들이는 3dL예요.

❶ 엘리는 탄산음료를 4컵에 가득 부었어요. 컵에 따른 탄산음료는 모두 몇 L일까요?

식 : _____

정답 : _____

❷ 탄산음료를 2컵 가득 따랐어요. 병에 남은 탄산음료는 몇 L일까요?

식 : _____

정답 : _____

11. 에반은 46.02초의 수영 기록을 세웠어요. 토비의 기록은 에반보다 8.25초 빨라요. 토비의 기록은 몇 초일까요?

식 : _____

정답 : _____

12. 여자아이 13명 가운데 8명이 축구를 하고, 6명은 농구를 해요. 2명은 축구와 농구를 둘 다 못 한다면 둘 다 할 줄 아는 아이는 몇 명일까요?

_____

13. □ 안에 >, =, <를 알맞게 써넣어 보세요.

2.2 m □ 3.2 m − 1.5 m

1.6 m □ 0.8 m + 0.9 m

2.3 m □ 3 m − 70 cm

17.5 cm □ 20 cm − 15 mm

18.2 cm □ 90 mm + 90 mm

6.8 m □ 9 m − 900 cm

14. 아래 글을 읽고 알맞은 식을 세워 답을 킬로그램으로 구해 보세요.

❶ 수박 무게가 3kg 100g인데, 그중 500g을 먹었고, 나중에 600g을 더 먹었어요. 남은 수박은 몇 kg일까요?

식 : _____

_____

정답 : _____

❷ 상자 2개에 사과가 각각 3.5kg씩 들어 있어요. 그중 1.8kg을 먹었다면 남은 사과는 몇 kg일까요?

식 : _____

_____

정답 : _____

15. 아래 글을 읽고 알맞은 식을 세워 답을 킬로그램으로 구해 보세요.

❶ 사과 4개의 무게가 평균적으로 840g이라면 사과 1개는 평균 몇 kg일까요?

정답 : _____

❷ 오렌지 6개의 무게가 평균적으로 1kg 200g이라면 오렌지 5개는 평균 몇 kg일까요?

정답 : _____

16. 미사의 수영 기록은 1분에서 12.47초 빨라요. 미사의 기록은 몇 초일까요? 식을 세우고 세로셈으로 계산해 보세요.

식 : _____

정답 : _____

17. 180명 학생 중에서 72명이 팝을 좋아하고, 83명은 록을 좋아해요. 그중 19명이 둘 다 좋아한다면 둘 다 좋아하지 않는 학생은 모두 몇 명일까요?

_____

★ 길이

- 밀리미터(mm), 센티미터(cm), 미터(m)는 길이 단위예요.

| 1 mm
= 0.1 cm | 5 mm
= 0.5 cm | 30 mm
= 3.0 cm | 50 mm
= 5.0 cm | 75 mm
= 7.5 cm | 97 mm
= 9.7 cm |

- 10 mm = 1 cm이므로 1 mm = 0.1 cm예요.
- 100 cm = 1 m이므로 10 cm = 0.10 m, 1 cm = 0.01 m예요.

★ 작은 단위에서 큰 단위로 바꾸기

23 mm = 20 mm + 3 mm
     = 2 cm + 0.3 cm
     = 2.3 cm

450 cm = 400 cm + 50 cm
      = 4 m + 0.50 m
      = 4.50 m

★ 큰 단위에서 작은 단위로 바꾸기

2.5 cm = 2 cm + 0.5 cm
     = 20 mm + 5 mm
     = 25 mm

4.20 m = 4 m + 0.20 m
     = 400 cm + 20 cm
     = 420 cm

★ 반올림하기

- 0.1, 0.2, 0.3, 0.4와 같은 소수는 반올림할 경우 버려요.

- 0.5, 0.6, 0.7, 0.8, 0.9와 같은 소수는 반올림할 경우 윗자리로 올려요.

★ 무게

- 그램(g)과 킬로그램(kg)은 무게 단위예요.

  1 kg = 1000 g이므로 100 g = 0.1 kg이에요.

★ 들이

- 데시리터(dL)와 리터(L)는 들이 단위예요.

  1 L = 10 dL
  0.1 L = 1 dL

★ 시간

54.08초 − 16.23초

	4	13	10	
	$\overset{4}{\cancel{5}}$	$\overset{13}{\cancel{4}}$.	0	8
−	1	6.	2	3
	3	7.	8	5

정답 : 37.85초

자연수(초)
↓
37.85초
↑↑
1초의 $\frac{5}{100}$
1초의 $\frac{8}{10}$

1 주어진 단위로 바꾸어 보세요.

870 cm = _____ m   15 mm = _____ cm   1.8 m = _____ cm   2.1 kg = _____ g

3400 g = _____ kg   3.5 L = _____ dL   20 dL = _____ L   780 g = _____ kg

2 □ 안에 >, =, <를 알맞게 써넣어 보세요.

18 mm ☐ 1.8 cm   890 cm ☐ 9 m

12 mm ☐ 3 cm   3.4 m ☐ 3.6 m

3 식이 성립하도록 빈칸에 알맞은 수를 써넣어 보세요.

40 cm + _____ = 1 m   0.9 m + _____ = 1 m

0.3 m + _____ = 1 m   0.55 m + _____ = 1 m

4 답이 2kg이 나오는 식을 색칠해 보세요.

(1.5 kg + 0.5 kg)   (3.2 kg − 1.7 kg)   (1.3 kg + 1.9 kg)

(0.8 kg + 1.6 kg)   (2.4 kg − 400 g)   (3 kg − 1 kg 200 g)

답이 2kg이 되도록 식을 2개 더 만들어 보세요.

_____

5

이나의 달리기 기록은 8.55초이고, 토니는 9.32초예요.
이나는 토니에 비해 얼마나 더 빠를까요?

식 : _____

정답 : _____

6 계산해 보세요.

❶ 메리는 1.5km 트랙을 3번 달렸어요. 메리가
달린 거리는 모두 몇 km일까요?

정답 : _____

❷ 카이는 2.7km를 달렸고, 윌리는 카이보다
0.8km를 더 달렸어요. 두 아이가 달린 거리는
모두 몇 km일까요?

정답 : _____

7

오시안의 최초 기록은 47.17초였어요. 그런데
7번에 걸쳐 기록을 계속 단축했어요. 처음엔
0.01초, 2번째엔 0.02초, 3번째엔 0.03초…
이런 규칙으로 기록을 계속 단축했다면
오시안의 최종 기록은 몇 초일까요?

_____

7 양수와 음수

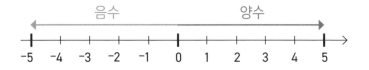

음수 | 양수

-5 -4 -3 -2 -1 0 1 2 3 4 5

- 0이 가장 작은 수가 아니에요.
- 0보다 큰 수는 양수이고 수직선에서 0의 오른쪽에 위치해요.
- 0보다 작은 수는 음수이고 수직선에서 0의 왼쪽에 위치해요.
- 음수에는 수 앞에 마이너스(−)가 붙어요.

- 온도계도 수직선으로 생각하면 되어요.
- −5℃는 "섭씨 영하 5도"라고 읽어요.

<보기>

스포츠 기록에서의 음수

엠마가 아트보다 3초 앞서네요.
엠마가 선두예요.

1. 아트	8분 30초	
2. 로라	8분 34초	+4초
결승선을 통과한 마지막 사람		
엠마	8분 27초	−3초

1. 다음 설명에 해당하는 수를 골라 ○표 해 보세요.

❶ 봄날 아침 기온이 3도예요.   3 ℃   −3 ℃

❷ 기온이 영하 8도예요.   8 ℃   −8 ℃

❸ 알렉은 스키 대회에서 최고 기록을 4초 앞당겼어요.   4초   −4초

❹ 아이노는 기록을 15초 단축했어요.   15초   −15초

❺ 엠마는 자신의 달리기 최고 기록보다 3분 늦었어요.   3분   −3 분

2. 아래 수직선을 완성해 보세요.

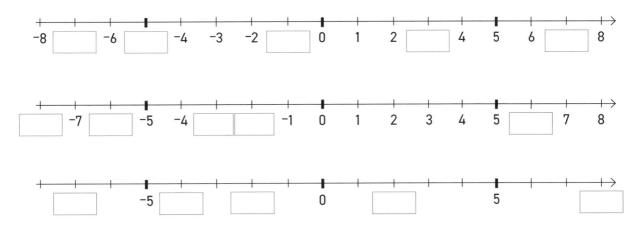

3. 온도계가 나타내는 온도를 빈칸에 써 보세요.

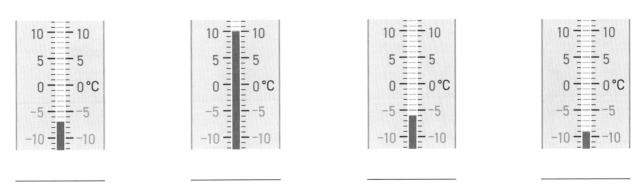

4. 주어진 온도를 온도계에 색칠해 보세요.

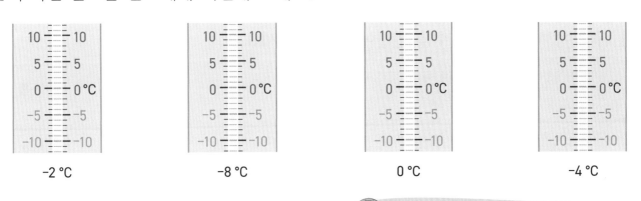

-2 ℃   -8 ℃   0 ℃   -4 ℃

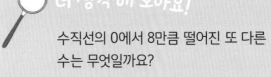

더 생각해 보아요!

수직선의 0에서 8만큼 떨어진 또 다른
수는 무엇일까요?

5. 그림과 어울리는 온도를 보기에서 골라 빈칸에 써넣어 보세요.

<보기> -5 ℃   100 ℃   3 ℃   -25 ℃   75 ℃   37 ℃

6. 규칙에 따라 알맞은 수를 빈칸에 써넣어 보세요.

-1	-2	-3					-8

7	5	3					-7

-3	-6	-9					-24

30	20	10					-40

300	150	0					-750

7. 아래 설명을 읽고 각 기온에 해당하는 도시 이름을 알아맞혀 보세요.

-8 ℃	6 ℃	1 ℃	-11 ℃	-7 ℃	-1 ℃

- 오슬로의 기온은 영하예요.
- 탈린의 기온은 에스푸보다 따뜻해요.
- 포리의 기온은 키루나의 기온보다 1도 높아요.
- 오울루가 가장 추워요.

8. 아래 글을 읽고 질문에 답해 보세요.

아이들이 1분 간격을 두고 달리기를 했어요. 달리기 기록은 선두와 비교하여 +, −로 나타내요.

❶ 아래 달리기 기록표를 완성해 보세요.

	선두와의 차이	기록
아이노가 처음으로 결승선에 들어왔어요.		8분 45초
다음으로 들어온 아이는 톰이에요.	-6초	
다음으로 들어온 아이는 앤이에요.	+3초	
다음으로 들어온 아이는 엘리엇이에요.	+2초	
다음으로 들어온 아이는 레나예요.	-5초	
마지막으로 들어온 아이는 빈이에요.	+4초	

❷ 누가 가장 빠를까요? 빠른 순서대로 아이들의 이름을 나열해 보세요.

1. _____ 2. _____ 3. _____ 4. _____ 5. _____ 6. _____

한 번 더 연습해요!

1. 아래 수직선을 완성해 보세요.

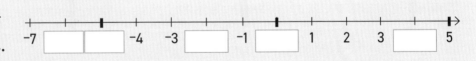

-7 [ ] [ ] -4 -3 [ ] -1 [ ] 1 2 3 [ ] 5

2. 온도계가 나타내는 온도를 빈칸에 써 보세요.

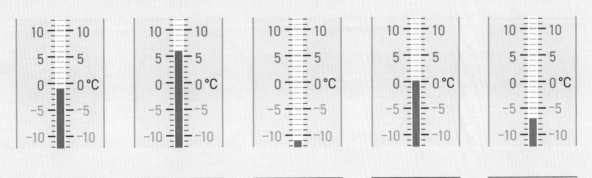

_____ _____ _____ _____ _____

8 영상과 영하

-2.7 ℃

-0.7 ℃

37.2 ℃

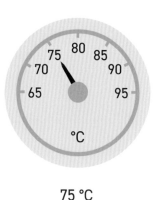

75 ℃

• 영하는 온도계의 온도가 0도보다 낮아요.

• 영상은 온도계의 온도가 0도보다 높아요.

1. 온도계가 나타내는 온도를 빈칸에 써넣어 보세요.

_____

_____

_____

_____

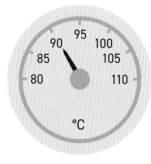

_____

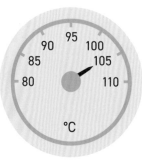

_____

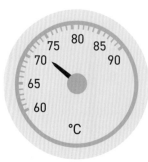

_____

_____

2. 아래 온도를 온도계에 표시해 보세요.

❶ 우츠요키의 기온은
섭씨 영하 17도예요.

❷ 누마꾸의 기온은
섭씨 3도예요.

❸ 헬싱키의 기온은
섭씨 영하 1.8도예요.

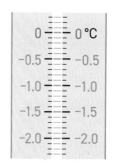

❹ 탐페레의 기온은
섭씨 영하 1.3도예요.

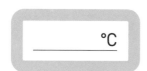

❺ 시베리아의 기온은
섭씨 영하 44.7도예요.

❻ 아리조나의 기온은
섭씨 42.4도예요.

❼ 미아의 사우나 온도는
섭씨 55도예요.

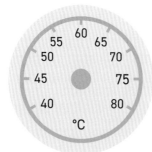

❽ 톰의 사우나 온도는
섭씨 95도예요.

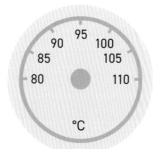

❾ 할아버지의 사우나 온도는
섭씨 75도예요.

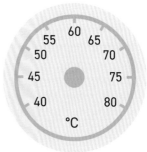

더 생각해 보아요!

-5와 -6 중 어느 것이 더 큰 수일까요?

_____

57

3. 더 낮은 온도를 따라 길을 찾아보세요.

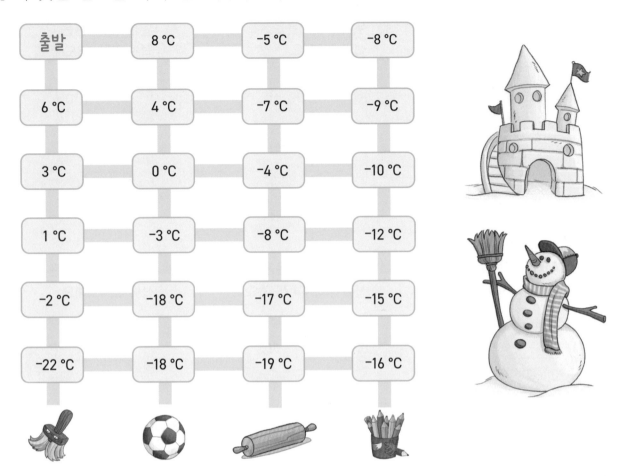

출발	8 ℃	-5 ℃	-8 ℃
6 ℃	4 ℃	-7 ℃	-9 ℃
3 ℃	0 ℃	-4 ℃	-10 ℃
1 ℃	-3 ℃	-8 ℃	-12 ℃
-2 ℃	-18 ℃	-17 ℃	-15 ℃
-22 ℃	-18 ℃	-19 ℃	-16 ℃

4. 아래 글을 읽고 질문에 답해 보세요.

❶ 칩이 도착 지점으로 가는 길을 찾아 주세요. 가로나 세로로 흰색 칸을 따라 움직일 수 있어요.

❷ 아래 코드 키에 대한 설명을 읽고 칩이 도착 지점까지 가는 코드 키를 써 보세요.

<코드 키>

 1 = 오른쪽으로 1칸
-1 = 왼쪽으로 1칸
 A = 아래쪽으로 1칸
 Y = 위쪽으로 1칸

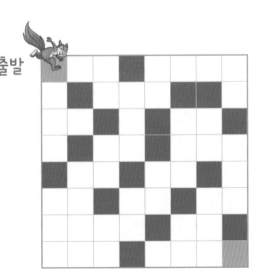

_____

_____

_____

_____

5. 아래 표를 살펴보고 질문에 답해 보세요.

헬싱키와의 시차

도시	시차
프라하	-1시간
리스본	-2시간
상파울로	-5시간
뉴욕	-7시간
방콕	+4시간

❶ 헬싱키에서 아이들이 등교하는 8시는 리스본에서 몇 시일까요?

정답 : _____

❷ 헬싱키에서 아빠가 점심을 먹는 11시 15분은 뉴욕에서 몇 시일까요?

정답 : _____

❸ 방콕에서 자정(24시)은 상파울로에서 몇 시일까요?

정답 : _____

❹ 상파울로에서 축구 경기가 시작하는 19시는 프라하에서 몇 시일까요?

정답 : _____

6. 아래 설명대로 색깔의 자리를 바꾼 후 러그를 색칠해 보세요.

❶ 초록색과 빨간색의 자리를 바꾼 다음 갈색과 빨간색의 자리를 바꾸어요.

❷ 먼저 파란색과 노란색의 자리를 바꾼 다음 빨간색과 파란색의 자리를 바꾸어요. 마지막으로 초록색과 노란색의 자리를 바꾸어요.

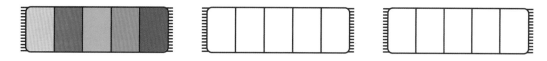

한 번 더 연습해요!

1. 주어진 온도를 온도계에 색칠해 보세요.

• 나르페즈의 기온은 섭씨 영하 12도예요.
• 요엔수의 기온은 섭씨 영하 7.3도예요.

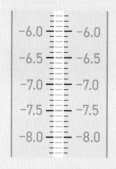

2. 온도계가 나타내는 온도를 빈칸에 써 보세요.

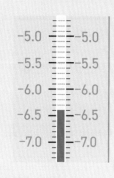
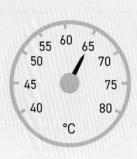

_____ _____

9 음수의 크기 비교

-1 > -4

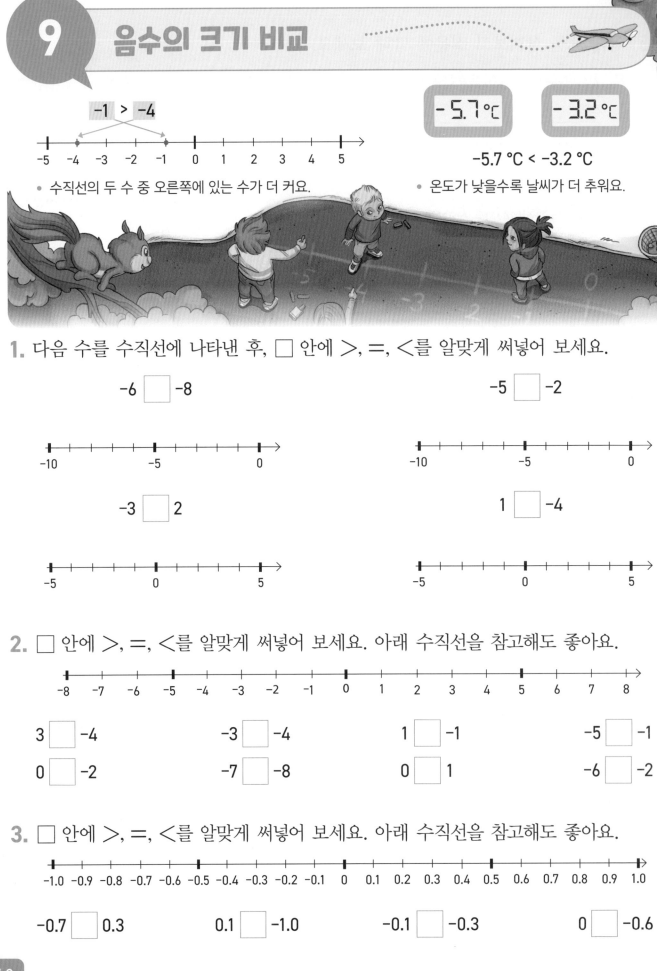

-5 -4 -3 -2 -1 0 1 2 3 4 5

• 수직선의 두 수 중 오른쪽에 있는 수가 더 커요.

-5.7℃   -3.2℃

-5.7 ℃ < -3.2 ℃

• 온도가 낮을수록 날씨가 더 추워요.

1. 다음 수를 수직선에 나타낸 후, □ 안에 >, =, <를 알맞게 써넣어 보세요.

-6 □ -8

-5 □ -2

-10   -5   0

-10   -5   0

-3 □ 2

1 □ -4

-5   0   5

-5   0   5

2. □ 안에 >, =, <를 알맞게 써넣어 보세요. 아래 수직선을 참고해도 좋아요.

-8 -7 -6 -5 -4 -3 -2 -1 0 1 2 3 4 5 6 7 8

3 □ -4   -3 □ -4   1 □ -1   -5 □ -1

0 □ -2   -7 □ -8   0 □ 1   -6 □ -2

3. □ 안에 >, =, <를 알맞게 써넣어 보세요. 아래 수직선을 참고해도 좋아요.

-1.0 -0.9 -0.8 -0.7 -0.6 -0.5 -0.4 -0.3 -0.2 -0.1 0 0.1 0.2 0.3 0.4 0.5 0.6 0.7 0.8 0.9 1.0

-0.7 □ 0.3   0.1 □ -1.0   -0.1 □ -0.3   0 □ -0.6

4. 온도계에 나타난 온도를 빈칸에 쓴 후, □ 안에 >, =, <를 알맞게 써넣어 보세요.

 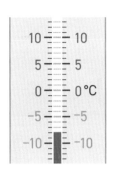

_____ □ _____

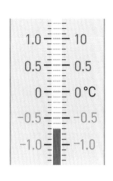 

_____ □ _____

5. 온도계를 살펴보고 질문에 답해 보세요.

파르가스	케라바	리살미	코트카	항코
-1.8 °C	0.2 °C	-7.4 °C	-0.6 °C	0.0 °C

❶ 파르가스와 케라바 중 어느 도시가
더 추울까요?

_____

❷ 코트카와 항코 중 어느 도시가
더 추울까요?

_____

❸ 파르가스와 리살미 중 어느 도시가
더 따뜻할까요?

_____

❹ 항코와 케라바 중 어느 도시가
더 따뜻할까요?

_____

❺ 어느 도시가 가장 추울까요?

_____

❻ 어느 도시가 가장 따뜻할까요?

_____

더 생각해 보아요!

2월에 기온은 매일 2도씩 내려가요. 2월 6일에
기온이 5도라면 2월 13일에는 기온이 몇 도일까요?

_____

6. 온도가 같은 것끼리 선으로 이어 보세요.

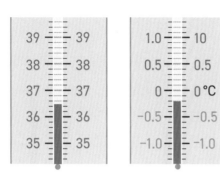 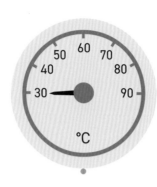 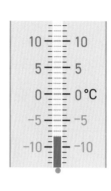 

| -8 ℃ | -0.2 ℃ | 36.5 ℃ | 39.2 ℃ | 30 ℃ |

7. 아이들이 어디에 사는지 알아맞혀 보세요.

| 루스코 | 라우카 | 비니쟈르비 | 키틸래 | 비흐티 |
| -10.3 ℃ | -8.5 ℃ | -16.3 ℃ | -11.4 ℃ | -6.7 ℃ |

- 에디스는 기온이 섭씨 영하 10도보다 따뜻한 도시에 살아요.
- 마리아가 사는 도시는 토미가 사는 곳보다 더 추워요.
- 버논은 가장 추운 도시에 살아요.
- 타냐는 가장 따뜻한 도시에 살아요.

8. 기온이 아래와 같은 도시는 어느 도시일까요?

❶ 기온이 영하 5도보다 추운 도시

_____

❷ 기온이 1도보다 낮고 영하 1도보다 높은 도시

_____

❸ 기온이 영하 3도보다 낮고 영하 6도보다 높은 도시

_____

❹ 기온이 영하 0.5도보다 높고 2도보다 낮은 도시

_____

코스키 −3.6℃	투르쿠 −0.8℃	닐시아 −4.5℃	리 −7.4℃	에노 −6.3℃	포흐야 0.8℃
니발라 −3.3℃	라티 0.2℃	야르벤빠 1.9℃	울빌라 2.3℃	누르메스 −4.1℃	

9. 아래 문장을 읽고 참인지 거짓인지 알아보세요.

- 기온이 내려가면 더 추워요. _____

- 기온이 0도 아래인데 0.5도 더 내려가면 영하가 아니에요. _____

- 영하 3도에서 5도 더 올라가도 여전히 영하예요. _____

- 영하 12도에서 영하 14도가 되면 기온이 올라간 거예요. _____

한 번 더 연습해요!

1. 다음 수를 수직선에 나타낸 후, ☐ 안에 >, =, <를 알맞게 써넣어 보세요.

−10 ☐ −6   −3 ☐ −7

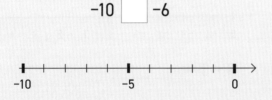 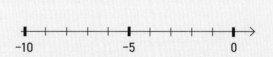

2. 온도를 빈칸에 쓴 후, ☐ 안에 >, =, <를 알맞게 써넣어 보세요.

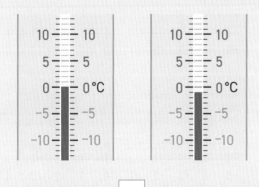 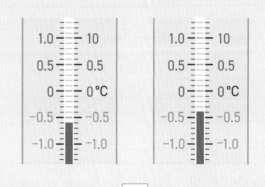

10 음수의 덧셈

-4 + 3

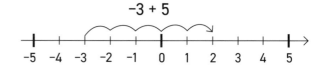

-3 + 5

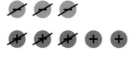

● **−** = −1
● **+** = 1

-4 + 3 = -1

덧셈할 때에는 수직선에서 오른쪽으로 움직여요.

-3 + 5 = 2

1. 아래 식을 수직선에 나타내고 답을 구해 보세요.

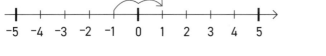

-1 + 2 = _____

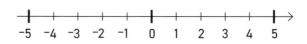

-4 + 2 = _____

-2 + 6 = _____

-3 + 3 = _____

2. 수직선이 나타내는 식을 세우고 답을 구해 보세요.

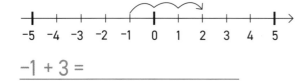

-1 + 3 = _____

_____

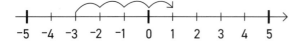

_____

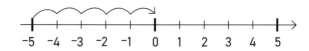

_____

3. 그림이 나타내는 식과 값이 같은 것끼리 선으로 이어 보세요.

− = −1
+ = 1

| −3 + 2 | | −4 + 4 | | −2 + 4 | | −2 + 3 |

| −1 | | 2 | | 0 | | 1 |

4. 아래 글을 읽고 알맞은 식을 세워 답을 구해 보세요. 온도계를 참고해도 좋아요.

❶ 아침에 기온이 영하 6도였는데 오후에 4도 올라갔어요. 오후 기온은 몇 도일까요?

식 : _____ 정답 : _____

❷ 목요일에 기온이 영하 2도였는데 금요일에 5도 올라갔어요. 금요일 기온은 몇 도일까요?

식 : _____ 정답 : _____

❸ 토니오의 기온은 영하 17도이고, 라헤의 기온은 토니오보다 6도 더 높았어요. 라헤의 기온은 몇 도일까요?

식 : _____ 정답 : _____

❹ 케우루의 기온은 영하 4도이고, 이마트라의 기온은 케우루보다 5도 더 높았어요. 이마트라의 기온은 몇 도일까요?

식 : _____ 정답 : _____

❺ 1월에 헬싱키의 평균 기온은 영하 3도이고, 7월에는 1월보다 평균 20도 더 따뜻했어요. 7월의 평균 기온은 몇 도일까요?

식 : _____ 정답 : _____

❻ 1월에 로바니에미의 평균 기온은 영하 12도이고, 11월에는 1월보다 평균 8도 더 높았어요. 11월의 평균 기온은 몇 도일까요?

식 : _____ 정답 : _____

기온을 덧셈할 때 온도계에서 위로 움직이렴~.

5. 애벌레의 빈칸을 완성해 보세요. 아래 수직선을 참고해도 좋아요.

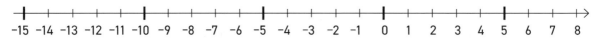

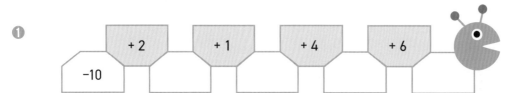

❶

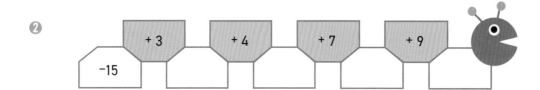

❷

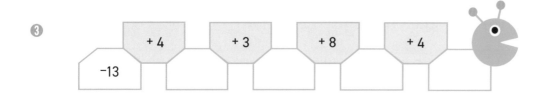

❸

6. 식이 성립하도록 동그라미를 파란색이나 빨간색으로 색칠하고 빈칸에 알맞은 수를 써 보세요.

➖ = −1   ➕ = 1

○○○○

_____ + _____ = 2

○○○○○○

_____ + _____ = −4

○○○○○

_____ + _____ = −1

○○○○○○○

_____ + _____ = −3

7. 코드를 읽어 보세요.

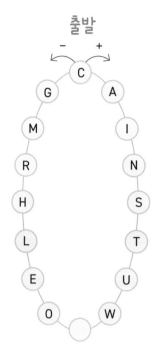

출발

❶ -5 -6 5 6 4 4 5 1 -3 5

└ _____

❷ 5 -4 -6 4 -6 0 -3 -6 5 -1 1 -2 -6

_____

❸ 5 -7 -2 -7 -3 -3 -7 7 -2 -7 -3 3 2 3 -1

_____

❹ 친구에게 보내는 메시지를 오른쪽의 코드를 사용하여 작성해 보세요.

_____

_____

_____

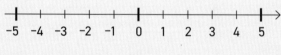

한 번 더 연습해요!

1. 아래 식을 수직선에 나타내고 답을 구해 보세요.

-5 -4 -3 -2 -1 0 1 2 3 4 5

-1 + 1 = _____

-5 -4 -3 -2 -1 0 1 2 3 4 5

-2 + 4 = _____

2. 아래 글을 읽고 알맞은 식을 세워 답을 구해 보세요.

❶ 미켈리의 기온은 영하 7도였는데 4도 올라갔어요. 기온은 몇 도가 되었을까요?

식 : _____

정답 : _____

❷ 키테의 기온은 영하 3도이고, 코우볼라는 키테보다 5도 더 따뜻해요. 코우볼라의 기온은 몇 도일까요?

식 : _____

정답 : _____

11 음수의 뺄셈

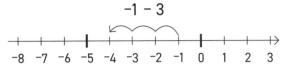

-1 - 3

-1 - 3 = -4

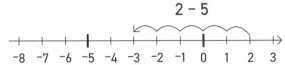

2 - 5

2 - 5 = -3

뺄셈할 때에는 수직선에서 왼쪽으로 움직여요.

1. 아래 식을 수직선에 나타내고 답을 구해 보세요.

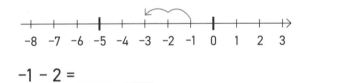

-1 - 2 = _____

-4 - 1 = _____

1 - 4 = _____

-2 - 3 = _____

2. 수직선이 나타내는 식을 세우고 답을 구해 보세요.

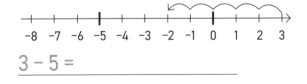

3 - 5 = _____

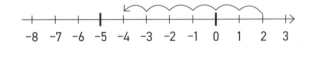

_____

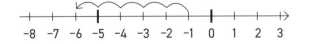

_____

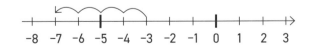

_____

3. 계산한 후, ☐ 안에 >, =, <를 알맞게 써넣어 보세요. 아래 수직선을 참고해도 좋아요.

```
 +---+---+---+---+---+---+---+---+---+---+---+---+---+---+---+---+---+--->
-12 -11 -10 -9  -8  -7  -6  -5  -4  -3  -2  -1   0   1   2   3   4   5
```

-3 - 2 ☐ -4   -11 ☐ -5 - 6   -3 - 5 ☐ -4   -7 ☐ -3 - 9

1 - 11 ☐ -10   -2 ☐ 1 - 2   5 - 7 ☐ -1   -6 ☐ 0 - 6

4. 아래 글을 읽고 알맞은 식을 세워 답을 구해 보세요. 온도계를 참고해도 좋아요.

❶ 아침에 기온이 영하 3도였는데 오후에 4도 더 떨어졌어요. 오후 기온은 몇 도일까요?

식 : _____   정답 : _____

❷ 화요일 기온이 영하 6도였는데 수요일에 2도 더 떨어졌어요. 수요일 기온은 몇 도일까요?

식 : _____   정답 : _____

❸ 우츠요키의 기온이 영하 19도인데 에논테키오는 우츠요키보다 3도 더 낮았어요. 에논테키오의 기온은 몇 도일까요?

식 : _____   정답 : _____

❹ 헤이놀라의 기온이 4도인데 라펜란타는 헤이놀라보다 5도 더 낮았어요. 라펜란타의 기온은 몇 도일까요?

식 : _____   정답 : _____

❺ 위베스퀼레의 5월 평균 기온이 10도인데 2월 평균 기온은 5월보다 17도 더 낮았어요. 2월 평균 기온은 몇 도일까요?

식 : _____   정답 : _____

❻ 로바니에미의 4월 평균 기온이 영하 1도인데 1월 평균 기온은 4월보다 9도 더 낮았어요. 1월 평균 기온은 몇 도일까요?

식 : _____   정답 : _____

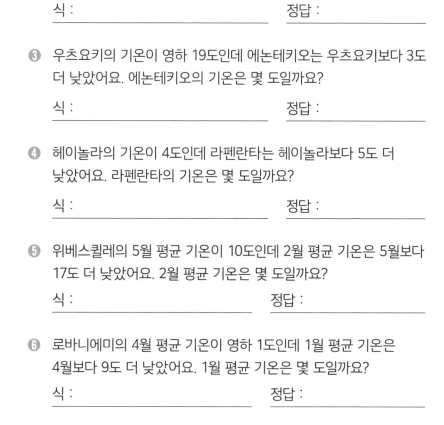

5. 애벌레의 빈칸을 완성해 보세요. 아래 수직선을 참고해도 좋아요.

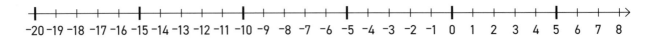

❶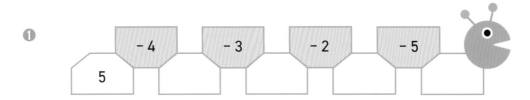

5 − 4 − 3 − 2 − 5

❷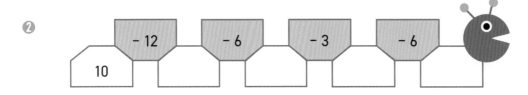

10 − 12 − 6 − 3 − 6

❸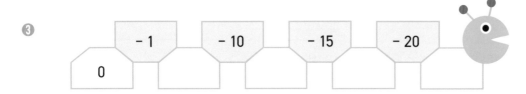

0 − 1 − 10 − 15 − 20

6. 아래 글을 읽고 엠마가 움직인 길을 찾아보세요. 엠마가 무엇을 먹었을까요?

- 아침 기온은 영하 12도였어요.
- 아침 식사 후 기온이 1도 떨어졌어요.
- 해가 나와서 기온이 3도 올랐어요.
- 집 안으로 들어오자 갑자기 기온이 30도 올랐어요.
- 지하실 온도는 20도 더 낮았어요.
- 바깥 온도는 영하 15도였어요.
- 해가 지자 온도는 4도 더 떨어졌어요.
- 구름이 낀 밤이어서 기온이 5도 올랐어요.
- 오늘 아침은 전날 아침보다 4도 더 따뜻했어요.

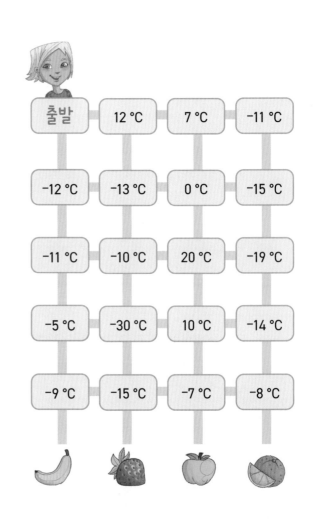

출발	12 ℃	7 ℃	-11 ℃
-12 ℃	-13 ℃	0 ℃	-15 ℃
-11 ℃	-10 ℃	20 ℃	-19 ℃
-5 ℃	-30 ℃	10 ℃	-14 ℃
-9 ℃	-15 ℃	-7 ℃	-8 ℃

7. 빈칸에 알맞은 수를 써넣어 보세요.

_____ + 12 = 9	14 - _____ = -3	-5 - _____ = -5
_____ - 4 = -11	16 - _____ = -9	-7 - _____ = -20
_____ + 6 = 3	1 - _____ = -50	-90 - _____ = -105

8. 아래 조건을 만족하는 수 3개를 자루에서 찾아보세요.

❶ 합이 0이 되는 수

_____

❷ 차가 -100이 되는 수

_____

27   -13
17   9   -36
37   50

 한 번 더 연습해요!

1. 아래 식을 수직선에 나타내고 답을 구해 보세요.

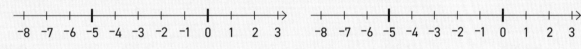

-1 - 2 = _____

-2 - 4 = _____

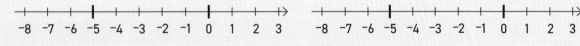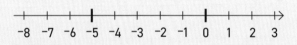

3 - 9 = _____

-6 - 1 = _____

2. 아래 글을 읽고 알맞은 식을 세워 답을 구해 보세요.

❶ 케미예르비의 기온은 영하 15도이고, 이나리의 기온은 케미예르비보다 6도 더 낮았어요. 이나리의 기온은 몇 도일까요?

식 : _____

정답 : _____

❷ 예푸아의 기온은 1도이고, 쿠사모의 기온은 예푸아보다 10도 더 낮았어요. 쿠사모의 기온은 몇 도일까요?

식 : _____

정답 : _____

1. 온도계가 나타내는 온도를 빈칸에 써 보세요.

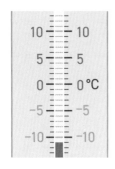　　　

_____　_____　_____　_____　_____

2. 아래 온도를 온도계에 색칠해 보세요.

-3℃　　-9℃　　8℃　　-2℃　　0℃

3. 아래 식을 수직선에 나타내고 답을 구해 보세요.

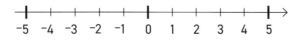

-3 + 2 = _____

-4 + 6 = _____

-5 + 4 = _____

-1 + 5 = _____

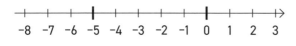

3 - 4 = _____

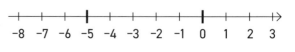

-5 - 3 = _____

4. □ 안에 >, =, <를 알맞게 써넣어 보세요. 아래 수직선을 참고해도 좋아요.

```
 -8  -7  -6  -5  -4  -3  -2  -1   0   1   2   3   4   5   6   7   8
```

4 □ -4   -5 □ -2   -8 □ -3   7 □ -8

1 □ -3   0 □ -3   -5 □ -1   -6 □ -5

5. 아래 글을 읽고 알맞은 식을 세워 답을 구해 보세요.

❶ 리히메키의 기온은 영하 3도이고, 비에레마는 리히메키보다 6도 더 높았어요. 비에레마의 기온은 몇 도일까요?

식 : _____

정답 : _____

❷ 캉카안페의 기온은 5도이고, 실리네르비는 캉카안페보다 8도 더 낮았어요. 실리네르비의 기온은 몇 도일까요?

식 : _____

정답 : _____

❸ 키우루베시의 기온은 영하 8도이고, 피엘라베시는 키우루베시보다 2도 더 낮았어요. 피엘라베시의 기온은 몇 도일까요?

식 : _____

정답 : _____

❹ 이른 아침에 유안코스키의 기온은 영하 9도였는데 오후에는 5도 올랐어요. 오후 기온은 몇 도일까요?

식 : _____

정답 : _____

6. 아래 도시의 기온을 살펴보고 질문에 답해 보세요.

포르보	난탈리	쿠오피오	니발라	옘세
-12.4℃	10.2℃	-9.4℃	-0.6℃	-6.7℃

❶ 쿠오피오와 옘세 중 어느 도시가 더 추울까요?

_____

❷ 니발라와 포르보 중 어느 도시가 더 따뜻할까요?

_____

❸ 어느 도시가 가장 추울까요?

_____

❹ 어느 도시가 가장 따뜻할까요?

_____

더 생각해 보아요!

수직선에서 -8과 2로부터 같은 거리에 있는 수는 어떤 수일까요?

_____

7. 규칙에 따라 알맞은 수를 빈칸에 써넣어 보세요.

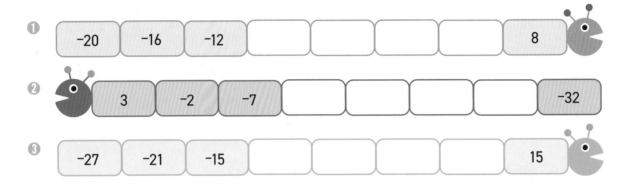

① | -20 | -16 | -12 | | | | | 8 |

② | 3 | -2 | -7 | | | | | -32 |

③ | -27 | -21 | -15 | | | | | 15 |

8. 생쥐 마티가 가는 곳마다 기온이 계속 변해요. 지시 사항을 따라 길을 찾아보세요.

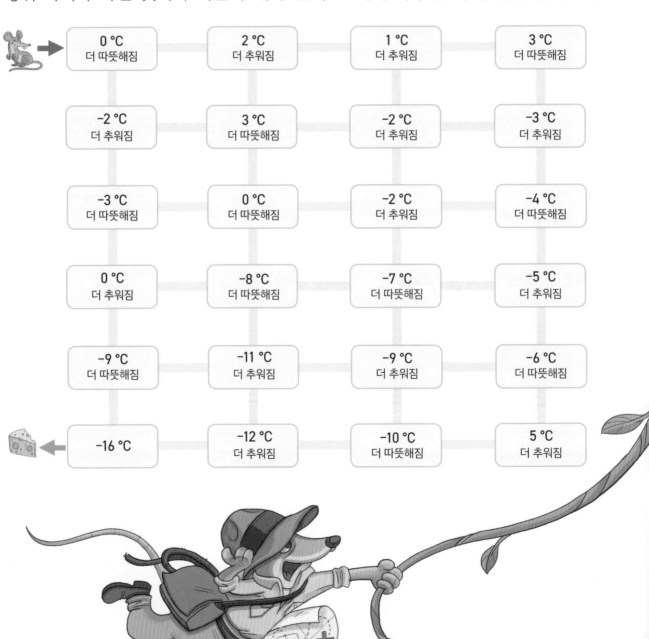

0 ℃ 더 따뜻해짐	2 ℃ 더 추워짐	1 ℃ 더 추워짐	3 ℃ 더 따뜻해짐
-2 ℃ 더 추워짐	3 ℃ 더 따뜻해짐	-2 ℃ 더 추워짐	-3 ℃ 더 추워짐
-3 ℃ 더 따뜻해짐	0 ℃ 더 따뜻해짐	-2 ℃ 더 추워짐	-4 ℃ 더 따뜻해짐
0 ℃ 더 추워짐	-8 ℃ 더 따뜻해짐	-7 ℃ 더 따뜻해짐	-5 ℃ 더 추워짐
-9 ℃ 더 따뜻해짐	-11 ℃ 더 추워짐	-9 ℃ 더 추워짐	-6 ℃ 더 따뜻해짐
-16 ℃	-12 ℃ 더 추워짐	-10 ℃ 더 따뜻해짐	5 ℃ 더 추워짐

9. 연산 부호가 1개 잘못되었어요. 정답이 되도록 바르게 고쳐 보세요.

8 - 7 + 3 - 10 = 8

-5 - 4 - 3 + 2 - 1 = -5

_____

_____

-7 + 9 - 12 - 16 + 20 = 18

0 - 5 - 8 - 11 + 7 + 10 = 3

_____

_____

10. 아이들이 갖고 있는 온도계의 온도를 알아맞혀 보세요.

빈센트　　　　칼라　　　　폴라　　　　다니엘　　　　필리

_____　　_____　　_____　　_____　　_____

- 칼라 온도계의 온도는 양수도 음수도 아니에요.
- 폴라 온도계의 온도는 칼라의 것보다 2도 낮아요.
- 다니엘 온도계의 온도는 폴라의 것보다 4도 높아요.

- 빈센트 온도계의 온도는 다니엘의 것보다 7도 낮아요.
- 필리 온도계의 온도는 빈센트의 것보다 10도 높아요.

 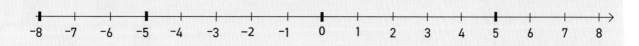
한 번 더 연습해요!

1. 계산해 보세요. 아래 수직선을 참고해도 좋아요.

```
←┼──┼──┼──┼──┼──┼──┼──┼──┼──┼──┼──┼──┼──┼──┼──┼→
 -8  -7  -6  -5  -4  -3  -2  -1   0   1   2   3   4   5   6   7   8
```

-5 + 4 = _____

-2 - 6 = _____

-3 - 5 = _____

-7 + 12 = _____

-4 + 7 = _____

-1 + 6 = _____

3 - 8 = _____

7 - 10 = _____

0 - 3 = _____

-7 + 2 = _____

-8 + 6 = _____

0 - 8 = _____

12 막대그래프

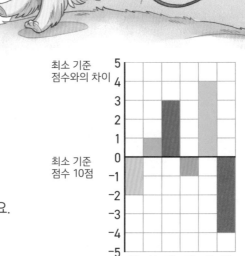

10점 이상을 얻으면 개 훈련 학교에 들어갈 수 있어요.

이름	최소 기준 점수와의 차이	점수
밴디트	-2	8
삭스	1	11
버블검	3	13
피파	-1	9
사울	4	14
테이트	-4	6

삭스, 버블검, 사울이 개 훈련 학교에 입학하네요.

- 밴디트의 점수는 최소 기준 점수보다 2점 아래예요.
  표에서 –2로 기록되어 있어요.
- 버블검의 점수는 최소 기준 점수보다 3점 위예요.
  표에서 3으로 기록되어 있어요.
- 막대그래프에서 –2는 최소 기준 점수에서 아래로 2칸 내려가요.
- 막대그래프에서 3은 최소 기준 점수에서 위로 3칸 올라가요.

1. 오른쪽 막대그래프를 살펴보고 질문에 답해 보세요.

바크타운 개 사육장에서 대회를 열었어요. 결승전에 올라간 개는 모두 최소 기준 점수인 15점을 얻었어요.

❶ 라이카의 점수는 최소 기준 점수보다
   몇 점 더 높을까요?   _____

❷ 본조의 점수는 최소 기준 점수보다
   몇 점 더 높을까요?   _____

❸ 로키의 점수는 최소 기준 점수보다
   몇 점 더 낮을까요?   _____

❹ 브라우니의 점수는 최소 기준 점수보다
   몇 점 더 낮을까요?   _____

❺ 최소 기준 점수보다 3점 낮은 개의
   이름은 무엇인가요?   _____

❻ 최소 기준 점수보다 2점 높은 개의
   이름은 무엇인가요?   _____

❼ 결승전에 올라간 개의
   이름을 모두 쓰세요.   _____

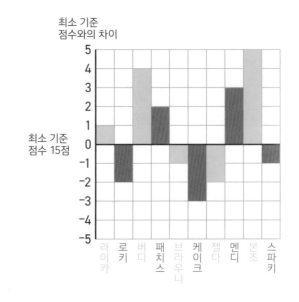

2. 76쪽 문제 1번의 막대그래프에 따라 아래 표를 완성해 보세요.

이름	최소 기준 점수와의 차이	점수
라이카	1	16
로키	−2	13
버디		
패치스		
브라우니		
케이크		
젤다		
멘디		
본조		
스파키		

3. 76쪽 문제 1번의 막대그래프를 보고 질문에 답해 보세요.

❶ 가장 높은 점수를 얻은 개의 이름은 무엇인가요? _____

❷ 가장 낮은 점수를 얻은 개의 이름은 무엇인가요? _____

❸ 젤다와 스파키 중 어느 개의 점수가 더 높을까요? _____

❹ 로키와 패치스 중 어느 개의 점수가 더 높을까요? _____

❺ 라이카는 로키에 비해 몇 점 더 높을까요? _____

❻ 브라우니는 본조에 비해 몇 점 더 낮을까요? _____

더 생각해 보아요!

알렉은 올리보다 6번 더 공을 튕겼어요. 대회에 나가려면 공을 최소 35번 튕겨야 하는데 알렉은 35번보다 4번 더 튕겼어요. 알렉과 올리는 공을 모두 몇 번 튕겼을까요?

_____

4. 막대그래프를 보고 코드를 읽어 보세요.

❶   4 -2 4 7
     -2 -1 -3 -6 1 5 3
      4 7 -7 5 5

_____

_____

_____

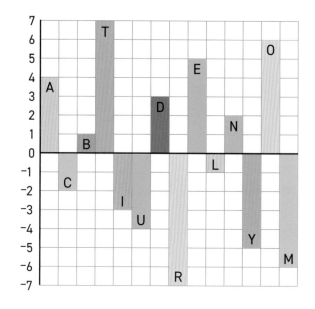

❷ -5 6 -4 -2 4 2 1 5 -2 6 -6 5
     4 2 4 -2 7 6 -7

_____

_____

❸ -2 4 2 -5 6 -4 -7 5 -6 5 -6 1 5 -7
     -5 6 -4 -7 3 -7 5 4 -6

_____

_____

❹ 친구에게 보내는 메시지를 암호로 작성해 보세요.

_____

_____

5. 아래 막대그래프를 보고 표를 완성해 보세요. 각 골프 코스의 기준 타수는 5점이에요.

코스	기준 타수와의 차이	결과
1		
2		
3		
4		
5		
6		

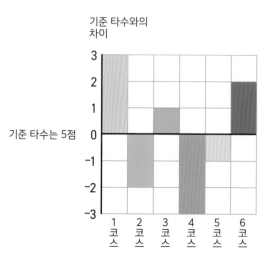

기준 타수와의 차이

기준 타수는 5점

6. 계산한 값을 빈칸에 써넣어 보세요.

$$\boxed{2} \xrightarrow{-3} \boxed{} \xrightarrow{+1} \boxed{} \xrightarrow{-4} \boxed{} \xrightarrow{+5} \boxed{} \xrightarrow{-6} \boxed{} \xrightarrow{-3} \boxed{} \xrightarrow{+4} \boxed{} \xrightarrow{+6} \boxed{2}$$

$$\boxed{-5} \xrightarrow{-5} \boxed{} \xrightarrow{+7} \boxed{} \xrightarrow{-3} \boxed{} \xrightarrow{+5} \boxed{} \xrightarrow{-2} \boxed{} \xrightarrow{+4} \boxed{} \xrightarrow{-6} \boxed{} \xrightarrow{+5} \boxed{0}$$

$$\boxed{0} \xrightarrow{-10} \boxed{} \xrightarrow{-20} \boxed{} \xrightarrow{+5} \boxed{} \xrightarrow{-10} \boxed{} \xrightarrow{-30} \boxed{} \xrightarrow{+20} \boxed{} \xrightarrow{+40} \boxed{} \xrightarrow{-5} \boxed{-10}$$

7. 막대그래프를 살펴보고 질문에 답해 보세요.

① 알렉의 아빠가 기준 타수보다 좋은 기록이 나온 코스는
   몇 번 코스부터인가요? _____

② 알렉의 아빠는 몇 개의 코스에서
   골프를 쳤나요? _____

③ 알렉의 아빠가 가장 좋은 기록을 낸 코스는
   몇 번 코스인가요? _____

④ 알렉의 아빠는 23번 쳐서 공을 홀컵에 넣었어요. 기준 타수는
   얼마인가요? 단, 각 코스의 기준 타수는 같아요. _____

알렉 아빠의 골프 기록

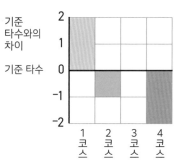

한 번 더 연습해요!

1. 76쪽 위쪽의 막대그래프를 살펴보고 질문에 답해 보세요.

① 가장 높은 점수를 받은 개의 이름은
   무엇인가요?

   _____

② 피파보다 2점 더 높은 개의 이름은
   무엇인가요?

   _____

③ 사울은 테이트보다 점수가 몇 점 더 높은가요?

   _____

④ 가장 낮은 점수를 받은 개의 이름은
   무엇인가요?

   _____

13 꺾은선그래프

• 1주일 동안 정오의 기온을 표로 정리했어요.

요일	기온 (°C)
월요일	- 8
화요일	- 5
수요일	- 1
목요일	- 3
금요일	0
토요일	2
일요일	- 1

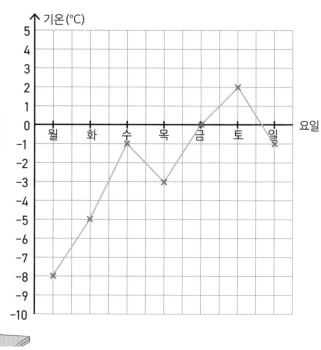

• 기온을 꺾은선그래프로 나타냈어요.

1. 표에 있는 기온을 꺾은선그래프로 나타내어 보세요.

요일	기온 (°C)
월요일	- 3
화요일	- 9
수요일	- 4
목요일	- 2
금요일	- 1
토요일	2
일요일	1

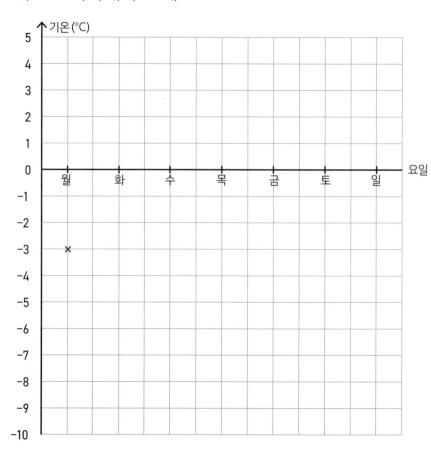

2. 아래 꺾은선그래프를 살펴보고 질문에 답해 보세요.

오전 6:00~오후 8:00의 기온

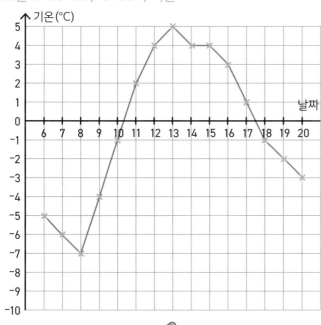

① 가장 추웠던 때는 몇 시였나요?

_____

② 가장 따뜻했던 때는 몇 시였나요?

_____

③ 오전 9시에 기온은 몇 도였나요?

_____

④ 오후 6시에 기온은 몇 도였나요?

_____

⑤ 영하 1도였던 시각이 2번 있었는데 몇 시와 몇 시였나요?

_____

3. 계산해 보세요. 아래 수직선을 참고해도 좋아요.

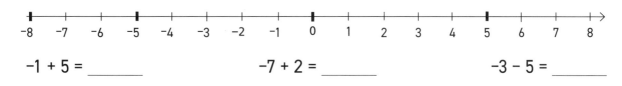

-1 + 5 = _____   -7 + 2 = _____   -3 - 5 = _____

-4 + 9 = _____   3 - 6 = _____   0 - 7 = _____

4. ☐ 안에 >, =, <를 알맞게 써넣어 보세요.

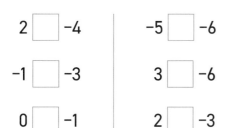

2 ☐ -4   -5 ☐ -6

-1 ☐ -3   3 ☐ -6

0 ☐ -1   2 ☐ -3

-4 ☐ -5   -8 ☐ -7

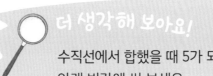

더 생각해 보아요!

수직선에서 합했을 때 5가 되는 연속적인 수 5개를 아래 빈칸에 써 보세요.

_____ _____ _____ _____ _____

5. 사덱의 이야기를 읽고 봄날 기온을 꺾은선그래프로 나타내어 보세요.

- 오전 7시에 사덱이 일어났어요.
  실외 기온은 영하 10도예요.
- 오전 10시에 사덱은 스키를 타러 갔어요.
  일어났을 때보다 기온이 3도 올랐어요.
- 2시간 후 해가 쨍쨍 내리쬐었어요.
  기온은 영하 2도였어요.
- 오후 3시에 처마 밑으로 물이 떨어졌어요.
  기온은 3도예요.
- 오후 5시가 되자 기온이 영하 1도로
  떨어졌어요.
- 오후 7시에 사덱은 스키를 창고로
  가져갔어요. 기온이 영하 9도였고 무척
  추웠어요.

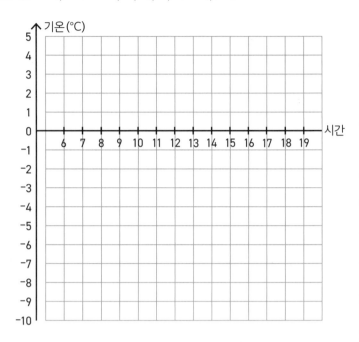

6. 아래의 꺾은선그래프로 나타낼 수 있는 이야기를 만들어 보세요.

_____

_____

_____

_____

_____

_____

_____

_____

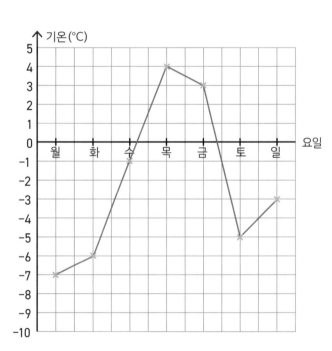

어떤 이야기를
만들었을지 궁금해~.

7. 아래 글을 읽고 질문에 답해 보세요.

4팀이 서로 대결하는 토너먼트 경기예요.
골 득실 차는 팀의 득점에서 상대 팀들의
득점을 빼서 계산해요.

경기 결과	
거위 vs 알바트로스	5-2
까마귀 vs 비둘기	4-1
알바트로스 vs 까마귀	2-3
비둘기 vs 거위	1-3
거위 vs 까마귀	4-5
비둘기 vs 알바트로스	3-5

❶ 각 팀의 골 득실 차를 계산해 보세요.

거위 팀

$$(5 + 3 + 4) - (2 + 1 + 5)$$
_____

알바트로스 팀
_____
_____

까마귀 팀
_____
_____

비둘기 팀
_____
_____

❷ 골 득실 차가 가장 큰 팀은 어느 팀일까요? _____

❸ 골 득실 차가 가장 작은 팀은 어느 팀일까요? _____

❹ 토너먼트에서 가장 잘한 팀은 어느 팀일까요? _____

한 번 더 연습해요!

1. 아래 표에 있는 기온을 꺾은선그래프로 나타내어 보세요.

시간	기온(℃)
8 : 00	-6
10 : 00	-5
12 : 00	1
14 : 00	3
16 : 00	0
18 : 00	-2

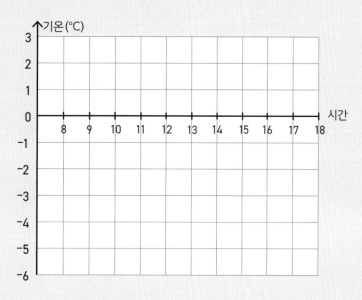

8. 가장 높은 온도부터 점점
더 낮은 온도의 순서로 점을
이어 보세요.

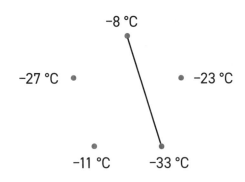

9. 아래 설명을 읽고 여행 가방의 목적지가 어디인지 알아맞혀 보세요.

25 ℃   −15 ℃   15 ℃   −5 ℃

_____ _____ _____ _____

- 토론토보다 오슬로가 10도 더 따뜻해요.
- 발리가 오슬로보다 30도 더 높아요.
- 함부르크는 발리보다 추워요.

10. −20에서 출발해서 도착점에 도착했을 때 0이 되는 길을 찾아보세요. 아래
방향으로만 움직여야 해요.

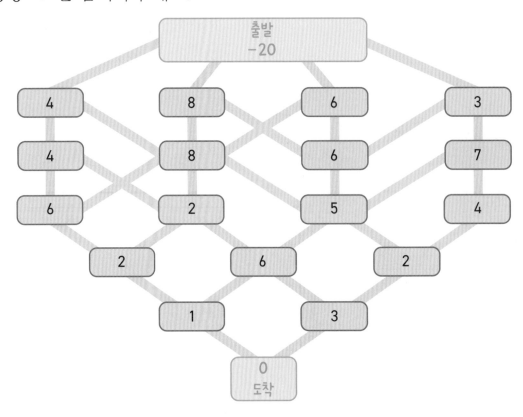

11. 곰이 있는 동굴을 찾아 ◯표 해 보세요.

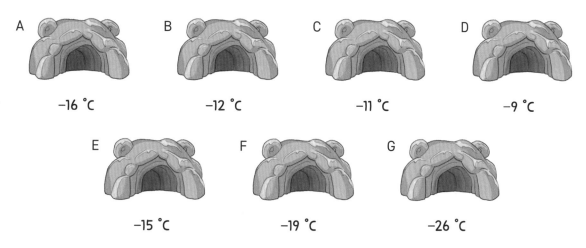

A −16 ℃ B −12 ℃ C −11 ℃ D −9 ℃

E −15 ℃ F −19 ℃ G −26 ℃

- 곰이 있는 동굴은 가장 추운 동굴은 아니에요.
- 곰이 있는 동굴은 다른 동굴보다 3도 더 높아요.
- 곰이 있는 동굴은 다른 동굴보다 7도 더 낮아요.

12. 크기가 같은 그릇에 소금물이 가득 담겨 있어요. 소금물의 온도는 모두 영하예요.
대접에 소금물을 옮겨 담았을 때 소금물의 온도를 알아맞혀 보세요.

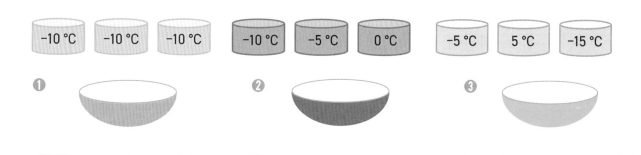

−10 ℃ −10 ℃ −10 ℃   −10 ℃ −5 ℃ 0 ℃   −5 ℃ 5 ℃ −15 ℃

❶ _____

❷ _____

❸ _____

한 번 더 연습해요!

1. 계산해 보세요. 아래 수직선을 참고해도 좋아요.

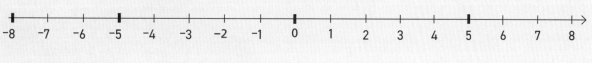

-8 -7 -6 -5 -4 -3 -2 -1 0 1 2 3 4 5 6 7 8

$-1 + 3 =$ _____ $-4 + 6 =$ _____ $-5 + 3 =$ _____

$3 - 8 =$ _____ $-3 - 4 =$ _____ $0 - 5 =$ _____

1. 수직선의 빈칸에 알맞은 수를 써넣어 보세요.

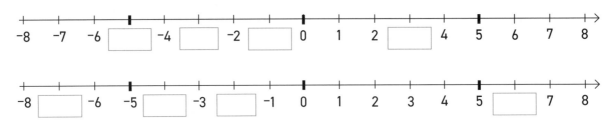

2. 아래 식을 수직선에 나타내고 답을 구해 보세요.

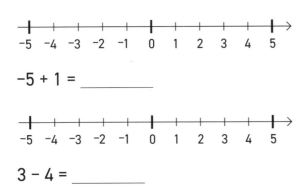

-5 + 1 = _____

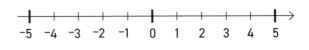

-3 + 5 = _____

3 - 4 = _____

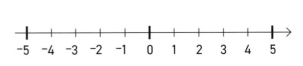

-3 - 2 = _____

3. 주어진 수를 수직선에 나타내고, ☐ 안에 >, =, <를 알맞게 써넣어 보세요.

-9 ☐ -4

-3 ☐ -6

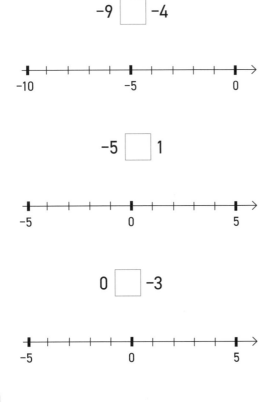

-5 ☐ 1

0 ☐ -3

4. 막대그래프를 보고 아래 표를 완성해 보세요. 최소 기준 점수는 12점이에요.

이름	최소 기준 점수와의 차이	점수
릴리		
비비		
아다		
벨라		
토비		
베시		

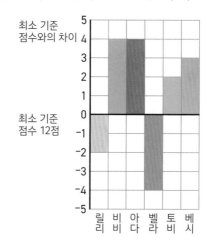

5. 아래 표의 기온을 꺾은선그래프로 나타내어 보세요.

요일	기온(℃)
월요일	-3
화요일	-2
수요일	-4
목요일	-2
금요일	-1
토요일	0
일요일	1

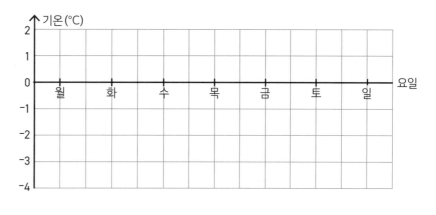

6. 아래 글을 읽고 알맞은 식을 세워 답을 구해 보세요.

❶ 타바스조키의 기온은 영하 10도예요. 휘빈케는 타바스조키보다 3도 더 높아요. 휘빈케의 기온은 몇 도일까요?

_____

❷ 라누아의 기온은 영하 3도예요. 무오니오는 라누아보다 6도 더 낮아요. 무오니오의 기온은 몇 도일까요?

_____

얼마나 잘했나요?

실력이 자란 만큼 별을 색칠하세요.

★★★ 정말 잘했어요.
★★☆ 꽤 잘했어요.
★☆☆ 앞으로 더 노력할게요.

1. 수직선의 빈칸에 알맞은 수를 써넣어 보세요.

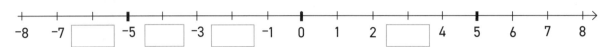

2. 계산해 보세요. 아래 수직선을 참고해도 좋아요.

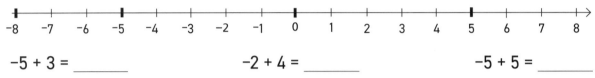

−5 + 3 = _____   −2 + 4 = _____   −5 + 5 = _____

3 − 4 = _____   −3 − 1 = _____   0 − 7 = _____

3. 주어진 수를 수직선에 나타내고, ☐ 안에 >, =, <를 알맞게 써넣어 보세요.

−6 ☐ −3   −10 ☐ −1

4. 아래 글을 읽고 알맞은 식을 세워 답을 구해 보세요. 온도계를 참고해도 좋아요.

❶ 아침 기온이 영하 4도였는데 오후에 2도 올랐어요. 오후 기온은 몇 도일까요?

식 : _____   정답 : _____

❷ 토요일 기온이 영하 2도였는데 일요일에 3도 올랐어요. 일요일 기온은 몇 도일까요?

식 : _____   정답 : _____

5. 아래 글을 읽고 질문에 답해 보세요.

개 훈련 학교 대회가 열렸어요. 결승전에 올라갈 수 있는 최소 기준 점수는 10점이에요. 오른쪽 표의 점수를 막대그래프로 나타내어 보세요.

이름	점수
리지	12
스눕	9
알렌	11
티코	8

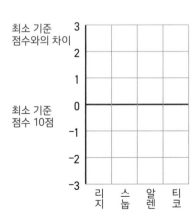

6. 계산해 보세요. 아래 수직선을 참고해도 좋아요.

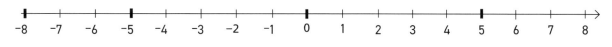

-8 -7 -6 -5 -4 -3 -2 -1 0 1 2 3 4 5 6 7 8

-5 + 8 = _____   -8 + 3 = _____   -7 + 7 = _____

3 - 9 = _____   -3 - 5 = _____   0 - 8 = _____

7. 아래 글을 읽고 알맞은 식을 세워 답을 구해 보세요. 온도계를 참고해도 좋아요.

❶ 아침에 기온이 영하 2도였고 오후에 아침보다 6도 더 떨어졌어요.
오후 기온은 몇 도일까요?

식 : _____   정답 : _____

❷ 수요일에 기온이 영하 11도였고 목요일에 수요일보다 3도 더 떨어졌어요.
목요일 기온은 몇 도일까요?

식 : _____   정답 : _____

❸ 케미의 기온은 영하 16도이고, 오리베시의 기온은 케미보다 9도 더 높았어요.
오리베시의 기온은 몇 도일까요?

식 : _____   정답 : _____

8. 아래 꺾은선그래프를 보고 질문에 답해 보세요.

❶ 아침 6시의 기온은 몇 도일까요?

_____

❷ 6시와 7시 사이에 기온이 몇 도 올랐을까요?

_____

❸ 가장 따뜻한 시각은 몇 시일까요?

_____

❹ 정오는 오전 5시보다 기온이 몇 도 더 따뜻했나요?

_____

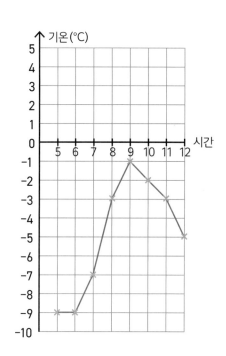

9. 계산해 보세요.

-15 + 11 = _____   -18 + 3 = _____   -7 + 17 = _____

3 - 19 = _____   -3 - 50 = _____   0 - 28 = _____

-5 + 28 = _____   -80 + 35 = _____   -72 + 73 = _____

10. 아래 글을 읽고 알맞은 식을 세워 답을 구해 보세요.

❶ 냉동고의 온도가 영하 18도예요. 냉장고는 냉동고보다 25도 더 높아요. 냉장고의 온도는 몇 도일까요?

식 : _____   정답 : _____

❷ 마드리드의 기온은 23도이고, 로바니에미는 마드리드보다 50도 더 낮아요. 로바니에미의 기온은 몇 도일까요?

식 : _____   정답 : _____

❸ 실외 온도는 영하 15도이고, 사우나실은 실외보다 100도 더 높아요. 사우나실의 온도는 몇 도일까요?

식 : _____   정답 : _____

❹ 액화 가스의 온도는 영하 210도이고, 주철은 액화 가스보다 2210도 더 뜨거워요. 주철의 온도는 몇 도일까요?

식 : _____   정답 : _____

11. 주어진 수를 수직선에 나타내고, □ 안에 >, =, <를 알맞게 써넣어 보세요.

❶ 가장 추운 날은 어떤 요일인가요?

_____

❷ 전날과 비교해서 기온이 가장 많이 올라간 날은 어떤 요일인가요?

_____

❸ 전날과 비교해서 기온이 가장 많이 떨어진 날은 어떤 요일인가요?

_____

❹ 월요일은 목요일보다 기온이 몇 도 더 낮은가요?

_____

★ 양수와 음수

- 0보다 큰 수는 양수이고,
  0보다 작은 수는 음수예요.
- 두 수의 크기를 비교할 때 큰 수는
  작은 수보다 수직선에서 오른쪽에 위치해요.

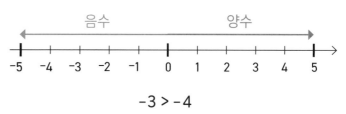

$-3 > -4$

★ 음수의 덧셈과 뺄셈

- 덧셈할 때에는 수직선에서 오른쪽으로 움직여요.

$-3 + 1$

$-3 + 1 = -2$

- 뺄셈할 때에는 수직선에서 왼쪽으로 움직여요.

$-1 - 3$

$-1 - 3 = -4$

★ 막대그래프

- 막대그래프는 최소
  기준 점수와의 차이를
  보여 줘요.

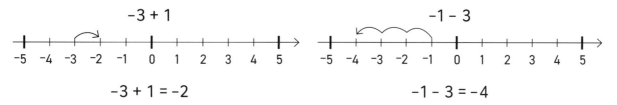

이름	최소 기준 점수와의 차이	점수
밴디트	-2	8
삭스	1	11
버블검	3	13
피파	-1	9
사울	4	14
테이트	-4	6

★ 꺾은선그래프

- 꺾은선그래프로
  1주일간의 온도 변화를
  나타내요.

1

빈칸에 알맞은 수를 써넣어 보세요.

3

−4

−2

−9

−7

1

−10

2

온도계에 나타난 온도를 빈칸에 써 보세요.

15 — 15	15 — 15	15 — 15	15 — 15
10 — 10	10 — 10	10 — 10	10 — 10
5 — 5	5 — 5	5 — 5	5 — 5
0 — 0	0 — 0	0 — 0	0 — 0
−5 — −5	−5 — −5	−5 — −5	−5 — −5
−10 — −10	−10 — −10	−10 — −10	−10 — −10

_____ _____ _____ _____

3

❶ 막대그래프를 살펴보고 개 훈련 학교 대회의 등수를 순서대로 써 보세요.

1. _____

2. _____

3. _____

4. _____

5. _____

최소 기준
점수와의 차이

3
2
1
0
−1
−2
−3

최소 기준
점수 10점

마리아 조이 리키 스니키 아델

❷ 막대그래프를 토대로 문제를 스스로 만들어 보세요.

_____

_____

4 다음 식을 순서대로 계산할 때 서로 다른 색깔의 공 4개를 얻기 위해 몇 번 계산해야 할까요? _____

3 - 9 = _____   -9 + 7 = _____

-3 + 5 = _____   6 - 6 = _____

-8 + 4 = _____   -8 + 7 = _____

6 - 13 = _____   -3 - 2 = _____

-6 + 7 = _____   -3 + 7 = _____

-7 - 2 = _____   9 - 12 = _____

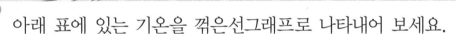

5 아래 표에 있는 기온을 꺾은선그래프로 나타내어 보세요.

요일	기온(℃)
월요일	-9
화요일	-4
수요일	-6
목요일	-5
금요일	-2
토요일	2
일요일	0

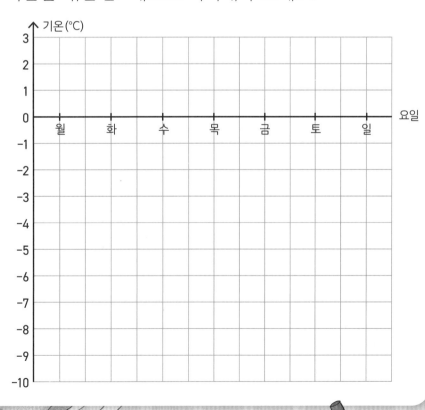

측정 단위 복습

1. 무게가 같은 것끼리 선으로 이어 보세요.

| 500 g | 5500 g | 5000 g | 1500 g | 5 kg 100 g |

| 5.5 kg | 5.1 kg | 0.5 kg | 5 kg | 1.5 kg |

2. 주어진 단위로 바꾸어 보세요.

30 mm = _____ cm

15 mm = _____ cm

350 cm = _____ m

600 cm = _____ m

2 cm = _____ mm

1.2 cm = _____ mm

9 m = _____ cm

4.5 m = _____ cm

3. 계산한 후, 정답을 애벌레에서 찾아 ◯표 해 보세요.

4.6 m + 1.3 m

= _____

2.2 m + 0.8 m

= _____

3.4 m + 1.7 m

= _____

3.8 m − 1.4 m

= _____

4.3 m − 0.3 m

= _____

3.5 m − 1.6 m

= _____

 1.9 m   2.4 m   2.9 m   3.0 m   4.0 m   5.1 m   5.5 m   5.9 m

4. 아래 글을 읽고 알맞은 식을 세워 답을 구한 후, 정답을 애벌레에서 찾아 ◯표 해 보세요. 답을 리터로 나타내어 보세요.

❶ 병에 1.2L의 주스가 들어 있었는데 엠마의 아빠가 0.6L를 더 담았어요. 병에 담긴 주스의 양은 몇 L일까요?

식 : _____

정답 : _____

❷ 병에 1.5L의 주스가 들어 있었는데 알렉이 3dL를 마셨어요. 남은 주스의 양은 몇 L일까요?

식 : _____

정답 : _____

 0.8 L   1.2 L   1.5 L   1.8 L

5. 소수 첫째 자리에서 반올림하여 보세요.

2.1 L _____ L   12.7 L _____ L   3.6 L _____ L

4.5 L _____ L   15.9 L _____ L   19.7 L _____ L

6. 아래 글을 읽고 세로셈으로 답을 구한 후, 정답을 애벌레에서 찾아 ○표 해 보세요.

❶ 로잔느의 기록은 48.25초이고, 케이틀린의 기록은 46.38초예요. 케이틀린은 로잔느에 비해 얼마나 빠를까요?

식 : _____

정답 : _____

❷ 카이의 기록은 46.15초이고, 티몬의 기록은 카이보다 2.46초 빨라요. 티몬의 기록은 얼마일까요?

식 : _____

정답 : _____

❸ 오로라의 첫 기록은 50.20초였는데 이후에 47.35초를 기록했어요. 오로라는 기록을 얼마나 단축했을까요?

식 : _____

정답 : _____

❹ 프레슬리의 목표는 50초인데 목표보다 4.38초 기록을 단축했어요. 프레슬리의 기록은 얼마일까요?

식 : _____

정답 : _____

더 생각해 보아요!

주스 팩 1개에 1L의 주스가 담겨 있어요.
주스가 모두 몇 L 있을까요?

_____

7. 캐시는 합해서 1m가 되는 곳으로만 이동해요.
캐시가 무엇을 찾았나요?

1 m = 100 cm
0.1 m = 10 cm

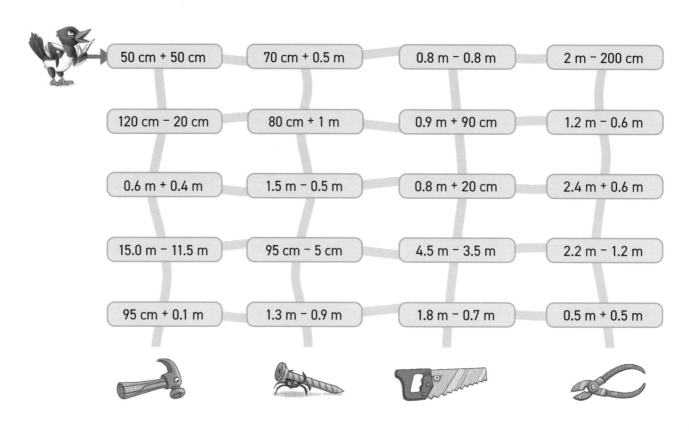

50 cm + 50 cm	70 cm + 0.5 m	0.8 m − 0.8 m	2 m − 200 cm
120 cm − 20 cm	80 cm + 1 m	0.9 m + 90 cm	1.2 m − 0.6 m
0.6 m + 0.4 m	1.5 m − 0.5 m	0.8 m + 20 cm	2.4 m + 0.6 m
15.0 m − 11.5 m	95 cm − 5 cm	4.5 m − 3.5 m	2.2 m − 1.2 m
95 cm + 0.1 m	1.3 m − 0.9 m	1.8 m − 0.7 m	0.5 m + 0.5 m

8. 아래 스도쿠 퍼즐을 완성해 보세요. 가로줄과 세로줄에 파랑, 빨강, 초록, 노랑, 갈색, 검정을 1번씩만 색칠할 수 있어요.

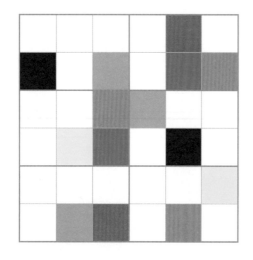

9. 식이 성립하도록 알맞은 수를 빈칸에 써넣어 보세요.

0.1 m + _____ m + 30 cm = 1 m   0.4 m + _____ m + 20 cm = 1 m

_____ m + 0.3 m + 0.9 m = 2 m   80 cm + _____ m + 0.8 m = 2 m

1.5 m + _____ m + 70 cm = 3 m   0.9 m + 1 m 40 cm + _____ m = 3 m

10. 아래 글을 읽고 가장 빠른 선수부터 느린 선수의 순서로 이름을 써 보세요.

1. _____ 2. _____ 3. _____ 4. _____ 5. _____

- 릴리는 타라와 리타보다 빨라요.
- 아이노는 타라보다 느려요.

- 쉬나는 아이노보다 느려요.
- 리타는 타라보다 빨라요.

한 번 더 연습해요!

1. 계산해 보세요.

2.5 km + 1.2 km   5 km + 2.4 km   3.6 km + 0.5 km

= _____   = _____   = _____

2. 아래 글을 읽고 알맞은 식을 세워 답을 구해 보세요.

❶ 아빠는 4.7km를 달렸고 이후 2.3km를 더 달렸어요. 아빠가 달린 거리는 모두 몇 km일까요?

식 : _____

정답 : _____

❷ 엄마의 달리기 목표는 9km예요. 이제 2.6km가 남았다면 엄마가 지금까지 달린 거리는 몇 km일까요?

식 : _____

정답 : _____

1. 아래 수직선을 완성해 보세요.

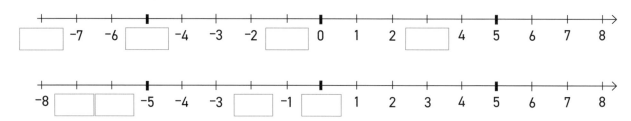

2. □ 안에 >, =, <를 알맞게 써넣어 보세요.

3 □ -4   0 □ -1   -2 □ -6   -7 □ -6

2 □ -2   0 □ 3   -5 □ -4   -6 □ 0

3. 아래 식을 수직선에 나타내고 답을 구해 보세요.

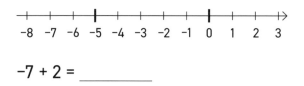

-7 + 2 = _____

-4 + 5 = _____

-5 + 5 = _____

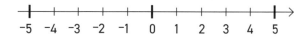

-1 + 5 = _____

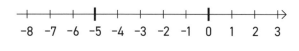

2 - 4 = _____

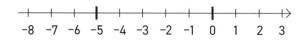

-1 - 3 = _____

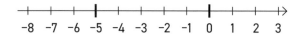

1 - 6 = _____

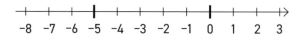

-5 - 1 = _____

4. 아래 글을 읽고 알맞은 식을 세워 답을 구해 보세요.

❶ 라이히아의 기온은 영하 1도이고 포리보다 6도 높아요. 포리의 기온은 몇 도일까요?

식 : _____

정답 : _____

❷ 이칼리넨의 기온은 5도예요. 라헤는 이칼리넨보다 8도 낮아요. 라헤의 기온은 몇 도일까요?

식 : _____

정답 : _____

5. 막대그래프를 살펴보고 아래 표를 완성해 보세요. 결승전에 올라갈 수 있는 최소 기준 점수는 12점이에요.

이름	최소 기준 점수와의 차이	점수
워너		
미디		
스너플스		
날라		
스누피		
네시		

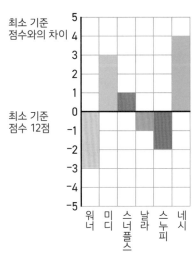

6. 아래 표에 있는 기온을 꺾은선그래프로 나타내어 보세요.

요일	기온(℃)
월요일	-4
화요일	-2
수요일	-3
목요일	-1
금요일	0
토요일	2
일요일	1

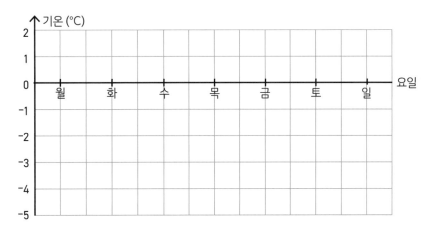

더 생각해 보아요!

수직선에서 30과 -40으로부터 같은 거리에 있는 수는 어떤 수일까요?

_____

7. 합이 가장 큰 수가 되도록 길을 찾아보세요.

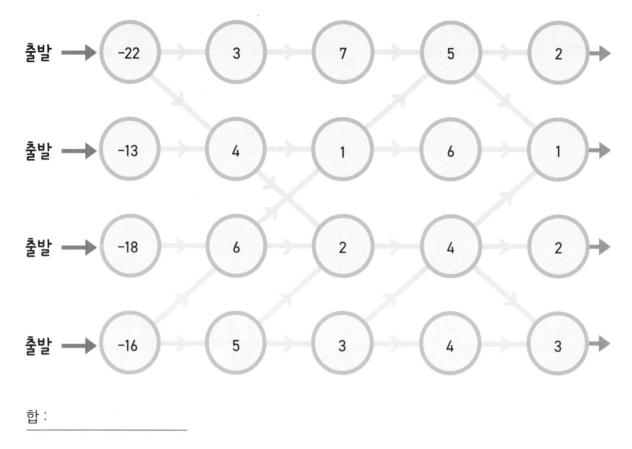

합 : _____

8. 사자의 목적지를 알아맞혀 보세요.

_____ _____ _____ _____

- 레이캬비크의 기온은 밴쿠버보다 10도 낮아요.
- 방콕의 기온은 레이캬비크보다 35도 높아요.
- 민스크는 밴쿠버보다 더 추워요.

9. 규칙에 따라 빈칸에 알맞은 수를 써넣어 보세요.

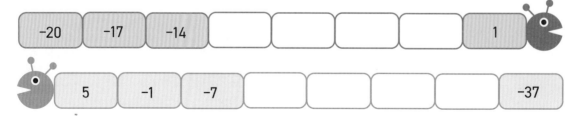

10. 막대그래프를 살펴보고 코드를 읽어 보세요.

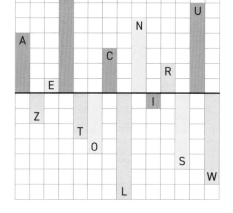

❶　3, 4, 2, 2, –4, –3, –5, 4, 2, 1
　　7, 1, –7, –1, 3, –1, –4, 6, –5

_____

_____

❷　–6, 4, –3, 1, 2, –3, 6, 2, 5, –5
　　–3, –4, –1, 3, 1, 4, –3, –2, 1, 2, –4

_____

_____

❸　–1, 7, –4, 5, –4, –3, –6, 4, 5, –3
　　–1, 3, 1, 3, –4, –7, 7, –3, –4, 1, –5

_____

_____

❹　친구에게 보내는 메시지를 코드를 이용해 작성해 보세요.

_____

_____

11. 식이 성립하도록 잘못된 연산 부호 1개를 찾아 바르게 고쳐 보세요.

2 – 9 + 3 + 10 = 0　　　　　　　　–5 + 2 – 3 + 2 – 1 = –9

_____　　　　　_____

한 번 더 연습해요!

1. 계산해 보세요.

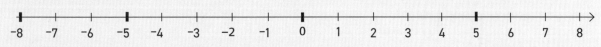

-8 -7 -6 -5 -4 -3 -2 -1 0 1 2 3 4 5 6 7 8

–5 + 1 = _____　　　　　–4 + 9 = _____　　　　　0 – 3 = _____

–2 – 4 = _____　　　　　–1 + 5 = _____　　　　　–7 + 7 = _____

–3 – 3 = _____　　　　　3 – 10 = _____　　　　　–8 + 7 = _____

길이 재기 　준비물 : 줄자

1. 줄자로 재어 보세요. 길이를 잴 물건을 3가지 더 생각해 보세요.

대상 물건	측정 길이
식탁의 너비	cm
의자의 높이	cm
탁자 상판의 두께	mm
본 교재 표지의 너비	cm
본 교재의 두께	mm
책상의 높이	cm
지우개의 길이	mm

2. 먼저 길이를 어림해 본 후, 줄자로 정확한 길이를 재어 보세요. 길이를 잴 물건을 3가지 더 생각해 보세요.

대상 물건	어림 길이	측정 길이
책상의 둘레	cm	cm
방문의 너비	cm	cm
쓰레기통 입구의 둘레	cm	cm
엄마의 키	cm	cm
본 교재 표지의 둘레	cm	cm
내 방의 길이	m	m
현관문의 너비	cm	cm

무게 재기

준비물 : 저울

1. 물건의 무게를 재어 보세요. 무게를 잴 물건 3가지를
   더 생각해 보세요.

대상 물건	측정 무게
핀란드 4학년 수학 교과서	g
동화책	g
공책	g
신발 1짝	g
필통	g
휴대 전화	g

2. 먼저 무게를 어림해 본 후, 저울로 정확한 무게를 재어 보세요.
   무게를 잴 물건 3가지를 더 생각해 보세요.

대상 물건	어림 무게	측정 무게
연필	g	g
탁상 달력	g	g
모자	g	g
지우개	g	g
리모컨	g	g

놀이 수학

누구 금괴가 더 무거울까?

인원 : 2명   준비물 : 주사위 1개

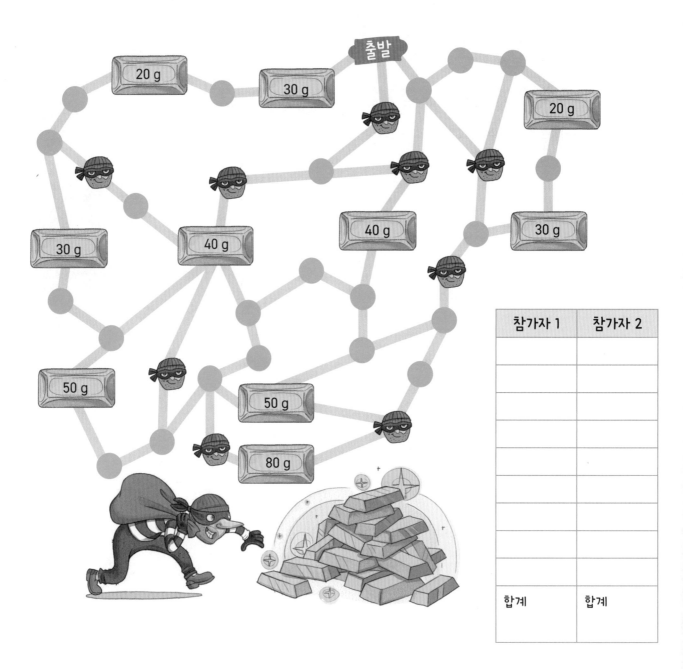

출발

20 g
30 g
20 g
30 g
40 g
40 g
30 g
50 g
50 g
80 g

참가자 1	참가자 2
합계	합계

놀이 방법

1. 순서를 정해 주사위를 굴려요. 주사위 눈만큼 어느 방향으로든 말을 움직여요.

2. 금괴가 있는 곳에 도착하면 금괴를 얻어요. 표에 금괴의 무게를 쓰고, 얻은 금괴에 X표 하세요.

3. 다른 사람이 먼저 얻은 금괴는 가질 수 없으며, 도둑이 있는 곳에 도착하면 가진 금괴를 모두 잃어요.

4. 마지막 금괴까지 얻으면 다시 출발점으로 돌아가요. 출발점에 먼저 도착하는 사람은 추가로 금괴 50g을 얻어요.

5. 금괴를 합한 무게가 더 무거운 사람이 놀이에서 이겨요.

어림과 측정

인원 : 2~3명

놀이1 : 거리

내 방에서 안방까지의 거리를 어림한 후, 줄자로 측정해 보세요.

어림치 : _____

측정치 : _____

놀이2 : 허리띠의 길이

허리띠의 길이를 어림한 후, 줄자로 측정해 보세요.

어림치 : _____

측정치 : _____

준비물

• 놀이1 - 줄자

• 놀이2 - 허리띠, 줄자

• 놀이3 - 용기, 100mL 계량컵

• 놀이4 - 공, 시계

• 놀이5 - 무게가 다른 물건 3가지(A, B, C), 저울

• 놀이6 - 들이가 다른 용기 (A, B, C), 100mL 계량컵, 물

놀이3 : 용기의 들이

용기의 들이가 몇 리터(L)일지 어림한 후, 100밀리리터(mL)씩 물을 부어 실제 들이를 측정해 보세요.

어림치 : _____

측정치 : _____

놀이4 : 시간

공을 10번 튕길 때 시간이 얼마나 걸릴지 먼저 어림해 보세요. 공을 10번 튕길 때 실제로 몇 초가 걸리는지 친구나 부모님에게 시간을 측정해 달라고 부탁해 보세요.

어림치 : _____

측정치 : _____

놀이5 : 무게의 비교

먼저 A, B, C 중 어떤 물건이 가장 무겁고 가장 가벼울지 어림하여 빈칸에 써넣어 보세요.

_____ < _____ < _____

물건의 무게를 실제로 재어 빈칸에 써넣어 보세요.

A _____ B _____ C _____

무게가 가장 가벼운 것부터 가장 무거운 것의 순서로 알맞게 배열해 보세요.

_____ < _____ < _____

놀이6 : 들이의 비교

먼저 A, B, C 중 어떤 용기의 들이가 가장 작고 가장 클지 어림하여 빈칸에 써넣어 보세요.

_____ < _____ < _____

한 번에 100mL씩 물을 부어서 용기의 들이를 실제로 재어 보고 빈칸에 써넣어 보세요.

A _____ B _____ C _____

들이가 가장 작은 것부터 가장 큰 것의 순서로 알맞게 배열해 보세요.

_____ < _____ < _____

온도계 놀이

인원 : 2명   준비물 : 주사위 2개, 놀이 말

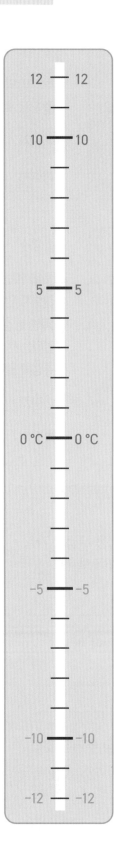

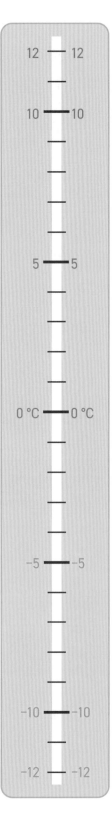

 놀이 방법

1. 각자 1개씩 책에 있는 온도계를 이용해요.

2. 말을 0도에 놓고 주사위 1개를 굴려서 더 큰 눈이 나온 사람이 먼저 시작해요.

3. 주사위 2개를 굴려요. 2개의 주사위에서 나온 눈만큼 자신의 말과 상대의 말을 움직여서 온도계 온도를 더 높이거나 더 낮추어요.

4. 2개의 주사위 눈 중 어느 쪽 눈을 자신의 말을 움직일 숫자로 정할지 선택할 수 있어요.

5. 말이 온도계의 맨 위나 맨 밑에 가장 먼저 도착하는 사람이 놀이에서 이겨요.

빛 갚기 놀이

인원 : 2명　준비물 : 주사위 1개

참가자 1	참가자 2
-50 €	-50 €

 놀이 방법

★111쪽 활동지로 한 번 더 놀이해요.

1. 놀이 참가자 모두 50유로의 빛이 있어요.

2. 순서를 정해 주사위를 굴려요. 나온 주사위 눈만큼 빛을 갚거나 다시 주사위를 굴리는 것 중 1가지를 선택할 수 있어요.

3. 다시 주사위를 굴리기로 했다면 다시 굴려 나온 주사위 눈만큼 빛을 갚아요.

4. 빛을 갚고 남은 금액을 표에 기록하면 다른 사람에게 순서가 넘어가요.

5. 빛을 먼저 갚는 사람이 놀이에서 이겨요.

기온 측정

1주일 동안 매일 아침 7시에서 9시 사이에 실외 기온을 측정해 보세요. 측정한 기온을 표로 작성하고 꺾은선그래프로 나타내어 보세요.

_____월 _____일 _____요일

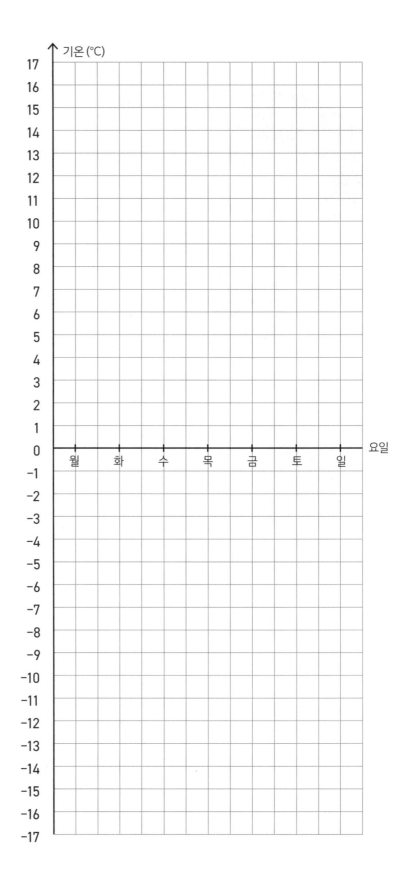

코딩 댄스

자유롭게 댄스를 창작해 보세요.
댄스에 맞는 음악을 고르고 댄스
동작을 기록해 보세요. 창작한
댄스를 부모님 또는 친구들
앞에서 보여 주세요.

녹색 칸에 있는 반복 명령은
지정된 횟수만큼 반복해야 해요.

<보기>

_____3번 반복

    _____5_____걸음 오른쪽으로 움직여요.

    _____5_____걸음 왼쪽으로 움직여요.

춤을 춰요!

음악 시작

_____번 반복

    _____걸음 _____으로 움직여요.

    _____걸음 _____으로 움직여요.

_____번 손을 들어요.

_____번 돌아요.

_____번 반복

_____번 반복

참가자 1	참가자 2
-50 €	-50 €

놀이 카드는 반복해서
사용할 준비물이니 잃어버리지
않도록 잘 보관해 주세요.

1	2	3	4	5
6	7	8	9	10
1	2	3	4	5
6	7	8	9	10

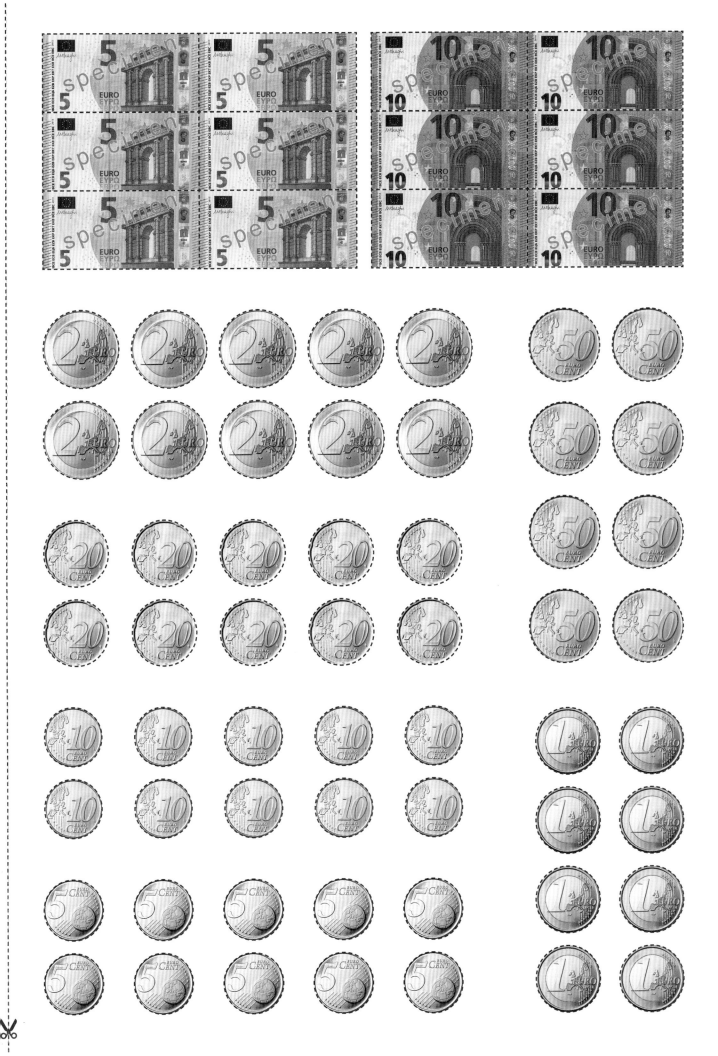

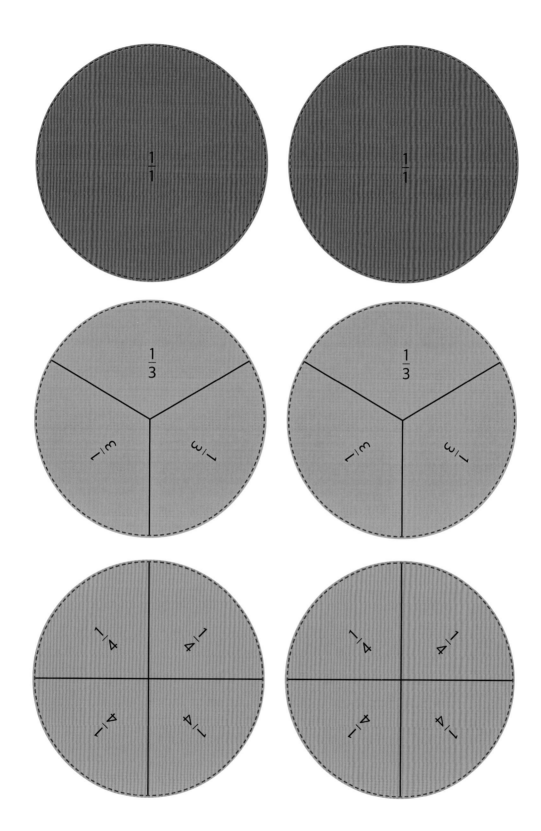

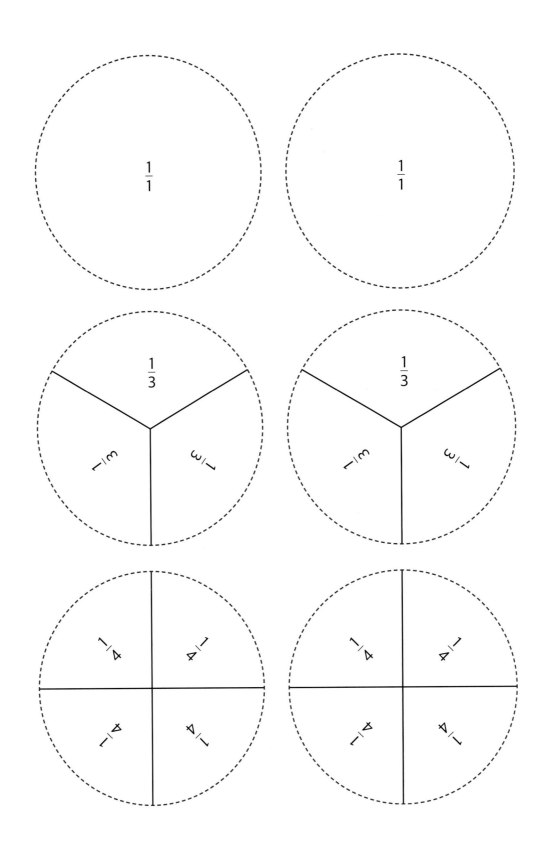

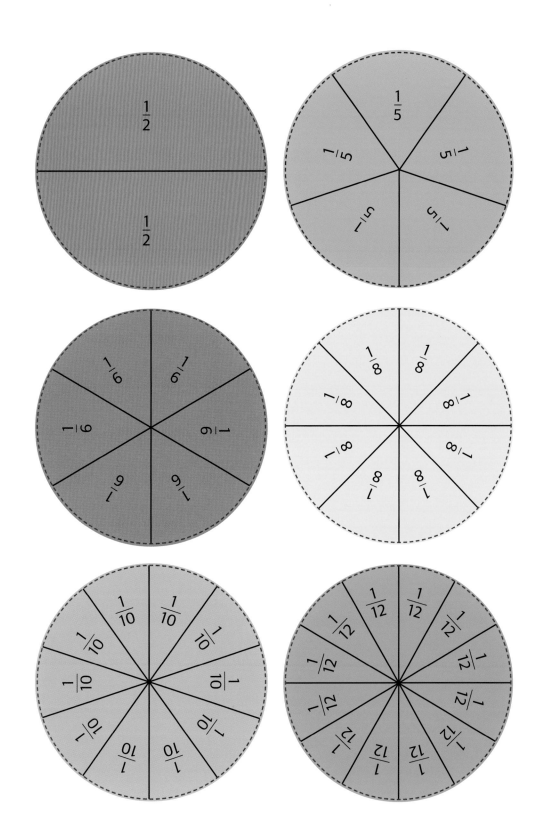

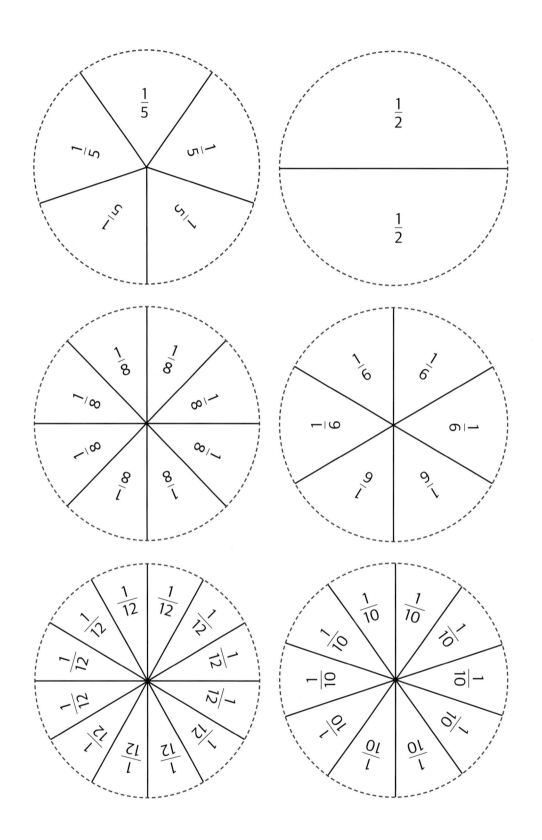

정보화 시대,
IT 교육은 선택이 아닌 필수!

인터넷, 개인정보 보호, 사이버 폭력 예방, 코딩까지
아이들에게 꼭 필요한 정보화 시대 필수 도서 3종 세트!

카린 뉘고츠

개인 정보 보호와
사이버 폭력 예방은
필수!

코딩에 앞서
디지털 세상에 대한
이해가 우선!

놀이를 통해
자연스럽게 익히는
코딩!

카린 뉘고츠 코딩을 스웨덴 의무교육에 포함시킨 장본인이자, 스웨덴 최초 어린이 코딩 교육 TV프로그램
「Programmera mera」기획 및 진행. 현재 스웨덴 교육부를 도와 어린이 IT 교육을 위해 다방면에서 활약하고 있다.

스웨덴 아이들이 매일 아침 하는 놀이 코딩
초등 놀이 코딩

카린 뉘고츠 글 | 노준구 그림 | 배장열 옮김 | 116쪽

스웨덴 어린이 코딩 교육의 선구자 카린 뉘고츠가 제안하는
언플러그드 놀이 코딩

★ 책과노는아이들 추천도서

꼼짝 마! 사이버 폭력

떼오 베네데띠, 다비데 모로지노또 지음 | 장 끌라우디오 빈치 그림 | 정재성 옮김 | 96쪽

사이버 폭력의 유형별 방어법이 총망라된
사이버 폭력 예방서

★ (재)푸른나무 청예단 추천도서
★ 한국학교도서관 이달에 꼭 만나볼 책
★ 아침독서추천도서
★ 꿈꾸는도서관 추천도서

코딩에서 4차산업혁명까지 세상을 움직이는 인터넷의 모든 것!
인터넷, 알고는 사용하니?

카린 뉘고츠 글 | 유한나 크리스티안손 그림 | 이유진 옮김 | 64쪽

뭐든 물어 봐, 인터넷에 대한 모든 것!
디지털 세상에 대한 이해를 돕는 필수 입문서!

★ 고래가숨쉬는도서관 겨울방학 추천도서
★ 꿈꾸는도서관 추천도서
★ 책과노는아이들 추천도서

★ ★ ★

핀란드에서 가장 많이 보는 1등 수학 교과서!
핀란드 초등학교 수학 교육 최고 전문가들이 만든
혼공 시대에 꼭 필요한 자기주도 수학 교과서를 만나요!

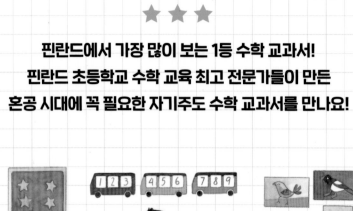

핀란드 수학 교과서, 왜 특별할까?

 수학적 구조를 발견하고 이해하게 하여 수학 공식을 암기할 필요가 없어요.

 수학적 이야기가 풍부한 그림으로 수학 학습에 영감을 불어넣어요.

 교구를 활용한 놀이를 통해 수학 개념을 이해시켜요.

 수학과 연계하여 컴퓨팅 사고와 문제 해결력을 키워 줘요.

 연산, 서술형, 응용과 심화, 사고력 문제가 한 권에 모두 들어 있어요.

어떤 문제를 푸느냐에
따라 수학 사고력은
달라집니다!

개별가 없음(세트로만 판매)

64410

ISBN 979-11-92183-08-4
979-11-92183-06-0 (세트)

👁️ 무형광 종이 인쇄로 아이들 눈을 지켜 줘요.

핀란드 4학년
수학 교과서
정답과 해설

부모님 가이드가
실려 있어요!

4-2

마음이음

핀란드 4학년 수학 교과서 4-2

정답과 해설

1권

핀란드 수학 세계로
여행을 떠나 볼까요?

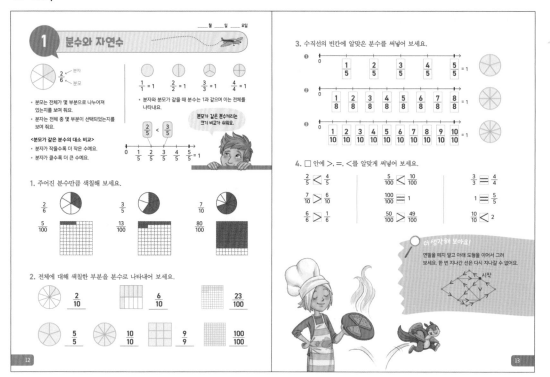

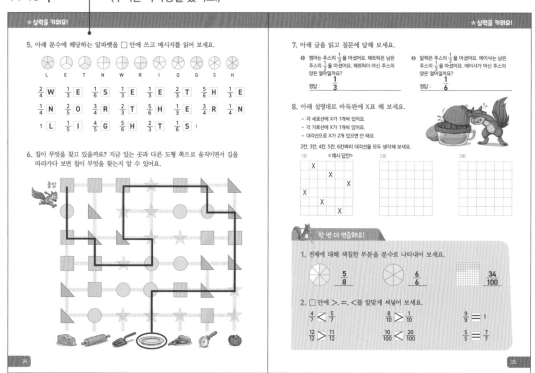

12-13쪽

14-15쪽

WE SEE THE NORTHERN LIGHTS!
(우리는 북극광을 봤어요!)

부모님 가이드 | 12쪽

분수의 분모와 분자가 같을 때 분수는 전체를 나타내요. 여기서 말하는 전체는 전체 하나, 또는 1과 같은 용어로 약속할 수도 있어요. 때문에 분수의 분자와 분모가 같을 때 전체는 1이 된답니다.

13쪽 3번

전체 1을 5등분, 8등분, 10등분 한 것의 1조각의 크기를 살펴보세요. 전체 1을 많이 등분할수록 한 조각의 크기가 작아지네요. 즉 피자 1판을 5명, 8명, 10명 등 나누어 먹을 사람이 많아질수록 한 명이 받는 피자 조각의 크기가 줄어든다는 사실을 기억하세요.

더 생각해 보아요! | 13쪽

붓을 한 번도 떼지 않고 같은 곳을 두 번 지나지 않으면서 어떤 도형을 그릴 수 있느냐 하는 한붓그리기 문제예요. 한 점으로 모이는 선이 짝수 개로 된 도형이거나, 한 점으로 모이는 선이 홀수 개인 선 2개가 있는 도형만 한붓그리기가 가능하답니다.

15쪽 7번

❶ 패트릭 = $\frac{1}{3}$

엠마	패트릭

❷ 에이샤 = $\frac{1}{6}$

알렉	에이샤

한 번 더 연습해요! | 2번

분모의 크기가 같을 때는 분자의 크기가 클수록 큽니다. 겹쳐 그림을 그려 비교하면 이해가 쉬워요.

16-17쪽

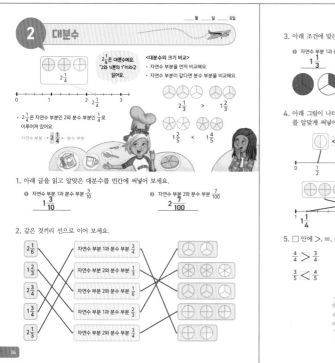

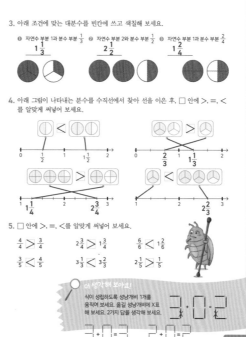

부모님 가이드 | 16쪽

대분수는 자연수와 진분수의 합으로 이루어진 수예요. '대' 자를 큰 대(大) 자로 잘못 알고 있는 사람들이 많아요. 사실은 진분수 앞에 쓰인 자연수가 허리띠를 두른 것처럼 보인다고 하여 '띠 대(帶)' 자를 사용하여 대분수라고 부르는 거예요.

18-19쪽

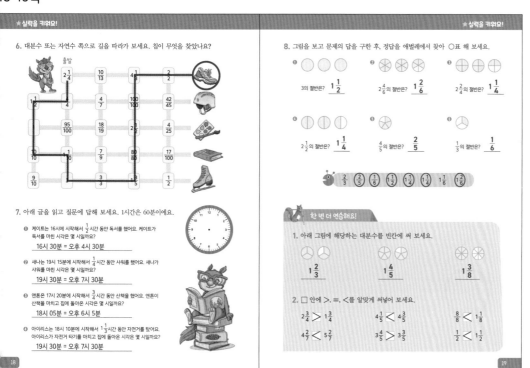

18쪽 7번

시간을 계산할 때에는 1시간 =60분이라서 기준이 60이 되는 것을 꼭 기억하세요. 하루=24시간, 1바퀴=360도 등 분수가 나올 때는 기준을 무엇으로 할지 생각하는 것이 중요하답니다.

❶ $\frac{1}{2}$시간=30분이므로 케이트가 독서를 마친 시각은 16시 +30분=16시 30분

❷ $\frac{1}{4}$시간=15분이므로 새나가 샤워를 마친 시각은 19시 15분+15분=19시 30분

❸ $\frac{3}{4}$시간=45분이므로 앤톤이 산책을 마치고 집에 돌아온 시각은 17시 20분+45분 =18시 5분

❹ 1은 자연수이므로 1시간, $\frac{1}{3}$시간=20분이므로 $1\frac{1}{3}$시간=1시간 20분, 아이리스가 집에 돌아온 시각은 18시 10분+1시간 20분=19시 30분

3

20-21쪽

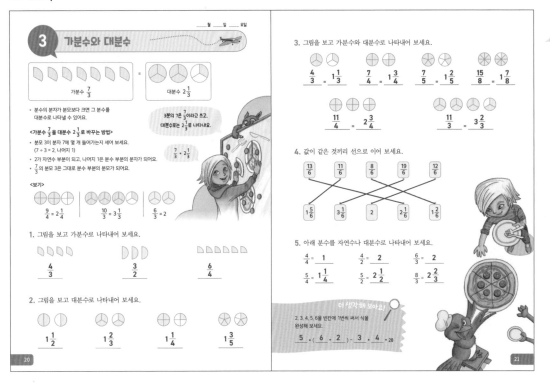

가분수는 분자가 분모보다 크거나 같은 분수를 말해요

$\frac{1}{2}$	$\frac{2}{2}$	$\frac{3}{2}$
분자 < 분모 (진분수)	분자 = 분모 (가분수)	분자 > 분모 (가분수)

그래서 가분수는 자연수나 대분수로 나타낼 수 있어요. 진분수는 분자가 분모보다 작은 분수를 말해요.

22-23쪽

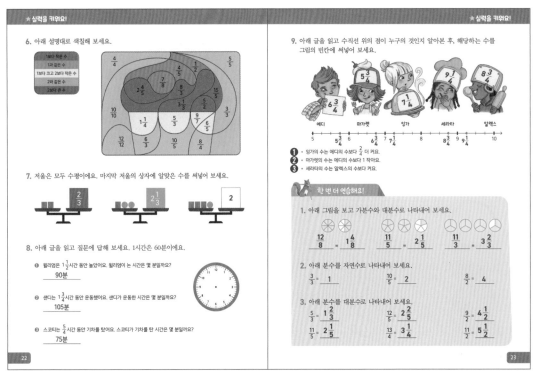

22쪽 7번

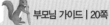

■ ■ = $\frac{2}{3}$ 이므로, ■ = $\frac{1}{3}$

■ ● ● = $2\frac{1}{3}$ 이므로, ● = 1

■ ■ ■ ● = $\frac{1}{3}+\frac{1}{3}+\frac{1}{3}+1=2$

22쪽 8번

1시간=60분이므로, 60을 분모로 나누면 단위 분수에 해당하는 분을 알 수 있어요.

❶ $1\frac{1}{2}$ 시간=60분+30분=90분

❷ $1\frac{3}{4}$ 시간=60분+45분=105분

❸ $\frac{5}{4}=1\frac{1}{4}$=60분+15분=75분

23쪽 9번

❷ 차가 1인 수는 $5\frac{3}{4}$ 과 $6\frac{3}{4}$ 이고 마가렛의 수가 더 작으므로 마가렛=$5\frac{3}{4}$, 에디=$6\frac{3}{4}$

❶ 잉가의 수는 에디의 수보다 $\frac{2}{4}$ 더 크므로, 잉가=$7\frac{1}{4}$

❸ 남은 수는 $8\frac{3}{4}$ 과 $9\frac{1}{4}$ 인데, 세라타의 수가 더 크므로 세라타=$9\frac{1}{4}$, 알렉스=$8\frac{3}{4}$

24-25쪽

___월 ___일 ___요일

4 분모가 같은 분수의 덧셈과 뺄셈

〈덧셈〉

$$\frac{4}{5} + \frac{3}{5} = \frac{7}{5} = 1\frac{2}{5}$$

분모가 같은 분수를 더할 때
분모는 그대로 두고 분자끼리 더하세요.

〈뺄셈〉

$$\frac{9}{5} - \frac{3}{5} = \frac{6}{5} = 1\frac{1}{5}$$

분모가 같은 분수끼리 뺄 때
분모는 그대로 두고 큰 분자에서
작은 분자를 빼세요.

계산한 후 분자가 분모보다 크면 자연수나 대분수로 바꾸어 주면 되어요.

〈보기〉

$$\frac{4}{9} + \frac{1}{9} = \frac{5}{9} \qquad \frac{6}{11} - \frac{2}{11} = \frac{4}{11} \qquad \frac{8}{3} - \frac{2}{3} = \frac{6}{3} = 2 \qquad \frac{5}{6} + \frac{8}{6} = \frac{13}{6} = 2\frac{1}{6}$$

1. 계산해 보세요.

$$\frac{1}{6} + \frac{1}{6} = \frac{2}{6} \qquad \frac{7}{10} + \frac{2}{10} = \frac{9}{10} \qquad \frac{1}{4} + \frac{2}{4} = \frac{3}{4}$$

2. 계산한 후, 정답을 애벌레에서 찾아 ○표 해 보세요.

$$\frac{7}{9} + \frac{1}{9} = \frac{8}{9} \qquad \frac{7}{10} + \frac{2}{10} = \frac{9}{10} \qquad \frac{3}{100} + \frac{6}{100} = \frac{9}{100}$$

$$\frac{2}{8} + \frac{5}{8} = \frac{7}{8} \qquad \frac{8}{15} + \frac{4}{15} = \frac{12}{15} \qquad \frac{80}{100} + \frac{7}{100} = \frac{87}{100}$$

3. 계산해 보세요.

$$\frac{5}{8} - \frac{4}{8} = \frac{1}{8} \qquad \frac{5}{7} - \frac{2}{7} = \frac{3}{7} \qquad \frac{7}{10} - \frac{4}{10} = \frac{3}{10}$$

4. 계산한 후, 정답을 애벌레에서 찾아 ○해 보세요.

$$\frac{2}{3} - \frac{1}{3} = \frac{1}{3} \qquad \frac{9}{10} - \frac{8}{10} = \frac{1}{10} \qquad \frac{9}{100} - \frac{8}{100} = \frac{1}{100}$$

$$\frac{6}{7} - \frac{3}{7} = \frac{3}{7} \qquad \frac{7}{12} - \frac{2}{12} = \frac{5}{12} \qquad \frac{99}{100} - \frac{9}{100} = \frac{90}{100}$$

$$\left(\frac{1}{3}\right)\ \left(\frac{3}{7}\right)\ \left(\frac{1}{10}\right)\ \left(\frac{5}{12}\right)\ \left(\frac{9}{12}\right)\ \left(\frac{1}{100}\right)\ \left(\frac{17}{100}\right)\ \left(\frac{90}{100}\right)$$

5. 계산한 후, 자연수나 대분수로 나타내어 보세요. 그리고 정답을 애벌레에서 찾아 ○해 보세요.

$$\frac{4}{5} + \frac{6}{5} = \frac{10}{5} = 2 \qquad \frac{6}{4} + \frac{5}{4} = \frac{11}{4} = 2\frac{3}{4}$$

$$\frac{10}{7} - \frac{2}{7} = \frac{8}{7} = 1\frac{1}{7} \qquad \frac{6}{5} - \frac{1}{5} = \frac{5}{5} = 1$$

6. 아래 글을 읽고 알맞은 식을 세워 답을 구한 후, 정답을 애벌레에서 찾아 ○표 해 보세요.

❶ 아빠는 야채 피자의 $\frac{2}{5}$를 먹고, 햄 피자의 $\frac{4}{5}$를 먹었어요. 아빠가 먹은 피자의 양은 얼마일까요?

식: $\frac{2}{5} + \frac{4}{5} = \frac{6}{5} = 1\frac{1}{5}$

정답: $1\frac{1}{5}$

❷ 세라는 전체 피자의 $\frac{2}{7}$를 먹었어요. 남은 피자의 양은 얼마일까요?

식: $\frac{7}{7} - \frac{2}{7} = \frac{5}{7}$

정답: $\frac{5}{7}$

$$\left(\frac{5}{7}\right)\ \left(\frac{1}{5}\right)\ \left(\frac{1}{5}\right)\ \left(\frac{1}{7}\right)$$

$$\left(1\frac{1}{5}\right)\ \left(2\right)\ \left(2\frac{3}{4}\right)\ \left(2\frac{1}{5}\right)$$

더 생각해 보아요!

요안나는 8유로를 가지고 있어요. 앤은 요안나가 가진 돈의 $\frac{1}{2}$배만큼 더 가지고 있어요. 앤이 가진 돈은 얼마일까요?

__12유로__

24   25

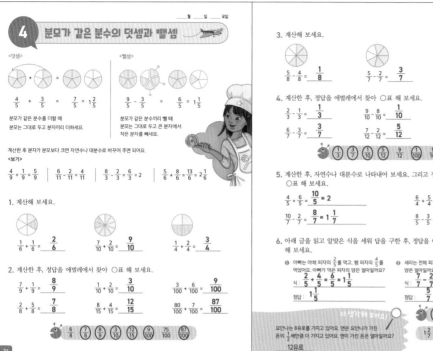

부모님 가이드 | 24쪽

분모가 같을 때는 분수끼리 더하거나 뺄 수 있어요. 그런데 여기서 단위는 단위 분수라는 것을 꼭 기억하세요.

$\frac{4}{5} + \frac{3}{5}$ 에서 단위 분수는 $\frac{1}{5}$ 이되겠죠? $\frac{4}{5}$는 $\frac{1}{5}$이 4개이고, $\frac{3}{5}$은 $\frac{1}{5}$이 3개예요.

그래서 $\frac{4}{5} + \frac{3}{5}$는 $\frac{1}{5}$이 7개가 되기 때문에 $\frac{7}{10}$이 아니라 $\frac{7}{5}$이 된답니다. 분수의 덧셈과 뺄셈에서 단위 분수가 몇 개인지를 꼭 따져 보세요.

$\frac{9}{5} - \frac{3}{5}$ 에서도 단위 분수는 $\frac{1}{5}$이에요. $\frac{1}{5}$짜리 9개에서 $\frac{1}{5}$짜리 3개를 빼니까 $\frac{1}{5}$짜리 6개가 남으니 답은 $\frac{6}{5} = 1\frac{1}{5}$이 돼요.

더 생각해 보아요! | 25쪽

요안나가 가진 돈 = 8€
앤이 가진 돈 = 8€ + 8€ ÷ 2
              = 8€ + 4€
              = 12€

26-27쪽

★ 실력을 키워요!

7. 아래 글을 읽고 빈칸을 완성해 보세요.

❶ 가로줄과 세로줄을 모두 합하면 $\frac{13}{15}$이에요. 모든 분수의 분모는 15예요.

$\frac{1}{15}$	$\frac{4}{15}$	$\frac{8}{15}$
$\frac{6}{15}$	$\frac{4}{15}$	$\frac{3}{15}$
$\frac{6}{15}$	$\frac{5}{15}$	$\frac{2}{15}$

❷ 가로줄과 세로줄을 모두 합하면 $1\frac{1}{10}$이에요. 모든 분수의 분모는 10이에요.

$\frac{3}{10}$	$\frac{2}{10}$	$\frac{6}{10}$
$\frac{4}{10}$	$\frac{3}{10}$	$\frac{4}{10}$
$\frac{4}{10}$	$\frac{6}{10}$	$\frac{1}{10}$

8. 아래 글을 읽고 질문에 답해 보세요. 피자 토핑 2가지를 고를 수 있어요. 괄호 안의 알파벳을 사용하여 쓰세요.

햄(H)	참치(T)	파인애플(P)
살라미(S)	피망(B)	

❶ 피자 토핑 2가지를 올려서 만들 수 있는 피자를 모두 써 보세요.

__HT, HP, HS, HB, TP, TS, TB, PS, PB, SB__

❷ 토핑이 2가지 올라가는 피자를 몇 가지 만들 수 있을까요?

__10가지__

9. 삼각형 각 변의 합이 주어진 수가 되도록 1, 2, 3, 4, 5, 6을 빈칸에 알맞게 써넣어 보세요.

❶ 각 변의 합은 9

```
     1
   6   5
 2   4   3
```

❷ 각 변의 합은 10

```
     3
   2   6
 5   4   1
```

10. 어떤 수인지 알아맞혀 보세요.

❶ 에반의 수를 합하면 $\frac{5}{6}$이고, 빼면 $\frac{1}{6}$이에요.

에반의 수 $\frac{3}{6}$ $\frac{2}{6}$

❷ 앤디의 수를 합하면 1이고, 빼면 $\frac{3}{5}$이에요.

앤디의 수 $\frac{4}{5}$ $\frac{1}{5}$

❸ 메리의 수를 합하면 $1\frac{1}{4}$이고, 빼면 $\frac{3}{4}$이에요.

메리의 수 $\frac{4}{4}$ $\frac{1}{4}$ 또는 1, $\frac{1}{4}$

한 번 더 연습해요!

1. 계산해 보세요.

$$\frac{1}{6} + \frac{4}{6} = \frac{5}{6} \qquad \frac{6}{8} + \frac{1}{8} = \frac{7}{8} \qquad \frac{3}{10} + \frac{7}{10} = \frac{10}{10} = 1$$

$$\frac{4}{6} - \frac{2}{6} = \frac{2}{6} \qquad \frac{5}{6} - \frac{1}{6} = \frac{4}{6} \qquad \frac{5}{10} - \frac{3}{10} = \frac{2}{10}$$

2. 계산한 후 대분수로 나타내어 보세요.

$$\frac{2}{4} + \frac{3}{4} = \frac{5}{4} = 1\frac{1}{4} \qquad \frac{8}{10} + \frac{5}{10} = \frac{13}{10} = 1\frac{3}{10}$$

$$\frac{9}{5} - \frac{2}{5} = \frac{7}{5} = 1\frac{2}{5} \qquad \frac{12}{8} - \frac{1}{8} = \frac{11}{8} = 1\frac{3}{8}$$

3. 아래 글을 읽고 알맞은 식을 세워 답을 구해 보세요.

❶ 야채 피자의 $\frac{5}{8}$가 남았는데요, 레오가 $\frac{2}{8}$를 먹었어요. 남은 피자의 양은 얼마일까요?

식: $\frac{5}{8} - \frac{2}{8} = \frac{3}{8}$

정답: $\frac{3}{8}$

❷ 힐다는 햄 피자의 $\frac{3}{7}$을 먹고, 살라미 피자의 $\frac{4}{7}$를 먹었어요. 힐다가 먹은 피자의 양은 모두 얼마일까요?

식: $\frac{3}{7} + \frac{4}{7} = \frac{7}{7} = 1$

정답: 1

26   27

26쪽 7번

❷ $1\frac{1}{10} = \frac{11}{10}$이에요.

5

28-29쪽

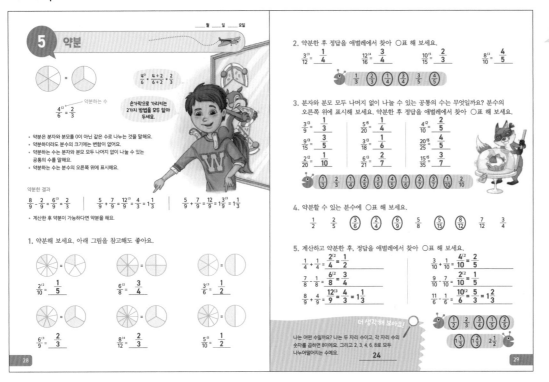

부모님 가이드 | 28쪽

약분은 분자와 분모를 공통되는 수로 나누어 주는 것이에요. 우리는 큰 수보다 간단한 수로 나타내기를 좋아하며 간단한 수가 알아보기 더 편해요. 그래서 값이 같을 경우에는 큰 수보다 더 작고 간단한 수로 나타내려고 약분을 하는 거예요.

$\frac{4}{6}$는 분자와 분모를 2라는 똑같은 수로 나눌 수 있어요.

$\frac{4\div 2}{6\div 2}$를 하면 $\frac{2}{3}$가 나오네요.

그림을 보면 $\frac{4}{6}=\frac{2}{3}$와 크기가 같다는 것도 알 수 있어요.

29쪽 4번

$\frac{3^{(3}}{6}=\frac{1}{2}$, $\frac{2^{(2}}{4}=\frac{1}{2}$, $\frac{6^{(3}}{9}=\frac{2}{3}$, $\frac{5^{(5}}{15}=\frac{1}{3}$

$\frac{8^{(4}}{12}=\frac{2}{3}$로 약분할 수 있어요.

30-31쪽

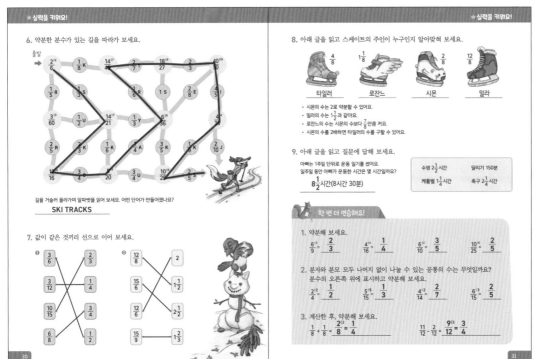

31쪽 8번

$\frac{12}{8}=1\frac{1}{2}$이므로 밀라의 수는 $\frac{12}{8}$

시몬의 수를 2배하면 타일러의 수이므로 시몬=$\frac{2}{8}$, 타일러=$\frac{4}{8}$

로잔느의 수=$\frac{2}{8}+\frac{7}{8}=\frac{9}{8}=1\frac{1}{8}$

31쪽 9번

150분을 대분수로 바꾼 후 분모가 같은 분수끼리 덧셈을 해요.

150분=$2\frac{1}{2}$이므로, $2\frac{1}{2}+2\frac{1}{2}=4\frac{2}{2}$

$1\frac{1}{4}+2\frac{1}{4}=3\frac{2^{(2}}{4}=3\frac{1}{2}$

$4\frac{2}{2}+3\frac{1}{2}=7\frac{3}{2}=8\frac{1}{2}$

연습 문제

____월 ____일 ____요일

1. 아래 분수를 자연수나 대분수로 나타내어 보세요.

$$\frac{5}{5} = 1 \qquad \frac{10}{5} = 2 \qquad \frac{6}{2} = 3 \qquad \frac{12}{4} = 3$$

$$\frac{4}{3} = 1\frac{1}{3} \qquad \frac{7}{5} = 1\frac{2}{5} \qquad \frac{5}{2} = 2\frac{1}{2} \qquad \frac{7}{3} = 2\frac{1}{3}$$

2. 계산해 보세요.

$$\frac{5}{11} + \frac{3}{11} = \frac{8}{11} \qquad \frac{9}{11} - \frac{4}{11} = \frac{5}{11} \qquad \frac{6}{11} + \frac{5}{11} = \frac{11}{11} = 1$$

3. 계산한 후, 대분수로 나타내어 보세요.

$$\frac{8}{9} + \frac{2}{9} = \frac{10}{9} = 1\frac{1}{9} \qquad\qquad \frac{5}{8} + \frac{6}{8} = \frac{11}{8} = 1\frac{3}{8}$$

$$\frac{15}{7} - \frac{2}{7} = \frac{13}{7} = 1\frac{6}{7} \qquad\qquad \frac{14}{6} - \frac{7}{6} = \frac{7}{6} = 1\frac{1}{6}$$

4. 약분해 보세요.

$$\frac{4^{(2}}{10} = \frac{2}{5} \qquad \frac{10^{(5}}{15} = \frac{2}{3} \qquad \frac{7^{(7}}{21} = \frac{1}{3} \qquad \frac{9^{(3}}{15} = \frac{3}{5}$$

5. 계산하여 약분한 후, 정답을 애벌레에서 찾아 ○표 해 보세요.

$$\frac{3}{10} + \frac{2}{10} = \frac{5^{(5}}{10} = \frac{1}{2} \qquad \frac{7}{8} - \frac{5}{8} = \frac{2^{(2}}{8} = \frac{1}{4}$$

$$\frac{3}{4} + \frac{3}{4} = \frac{6^{(2}}{4} = \frac{3}{2} = 1\frac{1}{2} \qquad \frac{15}{6} - \frac{5}{6} = \frac{10^{(2}}{6} = \frac{5}{3} = 1\frac{2}{3}$$

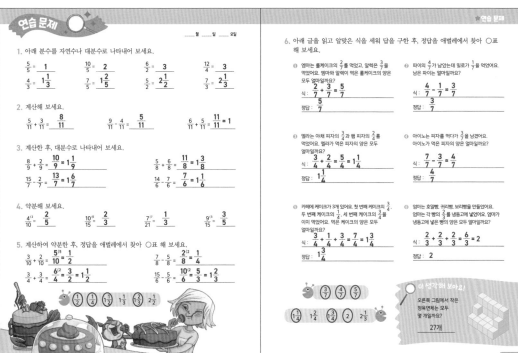

$$\left(\tfrac{1}{2}\right) \left(\tfrac{1}{4}\right) \left(\tfrac{1}{12}\right) \left(\tfrac{1}{3}\right) \left(\tfrac{2}{3}\right) \left(2\tfrac{1}{2}\right)$$

6. 아래 글을 읽고 알맞은 식을 세워 답을 구한 후, 정답을 애벌레에서 찾아 ○표 해 보세요.

① 엠마는 롤케이크의 $\frac{2}{7}$ 을 먹었고, 알렉은 $\frac{3}{7}$ 을 먹었어요. 엠마와 알렉이 먹은 롤케이크의 양은 모두 얼마일까요?

식 : $\frac{2}{7} + \frac{3}{7} = \frac{5}{7}$

정답 : $\frac{5}{7}$

② 파이의 $\frac{4}{7}$ 가 남았는데 밀로가 $\frac{1}{7}$ 을 먹었어요. 남은 파이는 얼마일까요?

식 : $\frac{4}{7} - \frac{1}{7} = \frac{3}{7}$

정답 : $\frac{3}{7}$

③ 엘라는 야채 피자의 $\frac{3}{4}$ 과 햄 피자의 $\frac{2}{4}$ 를 먹었어요. 엘라가 먹은 피자의 양은 모두 얼마일까요?

식 : $\frac{3}{4} + \frac{2}{4} = \frac{5}{4} = 1\frac{1}{4}$

정답 : $1\frac{1}{4}$

④ 아이노가 피자를 먹다가 $\frac{3}{7}$ 을 남겼어요. 아이노가 먹은 피자의 양은 얼마일까요?

식 : $\frac{7}{7} - \frac{3}{7} = \frac{4}{7}$

정답 : $\frac{4}{7}$

⑤ 카페에 케이크가 3개 있어요. 첫 번째 케이크의 $\frac{3}{4}$, 두 번째 케이크의 $\frac{1}{4}$, 세 번째 케이크의 $\frac{3}{4}$ 을 이미 먹었어요. 먹은 케이크의 양은 모두 얼마일까요?

식 : $\frac{3}{4} + \frac{1}{4} + \frac{3}{4} = \frac{7}{4} = 1\frac{3}{4}$

정답 : $1\frac{3}{4}$

⑥ 엄마는 호밀빵, 귀리빵, 보리빵을 만들었어요. 엄마는 각 빵의 $\frac{2}{3}$ 를 냉동고에 넣었어요. 엄마가 냉동고에 넣은 빵은 모두 얼마일까요?

식 : $\frac{2}{3} + \frac{2}{3} + \frac{2}{3} = \frac{6}{3} = 2$

정답 : 2

$$\left(\tfrac{3}{7}\right) \left(\tfrac{4}{7}\right) \left(\tfrac{5}{7}\right)$$

$$\left(1\tfrac{1}{4}\right) \; 1\tfrac{2}{4} \; \left(\tfrac{3}{4}\right) \left(2\right) \; 2\tfrac{1}{3}$$

더 생각해 보아요!

오른쪽 그림에서 작은 정육면체는 모두 몇 개일까요?

27개

연습 문제

7. 값이 같은 것끼리 선으로 이어 보세요.

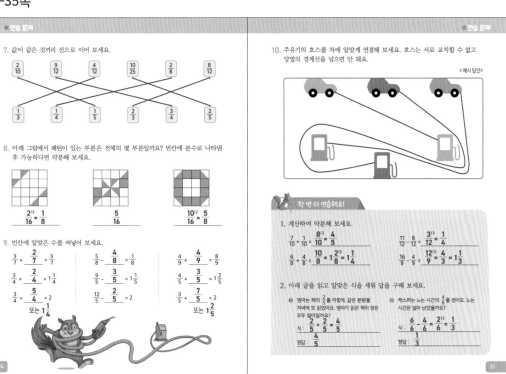

$$\frac{2}{10} \quad \frac{9}{12} \quad \frac{4}{12} \quad \frac{10}{25} \quad \frac{2}{8} \quad \frac{8}{12}$$

$$\frac{1}{3} \quad \frac{1}{4} \quad \frac{1}{5} \quad \frac{2}{3} \quad \frac{3}{4} \quad \frac{2}{5}$$

8. 아래 그림에서 패턴이 있는 부분은 전체의 몇 부분일까요? 빈칸에 분수로 나타낸 후 가능하다면 약분해 보세요.

$$\frac{2^{(2}}{16} = \frac{1}{8} \qquad\qquad \frac{5}{16} \qquad\qquad \frac{10^{(2}}{16} = \frac{5}{8}$$

9. 빈칸에 알맞은 수를 써넣어 보세요.

$$\frac{3}{7} + \frac{2}{7} = \frac{5}{7} \qquad \frac{5}{8} - \frac{4}{8} = \frac{1}{8} \qquad \frac{4}{9} + \frac{4}{9} = \frac{8}{9}$$

$$\frac{3}{4} + \frac{2}{4} = 1\frac{1}{4} \qquad \frac{9}{5} - \frac{3}{5} = 1\frac{1}{5} \qquad \frac{4}{5} + \frac{3}{5} = 1\frac{2}{5}$$

$$\frac{3}{4} + \frac{5}{4} = 2 \qquad \frac{12}{5} - \frac{2}{5} = 2 \qquad \frac{3}{5} + \frac{7}{5} = 1\frac{2}{5}$$

또는 $1\frac{1}{4}$ $\qquad\qquad\qquad\qquad\qquad\qquad\qquad$ 또는 $1\frac{2}{5}$

10. 주유기의 호스를 차에 알맞게 연결해 보세요. 호스는 서로 교차할 수 없고 양옆의 경계선을 넘으면 안 돼요.

<예시 답안>

한 번 더 연습해요!

1. 계산하여 약분해 보세요.

$$\frac{7}{10} + \frac{1}{10} = \frac{8^{(2}}{10} = \frac{4}{5} \qquad \frac{11}{12} - \frac{8}{12} = \frac{3^{(3}}{12} = \frac{1}{4}$$

$$\frac{6}{8} + \frac{4}{8} = \frac{10}{8} = \frac{8^{(2}}{8} = 1\frac{1}{4} \qquad \frac{16}{9} - \frac{4}{9} = \frac{12^{(3}}{9} = \frac{4}{3} = 1\frac{1}{3}$$

2. 아래 글을 읽고 알맞은 식을 세워 답을 구해 보세요.

① 엠마는 책의 $\frac{2}{5}$ 를 아침에, 같은 분량을 저녁에 또 읽었어요. 엠마가 읽은 책의 양은 모두 얼마일까요?

식 : $\frac{2}{5} + \frac{2}{5} = \frac{4}{5}$

정답 : $\frac{4}{5}$

② 캐스퍼는 노는 시간의 $\frac{4}{6}$ 를 썼어요. 노는 시간은 얼마 남았을까요?

식 : $\frac{6}{6} - \frac{4}{6} = \frac{2^{(2}}{6} = \frac{1}{3}$

정답 : $\frac{1}{3}$

36-37쪽

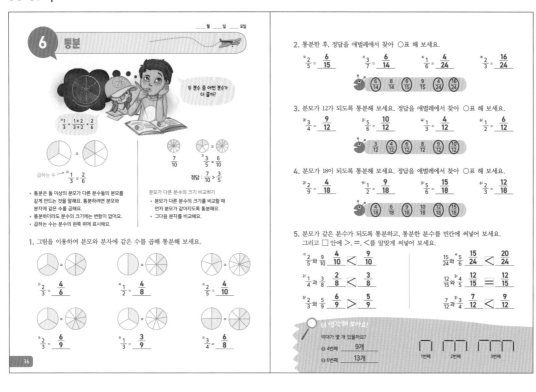

6 통분

두 분수 중 어떤 분수가 더 클까?

$\frac{1}{3} = \frac{1 \times 2}{3 \times 2} = \frac{2}{6}$

곱하는 수 → $\frac{1}{3} = \frac{2}{6}$

$\frac{7}{10}$ = , $\frac{3}{5} = \frac{6}{10}$

정답: $\frac{7}{10}$ > $\frac{3}{5}$

- 통분은 둘 이상의 분모가 다른 분수들의 분모를 같게 만드는 것을 말해요. 통분하려면 분모와 분자에 같은 수를 곱해요.
- 통분하더라도 분수의 크기에는 변화가 없어요.
- 곱하는 수는 분수의 왼쪽 위에 표시해요.

분모가 다른 분수의 크기 비교하기
- 분모가 다른 분수의 크기를 비교할 때 먼저 분모가 같아지도록 통분해요.
- 그다음 분자를 비교해요.

1. 그림을 이용하여 분모와 분자에 같은 수를 곱해 통분해 보세요.

$\frac{2}{2} = \frac{4}{6}$ $\frac{1}{2} = \frac{4}{8}$ $\frac{2}{5} = \frac{4}{10}$

$\frac{2}{3} = \frac{6}{9}$ $\frac{1}{3} = \frac{3}{9}$ $\frac{3}{4} = \frac{6}{8}$

2. 통분한 후, 정답을 애벌레에서 찾아 ○표 해 보세요.

$\frac{2}{5} = \frac{6}{15}$ $\frac{3}{7} = \frac{6}{14}$ $\frac{1}{6} = \frac{4}{24}$ $\frac{2}{3} = \frac{16}{24}$

$\frac{6}{14}$ $\frac{8}{14}$ $\frac{6}{15}$ $\frac{9}{15}$ $\frac{4}{24}$ $\frac{16}{24}$

3. 분모가 12가 되도록 통분해 보세요. 정답을 애벌레에서 찾아 ○표 해 보세요.

$\frac{3}{4} = \frac{9}{12}$ $\frac{5}{6} = \frac{10}{12}$ $\frac{1}{3} = \frac{4}{12}$ $\frac{1}{2} = \frac{6}{12}$

$\frac{3}{12}$ $\frac{4}{12}$ $\frac{6}{12}$ $\frac{8}{12}$ $\frac{9}{12}$ $\frac{10}{12}$

4. 분모가 18이 되도록 통분해 보세요. 정답을 애벌레에서 찾아 ○표 해 보세요.

$\frac{2}{9} = \frac{4}{18}$ $\frac{1}{2} = \frac{9}{18}$ $\frac{5}{6} = \frac{15}{18}$ $\frac{2}{3} = \frac{12}{18}$

$\frac{4}{18}$ $\frac{6}{18}$ $\frac{9}{18}$ $\frac{12}{18}$ $\frac{15}{18}$

5. 분모가 같은 분수가 되도록 통분하고, 통분한 분수를 빈칸에 써넣어 보세요. 그리고 □ 안에 >, =, <를 알맞게 써넣어 보세요.

$\frac{2}{5}$ 와 $\frac{9}{10}$ → $\frac{4}{10}$ < $\frac{9}{10}$

$\frac{15}{24}$ 와 $\frac{5}{6}$ → $\frac{15}{24}$ < $\frac{20}{24}$

$\frac{1}{4}$ 과 $\frac{3}{8}$ → $\frac{2}{8}$ < $\frac{3}{8}$

$\frac{12}{15}$ 와 $\frac{4}{5}$ → $\frac{12}{15}$ = $\frac{12}{15}$

$\frac{2}{3}$ 와 $\frac{5}{9}$ → $\frac{6}{9}$ > $\frac{5}{9}$

$\frac{7}{12}$ 과 $\frac{4}{7}$ → $\frac{7}{12}$ < $\frac{12}{12}$

더 생각해 보아요!

막대가 몇 개 있을까요?

① 4번째 → **9개**
② 6번째 → **13개**

1번째 2번째 3번째

부모님 가이드 | 36쪽

분수의 분모와 분자를 같은 수로 나누어 분수의 값을 변화시키지 않고 분수를 간단히 하는 것을 약분이라고 배웠어요.

$\frac{2}{6} = \frac{2 \div 2}{6 \div 2} = \frac{1}{3}$

반대로 $\frac{1}{3}$의 분자와 분모에 같은 수를 곱할 수도 있어요. 분수의 값은 변하지 않기 때문에 가능하지요.

$\frac{1}{3} = \frac{1 \times 2}{3 \times 2} = \frac{2}{6}$

그래서 분모가 다를 때 통분을 하면 분모가 같아지기 때문에 크기 비교가 가능할 뿐 아니라 분모가 다른 분수의 덧셈과 뺄셈도 할 수 있어요.

더 생각해 보아요! | 37쪽

1번째   2번째   3번째

→ 3 5 7···

막대 개수를 세어 나열해 보면 2개씩 개수가 늘어나는 규칙을 찾을 수 있어요.

38-39쪽

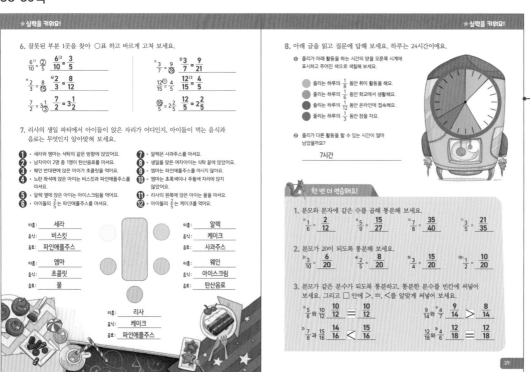

★ 실력을 키워요!

6. 잘못된 부분 1곳을 찾아 ○표 하고 바르게 고쳐 보세요.

$\frac{6}{10} = \frac{3}{5}$ → $\frac{6}{10} = \frac{3}{5}$

$\frac{3}{7} = \frac{9}{28}$ → $\frac{3}{7} = \frac{9}{21}$

$\frac{2}{3} = \frac{8}{15}$ → $\frac{2}{3} = \frac{8}{12}$

$\frac{12}{15} = \frac{4}{5}$ → $\frac{12}{15} = \frac{4}{5}$

$\frac{7}{2} = 3\frac{1}{3}$ → $\frac{7}{2} = 3\frac{1}{2}$

$\frac{12}{5} = 2\frac{2}{5}$ → $\frac{12}{5} = 2\frac{2}{5}$

7. 리사의 생일 파티에서 아이들이 앉은 자리가 어디인지, 아이들이 먹는 음식과 음료는 무엇인지 알아맞혀 보세요.

① 세라와 엠마는 식탁의 같은 방향에 앉았어요.
② 남자아이 2명 중 1명이 탄산음료를 마셔요.
③ 웨인 반대편에 앉은 아이가 초콜릿을 먹어요.
④ 노란 좌석에 앉은 아이는 비스킷과 파인애플주스를 마셔요.
⑤ 알렉 옆에 앉은 아이는 아이스크림을 먹어요.
⑥ 아이들의 $\frac{2}{5}$는 파인애플주스를 마셔요.
⑦ 알렉은 사과주스를 마셔요.
⑧ 생일을 맞은 여자아이는 식탁 끝에 앉았어요.
⑨ 엠마는 파인애플주스를 마시지 않아요.
⑩ 엠마는 초록색이나 주황색 자리에 앉지 않았어요.
⑪ 리사의 왼쪽에 앉은 아이는 물을 마셔요.
⑫ 아이들의 $\frac{1}{5}$은 케이크를 먹어요.

이름: 세라
음식: 비스킷
음료: 파인애플주스

이름: 엠마
음식: 초콜릿
음료: 물

이름: 알렉
음식: 케이크
음료: 사과주스

이름: 웨인
음식: 아이스크림
음료: 탄산음료

이름: 리사
음식: 케이크
음료: 파인애플주스

8. 아래 글을 읽고 질문에 답해 보세요. 하루는 24시간이에요.

① 줄리가 아래 활동을 하는 시간의 양을 오른쪽 시계에 표시하고 주어진 색으로 색칠해 보세요.

- 줄리는 하루의 $\frac{1}{8}$ 동안 취미 활동을 해요.
- 줄리는 하루의 $\frac{1}{6}$ 동안 학교에서 생활해요.
- 줄리는 하루의 $\frac{1}{12}$ 동안 온라인에 접속해요.
- 줄리는 하루의 $\frac{1}{3}$ 동안 잠을 자요.

② 줄리가 다른 활동을 할 수 있는 시간이 얼마 남았을까요?

7시간

한 번 더 연습해요!

1. 분모와 분자에 같은 수를 곱해 통분해 보세요.

$\frac{1}{6} = \frac{2}{12}$ $\frac{5}{9} = \frac{15}{27}$ $\frac{7}{8} = \frac{35}{40}$ $\frac{3}{5} = \frac{21}{35}$

2. 분모가 20이 되도록 통분해 보세요.

$\frac{3}{10} = \frac{6}{20}$ $\frac{2}{5} = \frac{8}{20}$ $\frac{3}{4} = \frac{15}{20}$ $\frac{1}{2} = \frac{10}{20}$

3. 분모가 같은 분수가 되도록 통분하고, 통분한 분수를 빈칸에 써넣어 보세요. 그리고 □ 안에 >, =, <를 알맞게 써넣어 보세요.

$\frac{5}{6}$ 와 $\frac{10}{12}$ → $\frac{10}{12}$ = $\frac{10}{12}$

$\frac{9}{14}$ 와 $\frac{4}{7}$ → $\frac{9}{14}$ > $\frac{8}{14}$

$\frac{7}{8}$ 과 $\frac{15}{16}$ → $\frac{14}{16}$ < $\frac{15}{16}$

$\frac{10}{18}$ 와 $\frac{4}{6}$ → $\frac{12}{18}$ = $\frac{12}{18}$

39쪽 8번

24시간의 $\frac{1}{8}$은 3시간

24시간의 $\frac{1}{6}$은 4시간

24시간의 $\frac{1}{12}$은 2시간

24시간의 $\frac{1}{3}$은 8시간

한 번 더 연습해요! | 39쪽

분자보다는 분모를 같게 하기 위해 어떤 수를 곱해야 할지 생각해 보세요. 분모에 곱할 수가 결정되면 분자에는 분모와 같은 수를 곱해 주면 된답니다.

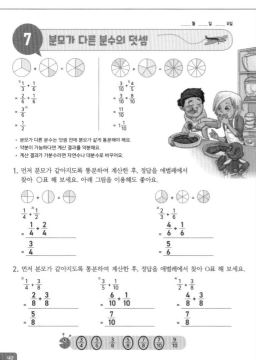

7 분모가 다른 분수의 덧셈

$$\frac{1}{3} + \frac{1}{6} = $$
$$= \frac{2}{6} + \frac{1}{6}$$
$$= \frac{3}{6}$$
$$= \frac{1}{2}$$

$$\frac{3}{10} + \frac{4}{5} = $$
$$= \frac{3}{10} + \frac{8}{10}$$
$$= \frac{11}{10}$$
$$= 1\frac{1}{10}$$

- 분모가 다른 분수는 덧셈 전에 분모가 같게 통분해야 해요.
- 약분이 가능하다면 계산 결과를 약분해요.
- 계산 결과가 가분수라면 자연수나 대분수로 바꾸어요.

1. 먼저 분모가 같아지도록 통분하여 계산한 후, 정답을 애벌레에서 찾아 ○표 해 보세요. 아래 그림을 이용해도 좋아요.

$$\frac{1}{4} + \frac{1}{2} = $$
$$= \frac{1}{4} + \frac{2}{4}$$
$$= \frac{3}{4}$$

$$\frac{2}{3} + \frac{1}{6} = $$
$$= \frac{4}{6} + \frac{1}{6}$$
$$= \frac{5}{6}$$

2. 먼저 분모가 같아지도록 통분하여 계산한 후, 정답을 애벌레에서 찾아 ○표 해 보세요.

$$\frac{1}{4} + \frac{3}{8} = $$
$$= \frac{2}{8} + \frac{3}{8}$$
$$= \frac{5}{8}$$

$$\frac{3}{5} + \frac{1}{10} = $$
$$= \frac{6}{10} + \frac{1}{10}$$
$$= \frac{7}{10}$$

$$\frac{1}{2} + \frac{3}{8} = $$
$$= \frac{4}{8} + \frac{3}{8}$$
$$= \frac{7}{8}$$

애벌레: $\frac{3}{4}$ $\frac{5}{6}$ $\frac{3}{8}$ $\frac{5}{8}$ $\frac{7}{8}$ $\frac{7}{10}$ $\frac{9}{10}$

40

3. 계산한 후 가능하다면 약분하고, 정답을 애벌레에서 찾아 ○표 해 보세요.

$$\frac{3}{2} + \frac{1}{9}$$
$$= \frac{6}{9} + \frac{2}{9}$$
$$= \frac{8}{9}$$

$$\frac{7}{12} + \frac{1}{4}$$
$$= \frac{7}{12} + \frac{3}{12}$$
$$= \frac{10}{12} = \frac{5}{6}$$

$$\frac{4}{9} + \frac{1}{3}$$
$$= \frac{4}{9} + \frac{3}{9}$$
$$= \frac{7}{9}$$

4. 먼저 분모가 같아지도록 통분하여 계산한 후, 정답을 애벌레에서 찾아 ○표 해 보세요. 계산 결과가 가분수라면 대분수로 나타내어 보세요.

$$\frac{1}{2} + \frac{3}{4}$$
$$= \frac{2}{4} + \frac{3}{4}$$
$$= \frac{5}{4} = 1\frac{1}{4}$$

$$\frac{5}{6} + \frac{1}{3}$$
$$= \frac{5}{6} + \frac{2}{6}$$
$$= \frac{7}{6} = 1\frac{1}{6}$$

$$\frac{3}{4} + \frac{5}{8}$$
$$= \frac{6}{8} + \frac{5}{8}$$
$$= \frac{11}{8} = 1\frac{3}{8}$$

5. 아래 글을 읽고 알맞은 식을 세워 답을 구한 후, 정답을 애벌레에서 찾아 ○표 해 보세요.

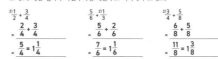

① 엠마는 참치 피자의 $\frac{5}{12}$를, 알렉은 같은 피자의 $\frac{1}{6}$를 먹었어요. 둘이 먹은 피자의 양은 모두 얼마일까요?

식 : $\frac{5}{12} + \frac{1}{6} = \frac{5}{12} + \frac{2}{12} = \frac{7}{12}$

정답 : $\frac{7}{12}$

② 알렉과 피터는 각자 야채 피자를 1개씩 주문했어요. 알렉은 피자의 $\frac{3}{8}$를, 피터는 피자의 $\frac{3}{4}$를 먹었어요. 둘이 먹은 피자의 양은 모두 얼마일까요?

식 : $\frac{3}{8} + \frac{3}{4} = \frac{5}{8} + \frac{6}{8} = \frac{11}{8} = 1\frac{3}{8}$

정답 : $1\frac{3}{8}$

더 생각해 보아요!

식이 성립하도록 성냥개비 1개를 움직여 보세요. 옮길 성냥개비에 X표 해 보세요.

애벌레: $\frac{5}{6}$ $\frac{7}{9}$ $\frac{8}{9}$ $\frac{5}{6}$ $1\frac{1}{4}$ $1\frac{1}{2}$ $1\frac{1}{3}$ $1\frac{3}{8}$ $1\frac{5}{8}$

41

부모님 가이드 | 40쪽

분모가 다를 때는 분수의 덧셈과 뺄셈을 할 수 없어요. 그래서 분모를 같게 하려고 통분을 해요. 통분하면 분모가 같아져서 분수의 덧셈과 뺄셈을 할 수 있으니까요. 분수의 분자와 분모에 같은 수를 곱하거나 나누어도 분수의 값은 변하지 않아요. 그래서 약분도 할 수 있고 통분도 가능합니다. 겉모습은 달라도 값은 같은 분수가 수도 없이 많습니다.

MEMO

38쪽 7번

이름	엠마x		생일 맞은 아이	엠마x	엠마x
음식	비스킷				
음료	파인애플주스				

❹ 노란 좌석에 앉은 아이는 비스킷과 파인애플주스를 마셔요.
❽ 생일을 맞은 여자아이는 식탁 끝에 앉았어요.
❿ 엠마는 초록색이나 주황색 자리에 앉지 않았어요.
❾ 엠마는 파인애플주스를 마시지 않아요.

이름	세라	엠마	리사	엠마x	엠마x
음식	비스킷				
음료	파인애플주스	물			

❶ 세라와 엠마는 식탁의 같은 방향에 앉았어요.→식탁의 같은 방향에 앉았으므로 노랑은 세라, 엠마는 파랑이에요.
⓫ 리사의 왼쪽에 앉은 아이는 물을 마셔요.→남자아이가 2명이므로 여자아이는 3명이에요. 세라와 엠마는 이미 자리가 정해졌으므로 리사가 보라예요.

이름	세라	엠마	리사	웨인	알렉
음식	비스킷	초콜릿			
음료	파인애플주스	물		탄산음료	사과주스

❸ 웨인 반대편에 앉은 아이가 초콜릿을 먹어요.→노랑과 파랑의 자리가 채워졌으므로 주황과 초록에는 남자아이 웨인과 알렉이 앉았어요. 세라가 비스킷을 먹으므로 엠마가 초콜릿을 먹어요. 주황은 웨인이며 초록은 알렉이에요.
❼ 알렉은 사과주스를 마셔요.
❷ 남자아이 2명 중 1명이 탄산음료를 마셔요.

이름	세라	엠마	리사	웨인	알렉
음식	비스킷	초콜릿	케이크	아이스크림	케이크
음료	파인애플주스	물	파인애플주스	탄산음료	사과주스

❺ 알렉 옆에 앉은 아이는 아이스크림을 먹어요.
❻ 아이들의 $\frac{2}{5}$는 파인애플주스를 마셔요.→5명 중 2명이 파인애플주스를 마시므로 리사는 파인애플주스를 마셔요.
⓬ 아이들의 $\frac{2}{5}$는 케이크를 먹어요.→5명 중 2명이 케이크를 먹으므로 리사와 알렉은 케이크를 먹어요.

42-43쪽

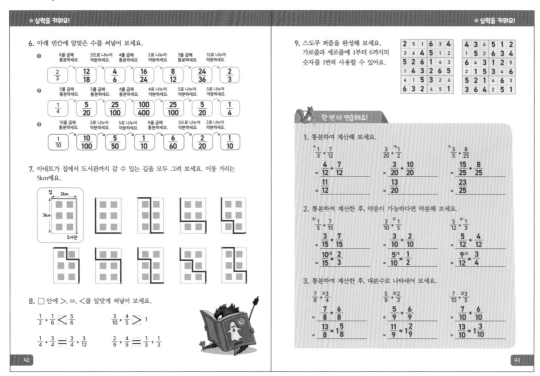

44-45쪽

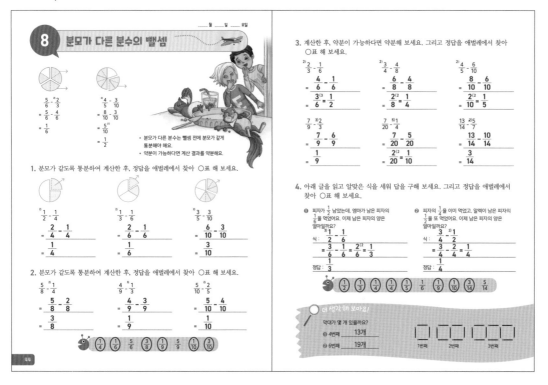

더 생각해 보아요! | 45쪽

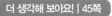

1번째   2번째   3번째

→ 4 7 10…

막대 개수를 세어 나열해 보면
3개씩 개수가 늘어나는 규칙을
찾을 수 있어요.

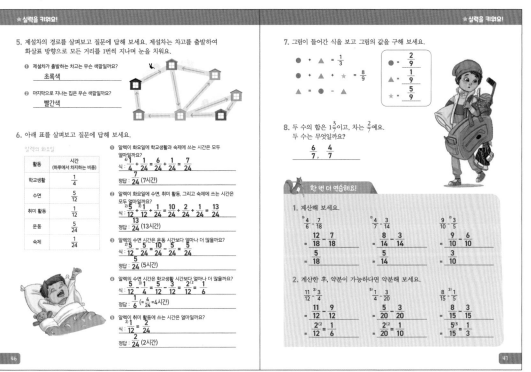

★실력을 키워요!

5. 제설차의 경로를 살펴보고 질문에 답해 보세요. 제설차는 차고를 출발하여 화살표 방향으로 모든 거리를 1번씩 지나며 눈을 치워요.

❶ 제설차가 출발하는 차고는 무슨 색깔일까요?
초록색

❷ 마지막으로 지나는 집은 무슨 색깔일까요?
빨간색

6. 아래 표를 살펴보고 질문에 답해 보세요.

알렉의 화요일

활동	시간 (하루에서 차지하는 비중)
학교생활	$\frac{1}{4}$
수면	$\frac{5}{12}$
취미 활동	$\frac{1}{12}$
운동	$\frac{5}{24}$
숙제	$\frac{1}{24}$

❶ 알렉이 화요일에 학교생활과 숙제에 쓰는 시간은 모두 얼마일까요?
식: $\frac{1}{4} + \frac{1}{24} = \frac{6}{24} + \frac{1}{24} = \frac{7}{24}$
정답: $\frac{7}{24}$ (7시간)

❷ 알렉이 화요일에 수면, 취미 활동, 그리고 숙제에 쓰는 시간은 모두 얼마일까요?
식: $\frac{5}{12} + \frac{1}{12} + \frac{1}{24} = \frac{10}{24} + \frac{2}{24} + \frac{1}{24} = \frac{13}{24}$
정답: $\frac{13}{24}$ (13시간)

❸ 알렉의 수면 시간은 운동 시간보다 얼마나 더 많을까요?
식: $\frac{5}{12} - \frac{5}{24} = \frac{10}{24} - \frac{5}{24} = \frac{5}{24}$
정답: $\frac{5}{24}$ (5시간)

❹ 알렉의 수면 시간은 학교생활 시간보다 얼마나 더 많을까요?
식: $\frac{5}{12} - \frac{1}{4} = \frac{5}{12} - \frac{3}{12} = \frac{2}{12}$
정답: $\frac{1}{6}$ ($= \frac{4}{24}$ =4시간)

❺ 알렉이 취미 활동에 쓰는 시간은 얼마일까요?
식: $\frac{1}{12} = \frac{2}{24}$
정답: $\frac{2}{24}$ (2시간)

★실력을 키워요!

7. 그림이 들어간 식을 보고 그림의 값을 구해 보세요.

● + ▲ = $\frac{1}{3}$
● + ▲ + ★ = $\frac{8}{9}$
▲ = ● - ▲

● = $\frac{2}{9}$
▲ = $\frac{1}{9}$
★ = $\frac{5}{9}$

8. 두 수의 합은 $1\frac{3}{7}$이고, 차는 $\frac{2}{7}$예요. 두 수는 무엇일까요?
$\frac{6}{7}$, $\frac{4}{7}$

한 번 더 연습해요!

1. 계산해 보세요.

1) $\frac{4}{6} - \frac{3}{18}$
$= \frac{12}{18} - \frac{7}{18}$
$= \frac{5}{18}$

2) $\frac{4}{7} - \frac{3}{14}$
$= \frac{8}{14} - \frac{3}{14}$
$= \frac{5}{14}$

3) $\frac{9}{10} - \frac{3}{5}$
$= \frac{9}{10} - \frac{6}{10}$
$= \frac{3}{10}$

2. 계산한 후, 약분이 가능하다면 약분해 보세요.

1) $\frac{11}{12} - \frac{3}{4}$
$= \frac{11}{12} - \frac{9}{12}$
$= \frac{2}{12} = \frac{1}{6}$

5) $\frac{1}{4} - \frac{3}{20}$
$= \frac{5}{20} - \frac{3}{20}$
$= \frac{2}{20} = \frac{1}{10}$

8) $\frac{8}{15} - \frac{1}{5}$
$= \frac{8}{15} - \frac{3}{15}$
$= \frac{5}{15} = \frac{1}{3}$

47쪽 7번

1. 분모를 9로 통분해요.

2. ▲ = ● - ▲ 에서
● = ▲ + ▲

3. ● + ▲ = $\frac{1}{3}$에
● = ▲ + ▲를 넣으면
▲ + ▲ + ▲ = $\frac{3}{9} = \frac{3}{9}$
● = $\frac{2}{9}$, ▲ = $\frac{1}{9}$

4. ● + ▲ + ★ = $\frac{8}{9}$에
▲ = $\frac{1}{9}$, ● = $\frac{2}{9}$를 넣으면
$\frac{2}{9} + \frac{1}{9} + ★ = \frac{8}{9}$
★ = $\frac{5}{9}$

47쪽 8번

$1\frac{3}{7}$을 가분수로 만들면 $\frac{10}{7}$이에요.
분모는 같으므로, 분자의 합이 10인 수를 살펴봐요.
1과 9, 2와 8, 3과 7, 4와 6 가운데 차가 2인 수는 4와 6이므로 답은 $\frac{6}{7}$과 $\frac{4}{7}$

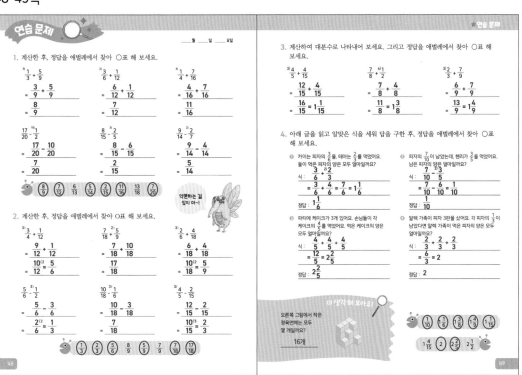

연습 문제

___월 ___일 ___요일

1. 계산한 후, 정답을 애벌레에서 찾아 ○표 해 보세요.

1) $\frac{1}{3} + \frac{5}{9}$
$= \frac{3}{9} + \frac{5}{9}$
$= \frac{8}{9}$

3) $\frac{3}{6} + \frac{1}{12}$
$= \frac{6}{12} + \frac{1}{12}$
$= \frac{7}{12}$

5) $\frac{1}{4} + \frac{7}{16}$
$= \frac{4}{16} + \frac{7}{16}$
$= \frac{11}{16}$

$\frac{17}{20} - \frac{10}{2}$
$= \frac{17}{20} - \frac{10}{20}$
$= \frac{7}{20}$

$\frac{8}{15} - \frac{2}{5}$
$= \frac{8}{15} - \frac{6}{15}$
$= \frac{2}{15}$

$\frac{9}{14} - \frac{2}{7}$
$= \frac{9}{14} - \frac{4}{14}$
$= \frac{5}{14}$

$\left(\frac{8}{9}\right)$ $\left(\frac{7}{12}\right)$ $\left(\frac{6}{15}\right)$ $\left(\frac{5}{14}\right)$ $\left(\frac{2}{15}\right)$ $\left(\frac{11}{16}\right)$ $\left(\frac{13}{18}\right)$ $\left(\frac{7}{20}\right)$

약분하는 걸 잊지 마~!

2. 계산한 후, 정답을 애벌레에서 찾아 ○표 해 보세요.

3) $\frac{3}{4} + \frac{1}{12}$
$= \frac{9}{12} + \frac{1}{12}$
$= \frac{10}{12} = \frac{5}{6}$

$\frac{7}{18} + \frac{5}{9}$
$= \frac{7}{18} + \frac{10}{18}$
$= \frac{17}{18}$

$\frac{2}{6} + \frac{4}{18}$
$= \frac{6}{18} + \frac{4}{18}$
$= \frac{10}{18} = \frac{5}{9}$

$\frac{5}{6} - \frac{1}{3}$
$= \frac{5}{6} - \frac{3}{6}$
$= \frac{2}{6} = \frac{1}{3}$

$\frac{10}{18} - \frac{1}{3}$
$= \frac{10}{18} - \frac{3}{18}$
$= \frac{7}{18}$

$\frac{4}{15} - \frac{2}{5}$
$= \frac{4}{15} - \frac{12}{15}$
$= \frac{10}{15} = \frac{2}{3}$

$\left(\frac{1}{3}\right)$ $\left(\frac{2}{3}\right)$ $\left(\frac{5}{6}\right)$ $\left(\frac{5}{9}\right)$ $\left(\frac{7}{18}\right)$ $\left(\frac{17}{18}\right)$

★연습 문제

3. 계산하여 대분수로 나타내어 보세요. 그리고 정답을 애벌레에서 찾아 ○표 해 보세요.

3) $\frac{4}{5} + \frac{4}{15}$
$= \frac{12}{15} + \frac{4}{15}$
$= \frac{16}{15} = 1\frac{1}{15}$

4) $\frac{7}{8} + \frac{1}{2}$
$= \frac{7}{8} + \frac{4}{8}$
$= \frac{11}{8} = 1\frac{3}{8}$

$\frac{2}{3} + \frac{7}{9}$
$= \frac{6}{9} + \frac{7}{9}$
$= \frac{13}{9} = 1\frac{4}{9}$

4. 아래 글을 읽고 알맞은 식을 세워 답을 구한 후, 정답을 애벌레에서 찾아 ○표 해 보세요.

❶ 카이는 피자의 $\frac{3}{6}$을, 테сну는 $\frac{2}{3}$를 먹었어요. 둘이 먹은 피자의 양은 모두 얼마일까요?
식: $\frac{3}{6} + \frac{2}{3}$
$= \frac{3}{6} + \frac{4}{6} = 1\frac{1}{6}$
정답: $1\frac{1}{6}$

❷ 피자의 $\frac{7}{10}$이 남았는데, 헨리가 $\frac{3}{5}$를 먹었어요. 남은 피자의 양은 얼마일까요?
식: $\frac{7}{10} - \frac{3}{5}$
$= \frac{7}{10} - \frac{6}{10} = \frac{1}{10}$
정답: $\frac{1}{10}$

❸ 파티에 케이크가 3개 있어요. 손님들이 각 케이크의 $\frac{4}{5}$를 먹었어요. 먹은 케이크의 양은 모두 얼마일까요?
식: $\frac{4}{5} + \frac{4}{5} + \frac{4}{5}$
$= \frac{12}{5} = 2\frac{2}{5}$
정답: $2\frac{2}{5}$

❹ 알렉 가족은 피자 3판을 샀어요. 각 피자의 $\frac{1}{3}$이 남았다면 알렉 가족이 먹은 피자의 양은 모두 얼마일까요?
식: $\frac{2}{3} + \frac{2}{3} + \frac{2}{3}$
$= \frac{6}{3} = 2$
정답: 2

더 생각해 보아요!

오른쪽 그림에서 작은 정육면체는 모두 몇 개일까요?
16개

$\left(\frac{1}{10}\right)$ $\left(\frac{1}{6}\right)$ $\left(\frac{3}{8}\right)$ $\left(\frac{4}{9}\right)$ $\left(\frac{1}{12}\right)$
$\left(1\frac{4}{15}\right)$ $\left(2\right)$ $\left(2\frac{2}{5}\right)$ $\left(2\frac{1}{2}\right)$

50-51쪽

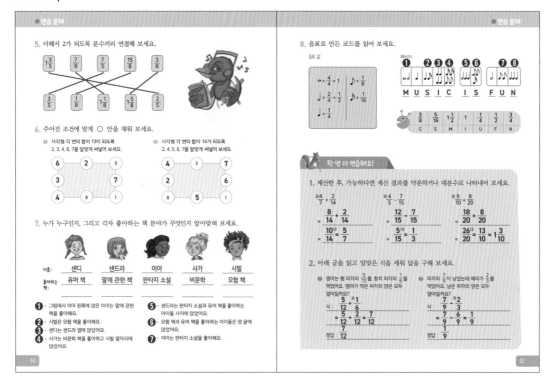

★ 연습 문제

5. 더해서 2가 되도록 분수끼리 연결해 보세요.

$1\frac{3}{5}$ $\frac{7}{8}$ $\frac{7}{5}$ $\frac{15}{8}$ $\frac{3}{8}$

$\frac{3}{5}$ $\frac{1}{8}$ $1\frac{1}{8}$ $5\frac{1}{8}$ $\frac{2}{5}$

6. 주어진 조건에 맞게 ◯ 안을 채워 보세요.

① 사각형 각 변의 합이 13이 되도록 2, 3, 4, 6, 7을 알맞게 써넣어 보세요.

6 2 5
3   7
4 8 1

② 사각형 각 변의 합이 14가 되도록 2, 4, 5, 6, 7을 알맞게 써넣어 보세요.

4 3 7
2   6
8 5 1

7. 누가 누구인지, 그리고 각자 좋아하는 책 분야가 무엇인지 알아맞혀 보세요.

이름:	샌디	샌드라	미아	사가	시빌
좋아하는 책:	유머 책	말에 관한 책	판타지 소설	비문학	모험 책

① 그림에서 미아 왼쪽에 앉은 아이는 말에 관한 책을 좋아해요.
② 시빌은 모험 책을 좋아해요.
③ 샌디는 샌드라 옆에 앉았어요.
④ 사가는 비문학 책을 좋아하고 시빌 옆자리에 앉았어요.
⑤ 샌드라는 판타지 소설과 유머 책을 좋아하는 아이들 사이에 앉았어요.
⑥ 모험 책과 유머 책을 좋아하는 아이들은 양 끝에 앉았어요.
⑦ 미아는 판타지 소설을 좋아해요.

★ 연습 문제

8. 음표로 만든 코드를 읽어 보세요.

음표 값

$\circ = \frac{4}{4} = 1$ $\flat = \frac{1}{8}$
$\flat = \frac{2}{4} = \frac{1}{2}$ $\flat = \frac{1}{16}$
$\flat = \frac{1}{4}$

메시지

❶ ❷❸❹❺ ❺❻ ❼❽
M U S I C I S F U N

$\frac{3}{8}$	$\frac{5}{16}$	$1\frac{1}{2}$	1	$\frac{1}{4}$	1	$\frac{3}{4}$
C	S	M	I	U	F	N

★ 한 번 더 연습해요!

1. 계산한 후, 가능하다면 계산 결과를 약분하거나 대분수로 나타내어 보세요.

① $\frac{^{2)}4}{7} + \frac{2}{14}$
$= \frac{8}{14} + \frac{2}{14}$
$= \frac{10^{(2}}{14} = \frac{5}{7}$

② $\frac{4}{5} - \frac{7}{15}$
$= \frac{12}{15} - \frac{7}{15}$
$= \frac{5^{(5}}{15} = \frac{1}{3}$

③ $\frac{^{2)}9}{10} + \frac{8}{20}$
$= \frac{18}{20} + \frac{8}{20}$
$= \frac{26^{(2}}{20} = \frac{13}{10} = 1\frac{3}{10}$

2. 아래 글을 읽고 알맞은 식을 세워 답을 구해 보세요.

① 엠마는 햄 피자의 $\frac{5}{12}$를 참치 피자의 $\frac{2}{6}$를 먹었어요. 엠마가 먹은 피자의 양은 모두 얼마일까요?

식: $\frac{5}{12} + \frac{^{2)}1}{6}$
$= \frac{5}{12} + \frac{2}{12}$
$= \frac{7}{12}$

정답: $\frac{7}{12}$

② 피자의 $\frac{7}{9}$이 남았는데 메리가 $\frac{2}{3}$를 먹었어요. 남은 피자의 양은 모두 얼마일까요?

식: $\frac{7}{9} - \frac{^{3)}2}{3}$
$= \frac{7}{9} - \frac{6}{9} = \frac{1}{9}$

정답: $\frac{1}{9}$

51쪽 8번

❶ $1 + \frac{1}{2} = 1\frac{1}{2}$

❷ $\frac{^{4)}1}{4} + \frac{1}{16} = \frac{4}{16} + \frac{1}{16} = \frac{5}{16}$

❸ $\frac{1}{4} + \frac{1}{4} + \frac{1}{4} + \frac{1}{4} = \frac{4}{4} = 1$

❹ $\frac{1}{16} + \frac{1}{16} + \frac{^{2)}1}{8} + \frac{^{2)}1}{8} = \frac{2}{16} + \frac{2}{16} + \frac{2}{16} = \frac{6^{(2}}{16} = \frac{3}{8}$

❺ $\frac{2}{4} + \frac{1}{4} + \frac{1}{4} = \frac{4}{4} = 1$

❻ $\frac{1}{8} + \frac{1}{8} + \frac{1}{16} = \frac{^{2)}2}{8} + \frac{1}{16} = \frac{4}{16} + \frac{1}{16} = \frac{5}{16}$

❼ $\frac{1}{8} + \frac{1}{8} = \frac{2^{(2}}{8} = \frac{1}{4}$

❽ $\frac{1}{4} + \frac{1}{4} + \frac{1}{4} = \frac{3}{4}$

MUSIC IS FUN.
(음악은 재미있어요.)

MEMO

50쪽 7번

		미아		
모험 또는 유머 책		판타지 소설		모험 또는 유머 책

⑥ 모험 책과 유머 책을 좋아하는 아이들은 양 끝에 앉았어요.
⑤ 샌드라는 판타지 소설과 유머 책을 좋아하는 아이들 사이에 앉았어요.→양 끝에 모험 책과 유머 책을 좋아하는 아이들이 앉았으므로 가운데는 판타지 소설이에요.
⑦ 미아는 판타지 소설을 좋아해요.

		미아	사가	시빌
유머 책	말에 관한 책	판타지 소설	비문학	모험 책

① 그림에서 미아 왼쪽에 앉은 아이는 말에 관한 책을 좋아해요.
④ 사가는 비문학 책을 좋아하고 시빌 옆자리에 앉았어요.→남은 책 종류는 비문학뿐이므로 4번째 칸은 비문학이에요.
② 시빌은 모험 책을 좋아해요. 제일 끝 칸은 시빌이며 책 종류는 모험 책이며, 자연스럽게 첫째 칸은 유머 책이에요.

샌디	샌드라	미아	사가	시빌
유머 책	말에 관한 책	판타지 소설	비문학	모험 책

⑤ 샌드라는 판타지 소설과 유머 책을 좋아하는 아이들 사이에 앉았어요.
④ 샌디는 샌드라 옆에 앉았어요.

52-53쪽

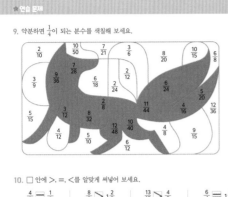

9. 약분하면 $\frac{1}{4}$이 되는 분수를 색칠해 보세요.

(여우 그림에 색칠)

10. □ 안에 >, =, <를 알맞게 써넣어 보세요.

$\frac{4}{8} = \frac{1}{2}$ 　　$\frac{8}{5} > \frac{2}{5}$ 　　$\frac{13}{15} > \frac{4}{5}$ 　　$\frac{6}{4} = 1\frac{1}{2}$

$\frac{6}{10} > \frac{2}{5}$ 　　$\frac{13}{3} > 4$ 　　$\frac{5}{12} < \frac{2}{3}$ 　　$\frac{14}{6} = 2\frac{1}{3}$

$\frac{9}{15} < \frac{4}{5}$ 　　$\frac{19}{6} > 3\frac{5}{6}$ 　　$\frac{9}{16} < \frac{4}{3}$ 　　$\frac{25}{5} > \frac{4}{5}$

11. 규칙에 따라 빈칸에 알맞은 수를 써넣어 보세요.

$\frac{1}{3}$	$\frac{2}{3}$	1	$1\frac{1}{3}$	$1\frac{2}{3}$	2	$2\frac{1}{3}$	$2\frac{2}{3}$	3	$3\frac{1}{3}$
$1\frac{1}{4}$	$1\frac{1}{2}$	$1\frac{3}{4}$	2	$2\frac{1}{4}$	$2\frac{1}{2}$	$2\frac{3}{4}$	3	$3\frac{1}{4}$	$3\frac{1}{2}$
$1\frac{3}{5}$	2	$2\frac{2}{5}$	$2\frac{4}{5}$	$3\frac{1}{5}$	$3\frac{3}{5}$	4	$4\frac{2}{5}$	$4\frac{4}{5}$	$5\frac{1}{5}$

12. 삼각형 각 변의 합이 주어진 수가 되도록 1, 2, 3, 4, 5, 6을 빈칸에 알맞게 써넣어 보세요.

❶ 각 변의 합은 11
(6 / 1 3 / 4 5 2)

❷ 각 변의 합은 12
(6 / 2 1 / 4 3 5)

13. 합이 $\frac{8}{10}$이고, 차가 $\frac{2}{5}$인 두 수는 무엇일까요?

$\frac{6}{10}$, $\frac{2}{10}$ 또는 $\frac{3}{5}$, $\frac{1}{5}$

한 번 더 연습해요!

1. 계산하여 대분수로 나타내어 보세요.

$\frac{6}{7} + \frac{3}{7} = \frac{9}{7} = 1\frac{2}{7}$ 　　$\frac{9}{10} + \frac{8}{10} = \frac{17}{10} = 1\frac{7}{10}$

$\frac{11}{5} - \frac{2}{5} = \frac{9}{5} = 1\frac{4}{5}$ 　　$\frac{17}{10} - \frac{4}{10} = \frac{13}{10} = 1\frac{3}{10}$

2. 계산하여 대분수로 나타내어 보세요.

$\frac{3}{12} + \frac{2)5}{6}$

$= \frac{3}{12} + \frac{10}{12}$

$= \frac{13}{12} = 1\frac{1}{12}$

$\frac{13}{8} - \frac{2)1}{4}$

$= \frac{13}{8} - \frac{2}{8}$

$= \frac{11}{8} = 1\frac{3}{8}$

53쪽 13번

$\frac{8}{10}$과 $\frac{2}{5}$를 통분하면 $\frac{8}{10}$과 $\frac{4}{10}$예요.

분모는 같으므로, 분자의 합이 더해서 8인 수를 살펴봐요.

1과 7, 2와 6, 3과 5 가운데 차가 2인 수는 2와 6이므로 답은 $\frac{6}{10}$과 $\frac{2}{10}$ 또는 $\frac{3}{5}$과 $\frac{1}{5}$

54-55쪽

실력을 평가해 봐요!

＿월 ＿일 ＿요일

1. 아래 설명이 나타내는 대분수를 빈칸에 써넣고 그림으로 나타내어 보세요.

❶ 전체 1개와 절반
$1\frac{1}{2}$

❷ 전체 2개와 3분의 1
$2\frac{1}{3}$

❸ 전체 1개와 4분의 3
$1\frac{3}{4}$

2. 그림을 보고 가분수와 대분수로 나타내어 보세요.

$\frac{6}{5} = 1\frac{1}{5}$ 　　$\frac{11}{8} = 1\frac{3}{8}$ 　　$\frac{5}{2} = 2\frac{1}{2}$

3. 아래 분수를 자연수나 대분수로 나타내어 보세요.

$\frac{4}{4} = 1$ 　　$\frac{10}{2} = 5$ 　　$\frac{8}{5} = 1\frac{3}{5}$ 　　$\frac{9}{4} = 2\frac{1}{4}$

4. 계산하여 자연수나 대분수로 나타내어 보세요.

$\frac{6}{7} + \frac{4}{7} = \frac{10}{7} = 1\frac{3}{7}$ 　　$\frac{9}{7} + \frac{5}{7} = \frac{14}{7} = 2$

$\frac{11}{6} - \frac{4}{6} = \frac{7}{6} = 1\frac{1}{6}$ 　　$\frac{13}{5} - \frac{2}{5} = \frac{11}{5} = 2\frac{1}{5}$

5. 약분과 통분을 해 보세요.

$\frac{6}{10} = \frac{3}{5}$ 　　$\frac{5}{15} = \frac{1}{3}$ 　　$\frac{6}{21} = \frac{2}{7}$ 　　$\frac{12}{20} = \frac{3}{5}$

$\frac{5}{7} = \frac{10}{14}$ 　　$\frac{2}{5} = \frac{6}{15}$ 　　$\frac{5}{6} = \frac{20}{24}$ 　　$\frac{3}{4} = \frac{15}{20}$

6. 계산한 후, 약분이 가능하다면 약분해 보세요.

$\frac{2)1}{2} + \frac{1}{4}$
$= \frac{2}{4} + \frac{1}{4}$
$= \frac{3}{4}$

$\frac{1}{15} + \frac{3)3}{5}$
$= \frac{1}{15} + \frac{9}{15}$
$= \frac{10)^5}{15} = \frac{2}{3}$

$\frac{3}{20} + \frac{5)3}{4}$
$= \frac{3}{20} + \frac{15}{20}$
$= \frac{18^{(2)}}{20} = \frac{9}{10}$

$\frac{7}{10} - \frac{2)1}{5}$
$= \frac{7}{10} - \frac{2}{10}$
$= \frac{5)^5}{10} = \frac{1}{2}$

$\frac{11}{12} - \frac{4)2}{3}$
$= \frac{11}{12} - \frac{8}{12}$
$= \frac{3^{(3)}}{12} = \frac{1}{4}$

$\frac{7}{16} - \frac{4)1}{4}$
$= \frac{7}{16} - \frac{4}{16}$
$= \frac{3}{16}$

7. 아래 글을 읽고 알맞은 식을 세워 답을 구해 보세요.

❶ 에디는 초콜릿 바의 $\frac{2}{5}$를 먹었고, 에이브는 $\frac{3}{10}$를 먹었어요. 두 사람이 먹은 초콜릿 바의 양은 모두 얼마일까요?

식 : $\frac{2)2}{5} + \frac{3}{10}$
$= \frac{4}{10} + \frac{3}{10} = \frac{7}{10}$

정답 : $\frac{7}{10}$

❷ 초콜릿 바의 $\frac{7}{9}$가 남았는데 머시가 $\frac{1}{3}$을 먹었어요. 남은 초콜릿 바의 양은 얼마일까요?

식 : $\frac{7}{9} - \frac{3)1}{3}$
$= \frac{7}{9} - \frac{3}{9} = \frac{4}{9}$

정답 : $\frac{4}{9}$

얼마나 잘했나요?

실력이 자란 만큼 별을 색칠하세요.

★★★ 정말 잘했어요.
★★☆ 꽤 잘했어요.
★☆☆ 앞으로 더 노력할게요.

13

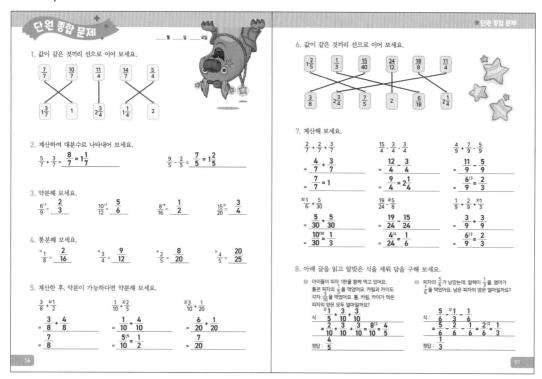

56-57쪽

단원 종합 문제

_____월 _____일 요일

1. 값이 같은 것끼리 선으로 이어 보세요.

$\frac{7}{7}$ $\frac{10}{7}$ $\frac{11}{4}$ $\frac{14}{7}$ $\frac{5}{4}$

$1\frac{3}{7}$ 1 $2\frac{3}{4}$ $1\frac{1}{4}$ 2

2. 계산하여 대분수로 나타내어 보세요.

$\frac{5}{7} + \frac{3}{7} = \frac{8}{7} = 1\frac{1}{7}$

$\frac{9}{5} - \frac{2}{5} = \frac{7}{5} = 1\frac{2}{5}$

3. 약분해 보세요.

$\frac{6^{(3}}{9} = \frac{2}{3}$ $\frac{10^{(2}}{12} = \frac{5}{6}$ $\frac{8^{(8}}{16} = \frac{1}{2}$ $\frac{15^{(5}}{20} = \frac{3}{4}$

4. 통분해 보세요.

$\frac{1^{2)}}{8} = \frac{2}{16}$ $\frac{3^{3)}}{4} = \frac{9}{12}$ $\frac{2^{4)}}{5} = \frac{8}{20}$ $\frac{4^{5)}}{5} = \frac{20}{25}$

5. 계산한 후, 약분이 가능하다면 약분해 보세요.

$\frac{3}{8} + \frac{4)1}{2}$
$= \frac{3}{8} + \frac{4}{8}$
$= \frac{7}{8}$

$\frac{1}{10} + \frac{2)2}{5}$
$= \frac{1}{10} + \frac{4}{10}$
$= \frac{5^{(5}}{10} = \frac{1}{2}$

$\frac{2)3}{10} + \frac{1}{20}$
$= \frac{6}{20} + \frac{1}{20}$
$= \frac{7}{20}$

56

★ 단원 종합 문제

6. 값이 같은 것끼리 선으로 이어 보세요.

$1\frac{2}{5}$ $\frac{1}{5}$ $\frac{15}{40}$ $\frac{24}{12}$ $\frac{18}{8}$ $\frac{11}{4}$

$\frac{3}{8}$ $2\frac{3}{4}$ $\frac{7}{5}$ 2 $\frac{6}{18}$ $2\frac{1}{4}$

7. 계산해 보세요.

$\frac{2}{7} + \frac{2}{7} + \frac{3}{7}$
$= \frac{4}{7} + \frac{3}{7}$
$= \frac{7}{7} = 1$

$\frac{15}{4} - \frac{3}{4} - \frac{3}{4}$
$= \frac{12}{4} - \frac{3}{4}$
$= \frac{9}{4} = 2\frac{1}{4}$

$\frac{4}{9} + \frac{7}{9} - \frac{5}{9}$
$= \frac{11}{9} - \frac{5}{9}$
$= \frac{6^{(3}}{9} = \frac{2}{3}$

$\frac{5)1}{6} + \frac{5}{30}$
$= \frac{5}{30} + \frac{5}{30}$
$= \frac{10^{(10}}{30} = \frac{1}{3}$

$\frac{19}{24} - \frac{3)5}{8}$
$= \frac{19}{24} - \frac{15}{24}$
$= \frac{4^{(4}}{24} = \frac{1}{6}$

$\frac{1}{9} + \frac{2}{9} + \frac{3)1}{3}$
$= \frac{3}{9} + \frac{3}{9}$
$= \frac{6^{(3}}{9} = \frac{2}{3}$

8. 아래 글을 읽고 알맞은 식을 세워 답을 구해 보세요.

❶ 아이들이 피자 1판을 함께 먹고 있어요. 톰은 피자의 $\frac{2}{5}$을 먹었어요. 카림과 카이도 각자 $\frac{1}{10}$을 먹었어요. 톰, 카림, 카이가 먹은 피자의 양은 모두 얼마일까요?

식: $\frac{5}{10} + \frac{10}{10} + \frac{3}{10}$
$= \frac{2}{10} + \frac{3}{10}$
$= \frac{2}{10} + \frac{10}{10} = \frac{8^{(2}}{10} = \frac{4}{5}$

정답: $\frac{4}{5}$

❷ 피자의 $\frac{5}{6}$가 남았는데, 알렉이 $\frac{1}{3}$을, 엠마가 $\frac{1}{6}$을 먹었어요. 남은 피자의 양은 얼마일까요?

식: $\frac{5}{6} - \frac{2)1}{3} - \frac{1}{6}$
$= \frac{5}{6} - \frac{2}{6} - \frac{1}{6}$
$= \frac{5}{6} - \frac{2}{6} = \frac{2^{(2}}{6} = \frac{1}{3}$

정답: $\frac{1}{3}$

57

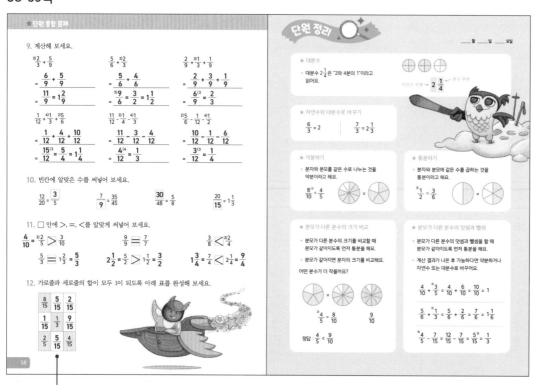

58-59쪽

★ 단원 종합 문제

9. 계산해 보세요.

$\frac{3)2}{3} + \frac{5}{9}$
$= \frac{6}{9} + \frac{5}{9}$
$= \frac{11}{9} = 1\frac{2}{9}$

$\frac{5}{6} + \frac{2)2}{3}$
$= \frac{5}{6} + \frac{4}{6}$
$= \frac{3)9}{6} = \frac{3}{2} = 1\frac{1}{2}$

$\frac{2}{9} + \frac{3)1}{3} + \frac{1}{9}$
$= \frac{2}{9} + \frac{3}{9} + \frac{1}{9}$
$= \frac{6^{(3}}{9} = \frac{2}{3}$

$\frac{3)1}{12} + \frac{4)1}{3} + \frac{2)5}{6}$
$= \frac{1}{12} + \frac{4}{12} + \frac{10}{12}$
$= \frac{15^{(3}}{12} = \frac{5}{4} = 1\frac{1}{4}$

$\frac{11}{12} - \frac{4)1}{4} - \frac{2)1}{3}$
$= \frac{11}{12} - \frac{3}{12} - \frac{4}{12}$
$= \frac{4^{(4}}{12} = \frac{1}{3}$

$\frac{2)5}{6} - \frac{1}{12} - \frac{1}{2}$
$= \frac{10}{12} - \frac{1}{12} - \frac{6}{12}$
$= \frac{3^{(3}}{12} = \frac{1}{4}$

10. 빈칸에 알맞은 수를 써넣어 보세요.

$\frac{12}{20} = \frac{3}{5}$ $\frac{7}{9} = \frac{35}{45}$ $\frac{30}{48} = \frac{5}{8}$ $\frac{20}{15} = 1\frac{1}{3}$

11. □ 안에 >, =, <를 알맞게 써넣어 보세요.

$\frac{4}{10} = \frac{2)2}{5}$ $\boxed{>}$ $\frac{9}{10}$

$\frac{9}{9} = \frac{7}{7}$

$\frac{3}{8}$ $\boxed{<}$ $\frac{2)1}{4}$

$\frac{5}{3} = 1\frac{2}{3} = \frac{5}{3}$

$2\frac{1}{2} = \frac{5}{2}$ $\boxed{>}$ $1\frac{1}{2} = \frac{3}{2}$

$1\frac{3}{4} = \frac{7}{4}$ $\boxed{<}$ $2\frac{1}{4} = \frac{9}{4}$

12. 가로줄과 세로줄의 합이 모두 1이 되도록 아래 표를 완성해 보세요.

$\frac{8}{15}$	$\frac{5}{15}$	$\frac{2}{15}$
$\frac{1}{15}$	$\frac{1}{15}$	$\frac{9}{15}$
$\frac{2}{5}$	$\frac{5}{15}$	$\frac{4}{15}$

$\frac{5^{(5}}{15} = \frac{1}{3}$, $\frac{9^{(3}}{15} = \frac{3}{5}$ 으로도 쓸 수 있어요.

58

단원 정리

_____월 _____일 요일

★ 대분수

· 대분수 $2\frac{1}{4}$은 "2와 4분의 1"이라고 읽어요.

자연수 부분 2 $\frac{1}{4}$ 분수 부분

★ 자연수와 대분수로 바꾸기

$\frac{6}{3} = 2$ | $\frac{7}{3} = 2\frac{1}{3}$

★ 약분하기

· 분자와 분모를 같은 수로 나누는 것을 약분이라고 해요.

$\frac{8^{(2}}{10} = \frac{4}{5}$ =

★ 통분하기

· 분자와 분모에 같은 수를 곱하는 것을 통분이라고 해요.

$\frac{3)1}{2} = \frac{3}{6}$ =

★ 분모가 다른 분수의 크기 비교

· 분모가 다른 분수의 크기를 비교할 때 분모가 같아지도록 먼저 통분을 해요.

· 분모가 같아지면 분자의 크기를 비교해요. 어떤 분수가 더 작을까요?

$\frac{2)4}{5} = \frac{8}{10}$ =

$\frac{9}{10}$

정답 : $\frac{4}{5} < \frac{9}{10}$

★ 분모가 다른 분수의 덧셈과 뺄셈

· 분모가 다른 분수의 덧셈과 뺄셈을 할 때 분모가 같아지도록 먼저 통분을 해요.

· 계산 결과가 나온 후 가능하다면 약분하거나 자연수 또는 대분수로 바꾸어요.

$\frac{4}{10} + \frac{2)3}{5} = \frac{4}{10} + \frac{6}{10} = \frac{10}{10} = 1$

$\frac{5}{6} + \frac{2)1}{3} = \frac{5}{6} + \frac{2}{6} = \frac{7}{6} = 1\frac{1}{6}$

$\frac{3)4}{5} - \frac{7}{15} = \frac{12}{15} - \frac{7}{15} = \frac{5^{(5}}{15} = \frac{1}{3}$

59

60-61쪽

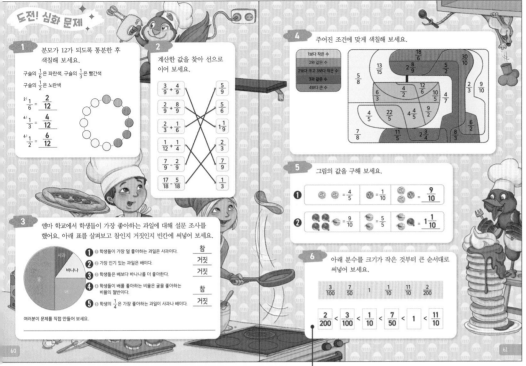

도전! 심화 문제

1 분모가 12가 되도록 통분한 후 색칠해 보세요.

구슬의 $\frac{1}{6}$은 파란색, 구슬의 $\frac{1}{3}$은 빨간색

구슬의 $\frac{1}{2}$은 노란색

2) $\frac{1}{6} = \frac{2}{12}$

4) $\frac{1}{3} = \frac{4}{12}$

6) $\frac{1}{2} = \frac{6}{12}$

2 계산한 값을 찾아 선으로 이어 보세요.

$\frac{3}{9} + \frac{4}{9}$ — $\frac{5}{9}$

$\frac{2}{9} + \frac{8}{9}$ — $\frac{5}{6}$

$\frac{2}{3} + \frac{1}{6}$ — $1\frac{1}{9}$

$\frac{1}{12} + \frac{1}{4}$ — $\frac{2}{3}$

$\frac{7}{9} - \frac{2}{9}$ — $\frac{7}{9}$

$\frac{17}{18} - \frac{5}{18}$ — $\frac{1}{3}$

3 엠마 학교에서 학생들이 가장 좋아하는 과일에 대해 설문 조사를 했어요. 아래 표를 살펴보고 참인지 거짓인지 빈칸에 써넣어 보세요.

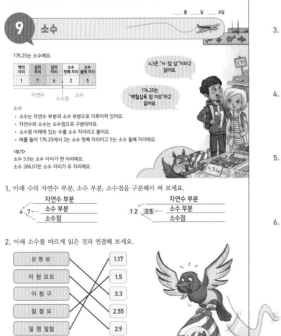

❶ 학생이 가장 덜 좋아하는 과일은 사과이다. — **참**

❷ 가장 인기 있는 과일은 배이다. — **거짓**

❸ 학생들은 배보다 바나나를 더 좋아한다. — **거짓**

❹ 학생들이 배를 좋아하는 비율은 귤을 좋아하는 비율의 절반이다. — **참**

❺ 학생의 $\frac{1}{4}$은 가장 좋아하는 과일이 사과나 배이다. — **거짓**

여러분이 문제를 직접 만들어 보세요.

4 주어진 조건에 맞게 색칠해 보세요.

1보다 작은 수
2와 같은 수
2보다 크고 3보다 작은 수
3과 같은 수
4보다 큰 수

$\frac{18}{2}$ $\frac{30}{10}$
$\frac{13}{15}$ $\frac{8}{9}$ $\frac{5}{2}$
$\frac{5}{8}$ $\frac{6}{2}$ $\frac{12}{6}$ $\frac{9}{10}$
$\frac{6}{3}$ $\frac{4}{2}$ $\frac{2}{3}$
$\frac{4}{5}$ $\frac{22}{5}$ $4\frac{4}{8}$ $\frac{9}{2}$
$\frac{7}{8}$ $\frac{11}{5}$ $\frac{7}{4}$
$\frac{8}{3}$ $\frac{6}{2}$

5 그림의 값을 구해 보세요.

❶ = $\frac{4}{5}$ = $\frac{1}{10}$ = $\frac{9}{10}$

❷ = $\frac{9}{10}$ = $\frac{5}{5}$ = $1\frac{1}{10}$

6 아래 분수를 크기가 작은 것부터 큰 순서대로 써넣어 보세요.

$\frac{3}{100}$ $\frac{7}{50}$ $\frac{1}{10}$ $\frac{1}{10}$ $\frac{110}{100}$ $\frac{2}{200}$

$\frac{2}{200} < \frac{3}{100} < \frac{1}{10} < \frac{7}{50} < 1 < \frac{11}{10}$

$\frac{2}{200}$를 약분하여 $\frac{1}{100}$로 만든 후, 분모를 100으로 통분해요.

$\frac{3}{100}, \frac{14}{100}, \frac{100}{100}, \frac{10}{100}, \frac{110}{100}, \frac{1}{100}$

이후 작은 것부터 큰 순서대로 배열해요.

60쪽 3번

❷ 가장 인기 있는 과일은 귤이에요.

❸ 학생들은 바나나보다 배를 더 좋아해요.

❺ 학생의 $\frac{1}{4}$은 가장 좋아하는 과일이 배예요.

61쪽 5번

❶ 2) $\frac{4}{5} + \frac{1}{10} = \frac{8}{10} + \frac{1}{10} = \frac{9}{10}$

❷ = $\frac{5}{5}$, 를 구하기 위해 분모를 10으로 통분하면 $\frac{10}{10}$,

= $\frac{5}{10}$

= $\frac{9}{10}$,

= $\frac{9}{10} - \frac{5}{10}$, = $\frac{4}{10}$

= $\frac{1}{10}$

= 2) $\frac{5}{5} + \frac{1}{10} = \frac{10}{10} + \frac{1}{10}$

= $\frac{11}{10} = 1\frac{1}{10}$

62-63쪽

9 소수

176.25는 소수예요.

백의 자리	십의 자리	일의 자리	소수 첫째 자리	소수 둘째 자리
1	7	6	2	5

자연수   소수점   소수

4.3은 "사 점 삼"이라고 읽어요.

176.25는 "백칠십육 점 이오"라고 읽어요.

소수

- 소수는 자연수 부분과 소수 부분으로 이루어져 있어요.
- 자연수와 소수는 소수점으로 구분되어요.
- 소수점 아래에 있는 수를 소수 자리라고 불러요.
- 예를 들어 176.25에서 2는 소수 첫째 자리이고 5는 소수 둘째 자리예요.

〈보기〉
소수 5.9는 소수 자리가 한 자리예요.
소수 286.07은 소수 자리가 두 자리예요.

1. 아래 수의 자연수 부분, 소수 부분, 소수점을 구분해서 써 보세요.

4 . 7 ──자연수 부분, 소수 부분, 소수점

12 . 35 ──자연수 부분, 소수 부분, 소수점

2. 아래 소수를 바르게 읽은 것과 연결해 보세요.

삼 점 삼 — 1.17
이 점 오오 — 1.5
이 점 구 — 3.3
일 점 오 — 2.55
일 점 일칠 — 2.9

3. 소수점을 바르게 찍어 보세요.

❶ 일 점 삼 — 1.3

❷ 이십이 점 육 — 2 2.6

❸ 칠 점 일오 — 7.1 5

❹ 삼십 점 영일 — 3 0.0 1

4. 아래 설명대로 색칠해 보세요.

❶ 십의 자리는 빨간색
❷ 일의 자리는 노란색
❸ 소수 첫째 자리는 초록색
❹ 소수 둘째 자리는 파란색

35.28

5. 소수점 아래 자리가 몇 개 있는지 빈칸에 써 보세요.

136.93 **2개**   2.77 **2개**

275.3 **1개**   13.19 **2개**

61.6 **1개**   444.2 **1개**

6. 조건을 만족하는 소수를 빈칸에 써넣어 보세요.

❶ 5.5보다 1 큰 수 — **6.5**

❷ 11.7보다 1 작은 수 — **10.7**

❸ 3.4보다 0.2 큰 수 — **3.6**

❹ 18.9보다 0.5 작은 수 — **18.4**

❺ 9.18보다 0.03 작은 수 — **9.15**

❻ 41.10보다 0.06 큰 수 — **41.16**

더 생각해 보아요!

나는 어떤 소수일까요? 나는 두 자리 수이고 모든 자리 숫자가 짝수예요. 나는 1보다 크지만 3보다 작고, 각 자리 숫자의 차는 6이에요. 나는 어떤 수일까요?

2.8

부모님 가이드 | 62쪽

0보다 크고 1보다 작은 수를 소수(小 작을 소, 數 셈 수)라고 해요.

소수는 자연수 부분과 소수 부분으로 이루어져 있어요. 자연수는 우리가 읽는 방식으로 읽고, 소수 부분은 자리 수마다 그대로 읽어요.

예를 들어, 176.25는 "백칠십육 점 이오"라고 읽어요.

더 생각해 보아요! | 63쪽

1<□.□<3이며, 모든 자리 숫자가 짝수인 소수를 살펴봐요.
2.2, 2.4, 2.6, 2.8
이 가운데 각 자리 숫자의 차가 6인 소수는 2.8이에요.

64-65쪽

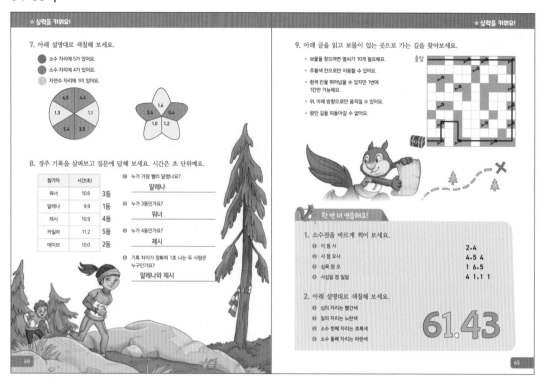

★실력을 키워요!

7. 아래 설명대로 색칠해 보세요.

- 소수 자리에 5가 있어요.
- 소수 자리에 4가 있어요.
- 자연수 자리에 1이 있어요.

8. 경주 기록을 살펴보고 질문에 답해 보세요. 시간은 초 단위예요.

참가자	시간(초)	
워너	10.6	3등
알레나	9.9	1등
제시	10.9	4등
카일라	11.2	5등
에이브	10.0	2등

❶ 누가 가장 빨리 달렸나요?
  알레나

❷ 누가 3등인가요?
  워너

❸ 누가 4등인가요?
  제시

❹ 기록 차이가 정확히 1초 나는 두 사람은 누구인가요?
  알레나와 제시

★실력을 키워요!

9. 아래 글을 읽고 보물이 있는 곳으로 가는 길을 찾아보세요.

- 보물을 찾으려면 열쇠가 10개 필요해요.
- 주황색 칸으로만 이동할 수 있어요.
- 흰색 칸을 뛰어넘을 수 있지만 1번에 1칸만 가능해요.
- 위, 아래 방향으로만 움직일 수 있어요.
- 왔던 길을 되돌아갈 수 없어요.

한 번 더 연습해요!

1. 소수점을 바르게 찍어 보세요.
❶ 이 점 사   2.4
❷ 사 점 오사   4.54
❸ 십육 점 오   16.5
❹ 사십일 점 일일   41.11

2. 아래 설명대로 색칠해 보세요.
❶ 십의 자리는 빨간색
❷ 일의 자리는 노란색
❸ 소수 첫째 자리는 초록색
❹ 소수 둘째 자리는 파란색

61.43

66-67쪽

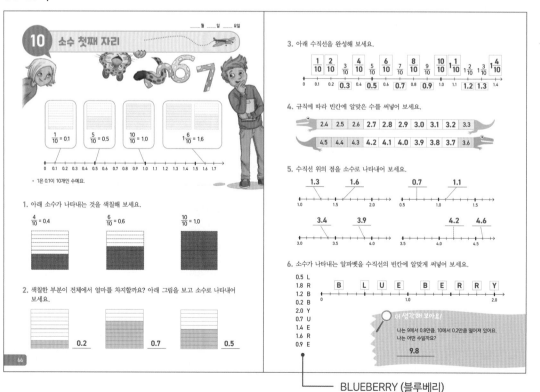

10 소수 첫째 자리

$\frac{1}{10} = 0.1$ $\frac{5}{10} = 0.5$ $\frac{10}{10} = 1.0$ $\frac{1 \ 6}{10} = 1.6$

• 1은 0.1이 10개인 수예요.

1. 아래 소수가 나타내는 것을 색칠해 보세요.

$\frac{4}{10} = 0.4$ $\frac{6}{10} = 0.6$ $\frac{10}{10} = 1.0$

2. 색칠한 부분이 전체에서 얼마를 차지할까요? 아래 그림을 보고 소수로 나타내어 보세요.

0.2   0.7   0.5

3. 아래 수직선을 완성해 보세요.

$\frac{1}{10}$ $\frac{2}{10}$ $\frac{3}{10}$ $\frac{4}{10}$ $\frac{5}{10}$ $\frac{6}{10}$ $\frac{7}{10}$ $\frac{8}{10}$ $\frac{9}{10}$ $\frac{10}{10}$ $\frac{1}{10}$ $\frac{1}{10}$ $\frac{1}{10}$ $\frac{4}{10}$

0   0.1 0.2 **0.3** **0.5** **0.7** **0.9** 1.1 **1.2** **1.3** 1.4

4. 규칙에 따라 빈칸에 알맞은 수를 써넣어 보세요.

| 2.4 | 2.5 | 2.6 | 2.7 | 2.8 | 2.9 | 3.0 | 3.1 | 3.2 | 3.3 |
| 4.5 | 4.4 | 4.3 | 4.2 | 4.1 | 4.0 | 3.9 | 3.8 | 3.7 | 3.6 |

5. 수직선 위의 점을 소수로 나타내어 보세요.

1.3 1.6   0.7 1.1
3.4 3.9   4.2 4.6

6. 소수가 나타내는 알파벳을 수직선의 빈칸에 알맞게 써넣어 보세요.

0.5 L
1.8 R
1.2 B
0.2 B
2.0 Y
0.7 U
1.4 E
1.6 R
0.9 E

B L U E   B E R R Y
0   1.0   2.0

더 생각해 보아요!
나는 9에서 0.8만큼, 10에서 0.2만큼 떨어져 있어요.
나는 어떤 수일까요?
9.8

— BLUEBERRY (블루베리)

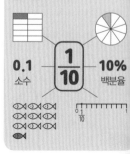

부모님 가이드 | 66쪽

소수는 십진 분수라고 부르기도 해요. 소수를 분모로 나타낼 때, 분모가 10, 100, 1000 등 10의 배수이기 때문이에요. 반대로 십진 분수를 소수로 나타내면 통분이나 약분을 안 하고 자릿값에 따라 계산할 수 있어요. 그래서 소수의 계산에서는 소수점을 맞추는 것이 아주 중요해요.

0.1 소수 $\frac{1}{10}$ 10% 백분율

16

★실력을 키워요!

7. 점을 연결하여 아래 그림을 완성해 보세요. 0.1만큼 움직일 수 있어요.

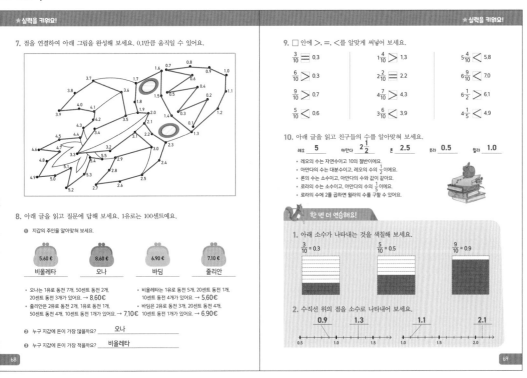

8. 아래 글을 읽고 질문에 답해 보세요. 1유로는 100센트예요.

❶ 지갑의 주인을 알아맞혀 보세요.

5.60 €	8.60 €	6.90 €	7.10 €
비올레타	오나	바딤	줄리안

- 오나는 1유로 동전 7개, 50센트 동전 2개, 20센트 동전 3개가 있어요. → 8,60€
- 비올레타는 1유로 동전 5개, 20센트 동전 1개, 10센트 동전 4개가 있어요. → 5,60€
- 줄리안은 2유로 동전 2개, 1유로 동전 1개, 50센트 동전 4개, 10센트 동전 1개가 있어요. → 7,10€
- 바딤은 2유로 동전 3개, 20센트 동전 4개, 10센트 동전 1개가 있어요. → 6,90€

❷ 누구 지갑에 돈이 가장 많을까요?   __오나__

❸ 누구 지갑에 돈이 가장 적을까요?   __비올레타__

★실력을 키워요!

9. □ 안에 >, =, <를 알맞게 써넣어 보세요.

$\frac{3}{10}$ = 0.3 $1\frac{4}{10}$ > 1.3 $5\frac{4}{10}$ < 5.8

$\frac{6}{10}$ > 0.3 $2\frac{2}{10}$ = 2.2 $6\frac{9}{10}$ < 7.0

$\frac{9}{10}$ > 0.7 $4\frac{7}{10}$ > 4.3 $6\frac{1}{2}$ > 6.1

$\frac{5}{10}$ < 0.6 $3\frac{6}{10}$ < 3.9 $4\frac{1}{5}$ < 4.9

10. 아래 글을 읽고 친구들의 수를 알아맞혀 보세요.

레오 __5__   아만다 __2½__   론 __2.5__   로라 __0.5__   윌라 __1.0__

- 레오의 수는 자연수이고 10의 절반이에요.
- 아만다의 수는 대분수이고, 레오의 수의 $\frac{1}{2}$이에요.
- 론의 수는 소수이고, 아만다의 수와 값이 같아요.
- 로라의 수는 소수이고, 아만다의 수의 $\frac{1}{5}$이에요.
- 로라의 수에 2를 곱하면 윌라의 수를 구할 수 있어요.

🐱 한 번 더 연습해요!

1. 아래 소수가 나타내는 것을 색칠해 보세요.

$\frac{3}{10}$ = 0.3 $\frac{5}{10}$ = 0.5 $\frac{9}{10}$ = 0.9

2. 수직선 위의 점을 소수로 나타내어 보세요.

__0.9__   __1.3__   __1.1__   __2.1__

69쪽 10번

레오의 수는 자연수이고 10의 절반이에요.→5

아만다의 수는 대분수이고 레오의 수의 $\frac{1}{2}$이에요.→레오의 수는 5이며, 5의 절반은 2.5예요. 2.5를 대분수로 나타내면 $2\frac{1}{2}$

론의 수는 소수이고 아만다의 수와 값이 같아요.→2.5

로라의 수는 소수이고 아만다의 수의 $\frac{1}{5}$이에요.→$2\frac{1}{2}$을 소수로 나타내면 2.5. 2.5의 $\frac{1}{5}$은 0.5

로라의 수에 2를 곱하면 윌라의 수를 구할 수 있어요.
→ 0.5+0.5=1.0

_____ 월 _____ 일 _____ 요일

11 소수의 덧셈 ✈

1.5 + 0.4 = 1.9

1.2 + 0.8 = 2.0

0.8 + 0.3
= 0.8 + 0.2 + 0.1
= 1.0 + 0.1
= 1.1

2.8 + 4.3
= 2.0 + 0.8 + 4.0 + 0.3
= 6.0 + 1.1
= 7.1

- 소수의 덧셈을 할 때 소수 부분을 나누어서 계산하면 좀 더 쉬워요.

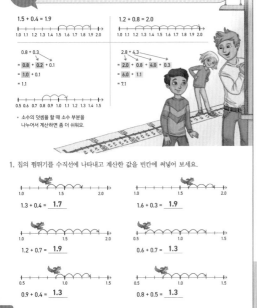

1. 칩의 뜀뛰기를 수직선에 나타내고 계산한 값을 빈칸에 써넣어 보세요.

1.3 + 0.4 = __1.7__   1.6 + 0.3 = __1.9__

1.2 + 0.7 = __1.9__   0.6 + 0.7 = __1.3__

0.9 + 0.4 = __1.3__   0.8 + 0.5 = __1.3__

2. 계산해 보세요. 아래 수직선을 참고해도 좋아요.

0.9 + 0.1 = __1.0__   0.8 + 0.2 = __1.0__   0.7 + 0.3 = __1.0__   0.6 + 0.4 = __1.0__
0.9 + 0.2 = __1.1__   0.8 + 0.3 = __1.1__   0.7 + 0.4 = __1.1__   0.6 + 0.5 = __1.1__
0.9 + 0.3 = __1.2__   0.8 + 0.4 = __1.2__   0.7 + 0.5 = __1.2__   0.6 + 0.6 = __1.2__

3. 계산하여 정답에 해당하는 알파벳을 수직선에서 찾아 빈칸에 써넣어 보세요.

0.5 + 0.3 = __0.8__ E   2.0 + 1.1 = __3.1__ I   0.8 + 0.4 = __1.2__ E
0.9 + 3.0 = __3.9__ X   0.4 + 0.6 = __1.0__ L   2.3 + 0.2 = __2.5__ N
2.0 + 0.7 = __2.7__ C   0.9 + 1.0 = __1.9__ L   2.0 + 1.5 = __3.5__ T

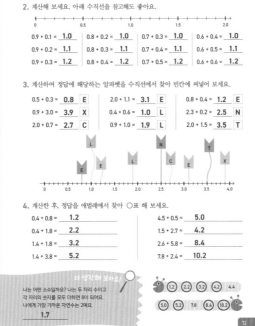

4. 계산한 후, 정답을 애벌레에서 찾아 ○표 해 보세요.

0.4 + 0.8 = __1.2__   4.5 + 0.5 = __5.0__
0.4 + 1.8 = __2.2__   1.5 + 2.7 = __4.2__
1.4 + 1.8 = __3.2__   2.6 + 5.8 = __8.4__
1.4 + 3.8 = __5.2__   7.8 + 2.4 = __10.2__

🔍 더 생각해 보아요!

나는 어떤 소수일까요? 나는 두 자리 수이고 각 자리의 숫자를 모두 더하면 8이 되어요. 나에게 가장 가까운 자연수는 2예요.

__1.7__

1.2 2.2 3.2 4.2 4.4
5.0 5.2 7.8 8.4 10.2

71쪽 3번

EXCELLENT

72-73쪽

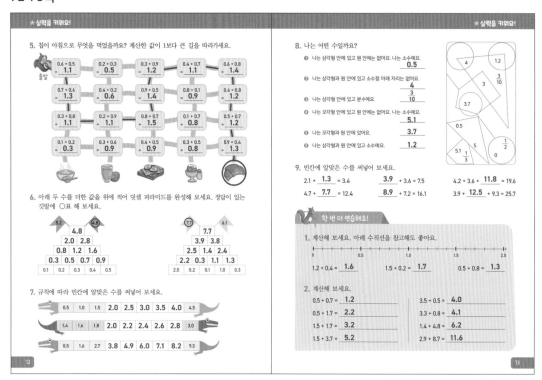

73쪽 8번

❶ 삼각형 안에 있고 원 안에는 없는 수→0.5, 5, 3, $\frac{3}{10}$이 가운데 소수는 0.5

❷ 삼각형과 원 안에 있는 수 →4, 1.2 이 가운데 소수점 아래 자리가 없는 수는 4

❸ 삼각형 안에 있는 수→$\frac{3}{10}$ 4, 1.2, 3, 0.5, 5 이 가운데 분수는 $\frac{3}{10}$

❹ 오각형 안에 있는 수→3.7, 5.1, $\frac{1}{3}$이 가운데 원 안에 있는 수는 3.7

❺ 삼각형과 원 안에 있는 수 →4, 1.2 이 가운데 소수는 1.2

74-75쪽

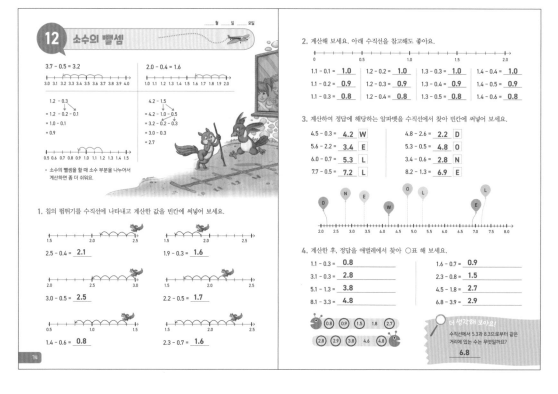

75쪽 3번

WELL DONE

더 생각해 보아요! | 75쪽

8.3과 5.3으로부터 같은 거에 있으므로 두 수의 차를 2로 나눈 위치에 있는 수예요.

8.3-5.3=3.0, 3.0÷2=1.5

5.3+1.5=6.8

76-77쪽

★실력을 키워요!

5. 규칙에 따라 빈칸에 알맞은 수를 써넣어 보세요.

| 5.5 | 5.0 | 4.5 | **4.0** | **3.5** | **3.0** | **2.5** | **2.0** | 1.5 |

| 2.0 | 1.8 | 1.6 | **1.4** | **1.2** | **1.0** | **0.8** | **0.6** | 0.4 |

| 13.3 | 12.2 | 11.1 | **10.0** | **8.9** | **7.8** | **6.7** | **5.6** | 4.5 |

6. 식이 성립하도록 빈칸에 알맞은 수를 써넣어 보세요.

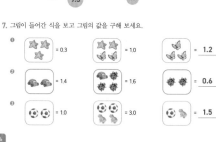

7. 그림이 들어간 식을 보고 그림의 값을 구해 보세요.

❶ = 0.3   = 1.0   = **1.2**

❷ = 1.4   = 1.6   = **0.6**

❸ = 1.0   = 3.0   = **1.5**

★실력을 키워요!

8. 햄스터의 주인, 주인의 취미, 햄스터의 이름 그리고 쳇바퀴의 색깔이 무엇인지 알아맞혀 보세요.

주인:	오나	저드	미아	미코
주인의 취미:	태권도	수영	취미 없음	플로어볼
햄스터 이름	두드	퍼그	테디	플러프볼
쳇바퀴 색깔	초록색	파란색	검은색	빨간색

❶ 미코의 햄스터는 2가지 색깔이에요.
❷ 테디의 주인은 취미가 없어요.
❸ 저드의 햄스터 옆에 있는 햄스터의 주인은 태권도를 해요.
❹ 퍼그는 털이 하얘요.
❺ 수영을 하는 사람이 키우는 햄스터는 이름이 퍼그예요.
❻ 플로어볼을 하는 사람이 키우는 햄스터는 이름이 플러프볼이에요.
❼ 두드는 갈색이에요.
❽ 플러프볼의 쳇바퀴는 빨간색이에요.
❾ 미아의 햄스터는 저드와 미코의 햄스터 사이에 있어요.
❿ 오나의 햄스터는 저드의 햄스터 옆에 있어요.
⓫ 저드의 햄스터 쳇바퀴는 파란색이에요.
⓬ 두드의 쳇바퀴는 초록색이에요.
⓭ 테디는 털이 검고 쳇바퀴가 검은색이에요.

🐾 한 번 더 연습해요!

1. 계산해 보세요. 아래 수직선을 참고해도 좋아요.

2.0 ─── 2.5 ─── 3.0 ─── 3.5 ─── 4.0

3.7 - 0.6 = **3.1**   3.0 - 0.8 = **2.2**   3.4 - 0.7 = **2.7**

2. 계산해 보세요.

4.6 - 1.2 = **3.4**   7.3 - 3.1 = **4.2**   1.0 - 0.2 = **0.8**
6.0 - 0.4 = **5.6**   2.1 - 0.2 = **1.9**   2.4 - 0.7 = **1.7**

76   77

76쪽 7번

❶

★★★=0.3, ★=0.1
★★★=1.0,
0.1+0.1+=1.0,
=0.8, =0.4
=0.4+0.4+0.4
=1.2

❷

=1.4, =0.7
=1.6,
0.7+=1.6,
=0.9, =0.3
=0.3+0.3=0.6

❸

=1.0, =0.5
=3.0,
0.5+0.5+=3.0,
=2.0, =1.0
=0.5+1.0=1.5

MEMO

77쪽 8번

			미코
	수영		
두드	퍼그		
초록색			

❶ 미코의 햄스터는 2가지 색깔이에요.
❹ 퍼그는 털이 하얘요.
❺ 수영을 하는 사람이 키우는 햄스터는 이름이 퍼그예요.
❼ 두드는 갈색이에요.
⓬ 두드의 쳇바퀴는 초록색이에요.

			미코
	수영	취미 없음.	플러어볼
두드	퍼그	테디	플러프볼
초록색		검은색	빨간색

⓭ 테디는 털이 검고 쳇바퀴가 검은색이에요
❷ 테디의 주인은 취미가 없어요.

❽ 플러프볼의 쳇바퀴는 빨간색이에요.
❻ 플로어볼을 하는 사람이 키우는 햄스터는 이름이 플러프볼이에요.

오나	저드	미아	미코
태권도	수영	취미 없음.	플러어볼
두드	퍼그	테디	플러프볼
초록색	파란색	검은색	빨간색

⓫ 저드의 햄스터 쳇바퀴는 파란색이에요.
❸ 저드의 햄스터 옆에 있는 햄스터의 주인은 태권도를 해요.
❾ 미아의 햄스터는 저드와 미코의 햄스터 사이에 있어요.
❿ 오나의 햄스터는 저드의 햄스터 옆에 있어요.

78-79쪽

연습 문제

_____월 _____일 _____요일

1. 소수점을 바르게 찍어 보세요.

❶ 일 점 육	1.6
❷ 십팔 점 사	1 8.4
❸ 사 점 삼이	4.3 2
❹ 이십 점 칠오	2 0.7 5

2. 소수점 아래 자리가 몇 개 있는지 빈칸에 써 보세요.

231.9	1개	197.63	2개	51.05	2개
76.13	2개	7.33	2개	371.1	1개

3. 아래 수직선을 완성해 보세요.

$1\frac{1}{10}$ | $\boxed{\frac{2}{10}}$ | $1\frac{3}{10}$ | $1\frac{4}{10}$ | $\boxed{\frac{5}{10}}$ | $\boxed{\frac{6}{10}}$ | $1\frac{7}{10}$ | $\boxed{\frac{8}{10}}$ | $1\frac{9}{10}$

1.0 | **1.1** | 1.2 | **1.3** | **1.4** | 1.5 | 1.6 | **1.7** | 1.8 | **1.9** | 2.0

4. 수직선 위의 점을 소수로 나타내어 보세요.

1.4 **2.1** | **0.9** **1.4**

5. 계산해 보세요. 아래 수직선을 참고해도 좋아요.

0.3 + 0.6 = **0.9**		1.2 + 0.5 = **1.7**	
0.2 + 0.5 = **0.7**		1.7 + 0.6 = **2.3**	
0.4 + 0.9 = **1.3**		2.8 + 0.4 = **3.2**	
0.8 + 0.3 = **1.1**		2.6 + 0.7 = **3.3**	
0.8 - 0.2 = **0.6**		2.0 - 0.4 = **1.6**	
1.3 - 0.5 = **0.8**		3.1 - 0.3 = **2.8**	
1.4 - 0.7 = **0.7**		3.6 - 0.9 = **2.7**	
1.1 - 0.4 = **0.7**		2.4 - 0.7 = **1.7**	

6. 정답에 해당하는 알파벳을 빈칸에 써넣은 후, 거꾸로 거슬러 읽어 보세요.

1.2 + 1.3 = **2.5**	S	1.5 + 1.1 = **2.6**	F	3.7 - 0.7 = **3.0**	L
4.0 - 0.8 = **3.2**	E	2.9 + 1.1 = **4.0**	G	0.8 + 1.7 = **2.5**	S
3.8 - 2.3 = **1.5**	N	0.2 + 1.3 = **1.5**	N	2.0 - 0.1 = **1.9**	I
0.3 + 1.4 = **1.7**	O	1.1 + 0.8 = **1.9**	I	0.6 + 1.6 = **2.2**	P
2.2 + 1.3 = **3.5**	C	3.2 - 0.4 = **2.8**	K	2.5 - 0.6 = **1.9**	I
4.0 - 0.3 = **3.7**	R	2.0 - 0.3 = **1.7**	O	0.2 + 0.8 = **1.0**	H
0.9 + 0.8 = **1.7**	O	0.2 + 1.5 = **1.7**	O	4.3 - 0.8 = **3.5**	C

1.0	1.2	1.5	1.7	1.9	2.2	2.5	2.6	2.8	3.0	3.2	3.5	3.7	4.0
H	U	N	O	I	P	S	F	K	L	E	C	R	G

더 생각해 보아요!
주어진 수를 이용하여 12보다 크지만 15보다 작은 소수를 만들어 보세요.
12 < **1 3 . 4** < 15   12 < **1 4 . 3** < 15
12 < **1 3 . 9** < 15   12 < **1 4 . 9** < 15
9 3 1 4

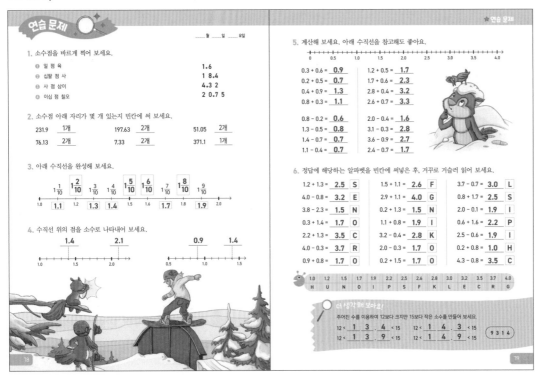

78쪽 1번

❶ $1\frac{6}{10} = 1.6$

❷ $18\frac{4}{10} = 18.4$

❸ $4\frac{32}{100} = 4.32$

❹ $20\frac{75}{100} = 20.75$

79쪽 6번

CHIP IS LOOKING FOR CONES.
(칩은 솔방울을 찾고 있어요.)

80-81쪽

연습 문제

7. 규칙에 따라 빈칸에 알맞은 수를 써넣어 보세요.

1.1	1.3	1.5	**1.7**	**1.9**	**2.1**	**2.3**	**2.5**	**2.7**	**2.9**

1.0	2.5	4.0	**5.5**	**7.0**	**8.5**	**10.0**	**11.5**	**13.0**	**14.5**

6.4	6.0	5.6	**5.2**	**4.8**	**4.4**	**4.0**	**3.6**	**3.2**	**2.8**

8. □ 안에 >, =, <를 알맞게 써넣어 보세요.

$\frac{2}{10}$ **<** 0.3 $1\frac{7}{10}$ **=** 1.7

$\frac{6}{10}$ **=** 0.6 $3\frac{4}{10}$ **>** 3.2

$\frac{9}{10}$ **>** 0.8 $4\frac{5}{10}$ **<** 4.6

9. 덧셈 피라미드를 완성한 후, 정답이 있는 깃발에 ○표 해 보세요.

6.4   **5.3**   ⟨5.3⟩
2.3 **3.0**
0.9 1.4 **1.6**
0.3 0.1 **0.4** 0.2

⟨5.2⟩   3.7
2.4   **2.8**
1.1   **1.3** 1.5
0.6   **0.5** 0.8 0.7
0.3 **0.3** 0.2 **0.3** 0.1

10. 계산한 후, 정답을 애벌레에서 찾아 ○표 해 보세요.

0.8 + 2.2 - 1.5 = **1.5**
10.0 - 2.3 + 0.6 = **8.3**
6.0 - (2.3 + 0.4) = **3.3**
4.2 - (3.8 - 0.9) = **1.3**

1.2 ⟨1.3⟩ ⟨1.5⟩ ⟨3.3⟩ 5.4 ⟨8.3⟩

11. 소수 A와 B를 구해 보세요. 답은 2가지예요.

❶
- 각 소수는 2개의 다른 숫자로 이루어져 있어요.
- 소수 A와 B는 숫자가 같지만 같은 자리에 있지는 않아요.
- 소수 A와 B를 합하면 5.5예요.
- 소수 A와 B 모두 소수를 이루는 숫자의 차는 3이에요.

1.4 , **4.1**

❷
- 소수 A와 B는 2개의 다른 숫자로 이루어져 있어요.
- 소수 A와 B는 0, 1, 2, 3으로 이루어져 있어요.
- 소수 A와 B 모두 소수를 이루는 숫자의 차는 2예요.
- 소수 A와 B의 차는 2보다 작아요.

2.0 , **1.3**   또는 1.3 0.2
또는 3.1, 2.0

한 번 더 연습해요!

1. 계산해 보세요. 아래 수직선을 참고해도 좋아요.

0.3 + 0.5 = **0.8**		1.3 + 0.6 = **1.9**
0.4 + 0.5 = **0.9**		2.6 + 0.5 = **3.1**
0.6 + 0.8 = **1.4**		3.3 + 0.7 = **4.0**
0.7 - 0.2 = **0.5**		3.0 - 0.3 = **2.7**
1.8 - 0.5 = **1.3**		3.2 - 0.4 = **2.8**
1.2 - 0.6 = **0.6**		3.7 - 0.8 = **2.9**

2. 계산해 보세요.

0.5 + 0.6 = **1.1**	1.2 - 0.4 = **0.8**
3.3 + 0.8 = **4.1**	2.5 - 0.7 = **1.8**

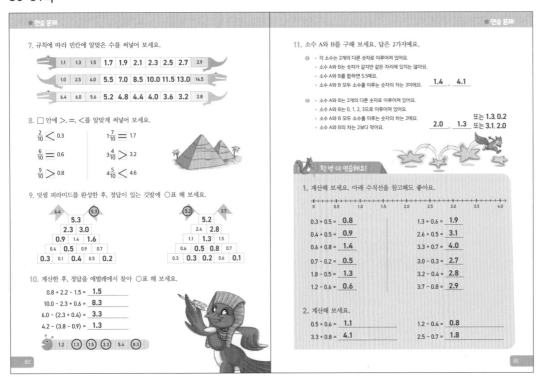

81쪽 11쪽

❶ 소수 A와 B는 2개의 다른
숫자로 이루어져 있고, 숫자
가 같으므로
소수 A는 □.△이며, 소수 B
는 △.□라고 할 수 있어요.
소수를 이루는 숫자의 차가
3이고, 합이 5인 수는 4와 1
이므로
소수 A는 4.1(또는 1.4), 소
수 B는 1.4(또는 4.1)

❷ 0, 1, 2, 3 가운데 차가 2인
숫자의 조합은 2와 0, 3과 1
이에요.
소수 A와 B의 차가 2보다
작아야 하므로 소수 A가 B
보다 커야 해요. 가능한 조
합을 만들어 보면 2.0과 1.3
/ 1.3과 0.2 / 3.1과 2.0이 나
와요.

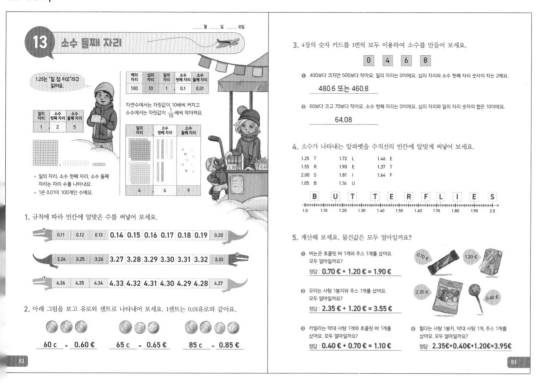

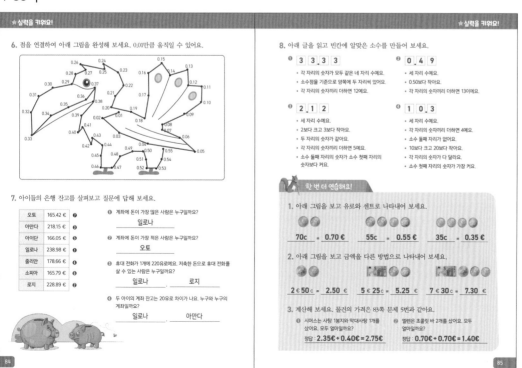

85쪽 8번

❶ 각 자리의 숫자가 모두 같으면서 숫자끼리 더했을 때 12가 되는 수를 알아보려면 12를 4로 나누어야 해요.
12÷4=3
소수점을 기준으로 양쪽에 2자리씩 있으므로 답은 33.33

❷ 0.50보다 작고 각 자리의 숫자끼리 더했을 때 13이 나오는 수는 4와 9, 5와 8, 6과 7이 있어요. 0.50보다 작아야 하므로 답은 0.49

❸ 두 자리의 숫자가 같고 각 자리 숫자끼리 더했을 때 5가 나오는 수를 알아보면 1, 1, 3과 2, 2, 1이에요. 2보다 크고 3보다 작아야 하며, 소수 둘째 자리의 숫자가 소수 첫째 자리의 숫자보다 커야 하므로 답은 2.12

❹ 각 자리의 숫자끼리 더하면 4가 나오는 수는 1과 3, 2와 2 소수 둘째 자리가 없으므로 □□.□
20보다 작으므로 십의 자리는 1, 남은 3은 소수 첫째 자리가 되므로 답은 10.3

정답

86-87쪽

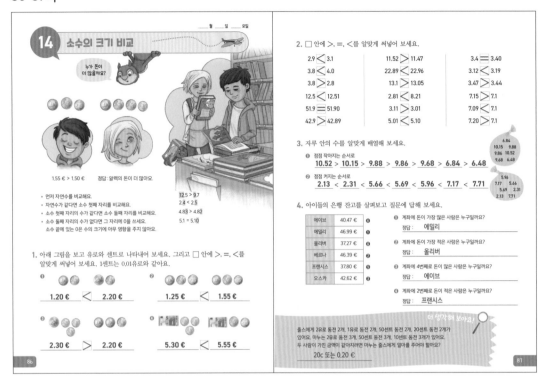

부모님 가이드 | 86쪽

소수의 크기를 비교하는 방법은 자연수의 크기를 비교하는 방법과 같아요. 가장 큰 자리의 수부터 차례대로 비교해 나가면 된답니다. 자릿값이 같을 때는 그다음 자리의 수를 비교해요. 아래 그림처럼 자릿값에 따라 10배씩 차이가 나기 때문이에요.

0.1
소수 첫째 자리

0.01
소수 둘째 자리

더 생각해 보아요! | 87쪽

줄스가 가진 돈
2€×2+1€×2=6€, 50c×2+20c×2=100c+40c=140c=1.40€, 6€+1.40€=7.40€

마누가 가진 돈
2€×3=6€, 50c×3+10c×3=150c+30c=180c=1.80€, 6€+1.80€=7.80€

7.80€-7.40€=40c 마누가 줄스보다 40c 더 많으므로 두 사람이 가진 금액이 같아지려면 마누가 줄스에게 20c(=0.20€)를 줘야 해요.

88-89쪽

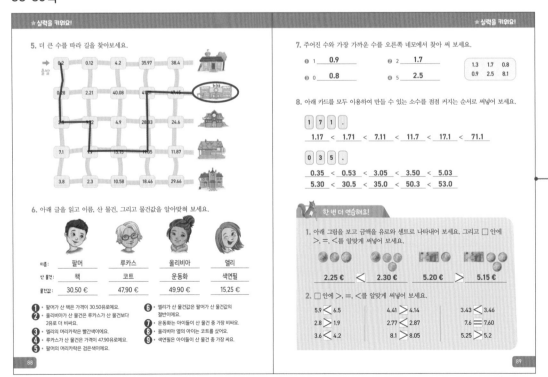

90-91쪽

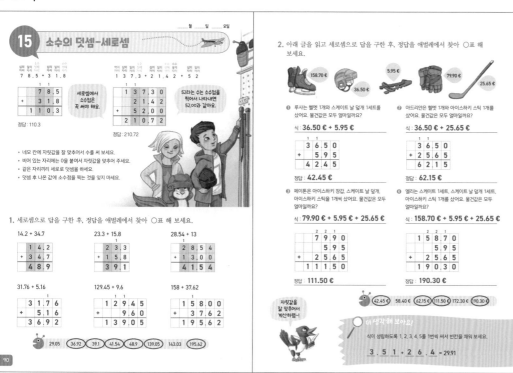

MEMO

88쪽 6번

팔머			엘리
책			
30.50€			15.25€

팔머	루카스	올리비아	엘리
책	코트	운동화	색연필
30.50€	47.90€	49.90€	15.25€

❸ 엘리의 머리카락은 빨간색이에요.
❺ 팔머의 머리카락은 검은색이에요.
❶ 팔머가 산 책은 가격이 30.50유로예요.
❻ 엘리가 산 물건값은 팔머가 산 물건값의 절반이에요.

❼ 운동화는 아이들이 산 물건 중 가장 비싸요.
❾ 색연필은 아이들이 산 물건 중 가장 싸요.
❽ 올리비아 옆의 아이는 코트를 샀어요.

팔머	루카스	올리비아	엘리
책			
30.50€	47.90€	49.90€	15.25€

❹ 루카스가 산 물건은 가격이 47.90유로예요.
❷ 올리비아가 산 물건은 루카스가 산 물건보다 2유로 더 비싸요.

23

정답

92-93쪽

★ 실력을 키워요!

3. 줄스는 물건을 2가지 샀어요. 물건의 이름과 가격을 써 보세요.

가격			물건	
1.90 € =	0.65 €	+ 1.25 €	요거트	오렌지주스
3.60 € =	1.25 €	+ 2.35 €	오렌지주스	젤리
2.80 € =	2.15 €	+ 0.65 €	바나나	요거트
4.20 € =	0.40 €	+ 3.80 €	막대 사탕	배

4. 아이들이 수집 카드에 돈을 얼마나 썼는지 알아맞혀 보세요.

리차드 **3.55 €** 　 키아 **5.40 €** 　 샘 **3.70 €** 　 메릴린 **4.60 €**

❶ 키아의 카드가 가장 비싸요. 키아의 카드는 샘의 카드보다 1.70유로 더 비싸요.

❷ 샘의 카드가 메릴린의 카드보다 90센트 더 싸요.

❸ 리차드는 카드 사는 데 돈을 가장 적게 썼어요.

❹ 가장 싼 카드는 가장 비싼 카드보다 1.85유로로 더 싸요.

❺ 메릴린은 카드를 살 때 5유로 지폐를 내고 40센트를 거스름돈으로 받았어요.

5. 나는 어떤 수일까요?

❶ 세 자리 소수 중 가장 큰 수는 무엇일까요?

정답　99.9

❷ 세 자리 소수 7.20보다 작고 7.17보다 큰 소수 2개는 무엇일까요?

정답　7.18과 7.19

❸ 세 자리 소수 중 8.9보다 작고 8.87보다 큰 소수 2개는 무엇일까요?

정답　8.88과 8.89

❹ 세 자리 소수 중 6과 7.5로부터 같은 거리에 있는 소수는 무엇일까요?

정답　6.75

한 번 더 연습해요!

1. 세로셈으로 답을 구해 보세요.

12.53 + 4.25

	1	2	.	5	3
+		4	.	2	5
	1	6	.	7	8

13.91 + 6.8

	1	3	.	9	1
+		6	.	8	0
	2	0	.	7	1

148 + 16.73

	1	4	8	.	0	0
+		1	6	.	7	3
	1	6	4	.	7	3

2. 아래 글을 읽고 세로셈으로 계산하여 답을 구해 보세요.

❶ 루메리는 143.50유로짜리 스케이트와 56.95유로짜리 아이스하키 스틱을 샀어요. 물건값은 모두 얼마일까요?

식 : 143.50 + 56.95 €

	1	4	3	.	5	0
+		5	6	.	9	5
	2	0	0	.	4	5

정답 : 200.45 €

❷ 잰은 87유로짜리 장갑과 39.50유로짜리 아이스하키 스틱을 샀어요. 물건값은 모두 얼마일까요?

식 : 87 + 39.50 €

		8	7	.	0	0
+		3	9	.	5	0
	1	2	6	.	5	0

정답 : 126.50 €

92쪽 4번

메릴린의 카드
5.00€-0.40€=4.60€

샘의 카드
4.60€-0.90€=3.70€

키아의 카드
3.70€+1.70€=5.40€

리차드의 카드
5.40€-1.85€=3.55€

94-95쪽

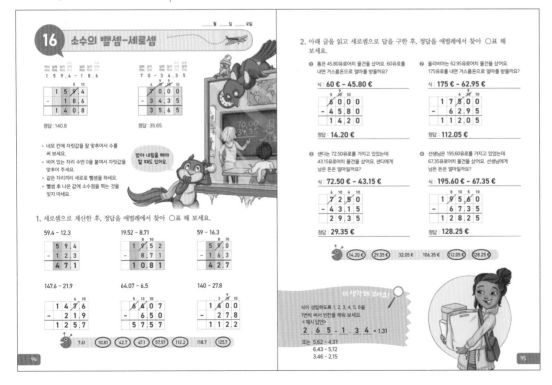

16 소수의 뺄셈－세로셈

1 5 9 . 4 - 1 8 . 6

	1	5	8	.	14
-		1	8	.	6
	1	4	0	.	8

정답 140.8

7 0 - 3 4 . 3 5

	6	9	.	9	10
-	3	4	.	3	5
	3	5	.	6	5

정답 35.65

• 네모 칸에 자릿값을 잘 맞추어서 수를 써 주세요.
• 비어 있는 자리 수엔 0을 붙여서 자릿값을 맞추어 주세요.
• 같은 자리끼리 세로로 뺄셈을 하세요.
• 뺄셈 후 나온 값에 소수점을 찍는 것을 잊지 마세요.

받아 내림을 해야 할 때도 있어요.

1. 세로셈으로 계산한 후, 정답을 애벌레에서 찾아 ○해 보세요.

59.4 - 12.3

	5	9	.	4
-	1	2	.	3
	4	7	.	1

19.52 - 8.71

	1	9	.	5	2
-		8	.	7	1
	1	0	.	8	1

59 - 16.3

	5	9	.	0
-	1	6	.	3
	4	2	.	7

147.6 - 21.9

	1	4	7	.	6
-		2	1	.	9
	1	2	5	.	7

64.07 - 6.5

	6	4	.	0	7
-		6	.	5	0
	5	7	.	5	7

140 - 27.8

	1	4	0	.	0
-		2	7	.	8
	1	1	2	.	2

7.61　10.81　42.7　47.1　57.57　112.2　118.7　125.7

2. 아래 글을 읽고 세로셈으로 답을 구한 후, 정답을 애벌레에서 찾아 ○표 해 보세요.

❶ 톰은 45.80유로어치 물건을 샀어요. 60유로를 내면 거스름돈으로 얼마를 받을까요?

식 : 60 - 45.80 €

	6	0	.	0	0
-	4	5	.	8	0
	1	4	.	2	0

정답 : 14.20 €

❷ 올리비아는 62.95유로어치 물건을 샀어요. 175유로를 내면 거스름돈으로 얼마를 받을까요?

식 : 175 - 62.95 €

	1	7	5	.	0	0
-		6	2	.	9	5
	1	1	2	.	0	5

정답 : 112.05 €

❸ 샌디는 72.50유로를 가지고 있었는데 43.15유로어치 물건을 샀어요. 샌디에게 남은 돈은 얼마일까요?

식 : 72.50 - 43.15 €

	7	2	.	5	0
-	4	3	.	1	5
	2	9	.	3	5

정답 : 29.35 €

❹ 선생님은 195.60유로를 가지고 있었는데 67.35유로어치 물건을 샀어요. 선생님에게 남은 돈은 얼마일까요?

식 : 195.60 - 67.35 €

	1	9	5	.	6	0
-		6	7	.	3	5
	1	2	8	.	2	5

정답 : 128.25 €

14.20 €　29.35 €　32.05 €　106.35 €　112.05 €　128.25 €

더 생각해 보아요!

식이 성립하도록 1, 2, 3, 4, 5, 6을 1번씩 써서 빈칸을 채워 보세요.

<예시 답안>

2 . 6 5 - 1 . 3 4 = 1.31

또는 5.62 - 4.31
6.43 - 5.12
3.46 - 2.15

더 생각해 보아요! | 95쪽

소수 첫째 자리의 차가 3이므로 1~6까지의 수 가운데 차가 3인 수를 찾아보면 6과 3, 5와 2, 4와 1이 있어요.

6을 빼어지는 수 소수 첫째 자리에, 3을 빼는 수 소수 첫째 자리에 넣고 1씩 차이 나게 숫자를 배열해 봐요.
2.65-1.34=1.31

일의 자리와 소수 둘째 자리의 수를 서로 바꾸어도 식이 성립해요. 5.62-4.31=1.31

5와 2는 5와 2를 제외한 나머지 수 1, 3, 4, 6이 1씩 차이 나지 않으므로 식이 성립하지 않아요.

4와 1을 앞의 방식대로 배열해 보면 6.43-5.12=1.31, 3.46-2.15=1.31

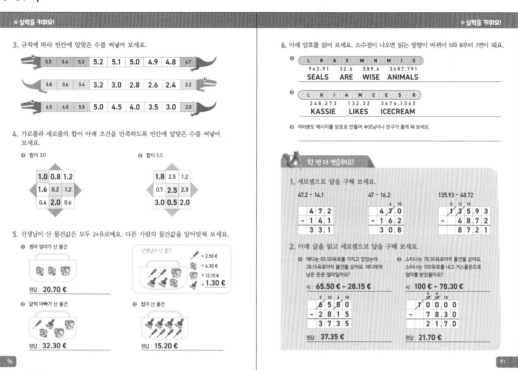

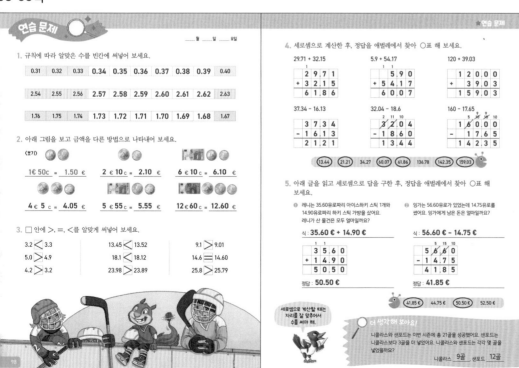

96쪽 5번

$2.50€ + 2.50€ + 4.30€ +$
$12.10€ + $ 🔧 $ + $ 🔧 $ = 24€,$
🔧 $+$ 🔧 $= 24€ - 21.40€,$
🔧 $+$ 🔧 $= 2.6€,$ 🔧 $= 1.30€$

❶ 엠마 엄마가 산 물건
$4.30€ + 4.30€ + 12.10€$
$= 20.70€$

❷ 알렉 아빠가 산 물건
$2.50€ + 1.30€ + 4.30€$
$+ 12.10€ + 12.10€$
$= 32.30€$

❸ 칩이 산 물건
$1.30€ + 1.30€ + 1.30€$
$+ 1.30€ + 2.50€ + 2.50€$
$+ 2.50€ + 2.50€$
$= 5.20€ + 10.00€$
$= 15.20€$

97쪽 6번

맨 앞 글자부터 순서대로 1~9 까지 번호를 나타내요. 소수점 이 나오면 제일 끝에 있는 글자 가 1번이 돼요.
❶ SEALS ARE WISE ANIMALS.
(바다표범은 똑똑한 동물이 에요.)
❷ KASSIE LIKES ICECREAM.
(캐시는 아이스크림을 좋아 해요.)

더 생각해 보아요! | 99쪽

니콜라스+샌포드=21골
샌포드가 넣은 골=니콜라스+3 골
두 사람의 골 차를 총 골 수에 서 뺀 후 2로 나누면 니콜라스 의 골 수를 알 수 있어요.
21-3=18, 18÷2=9
니콜라스가 넣은 골=9골, 샌포 드가 넣은 골=12골

정답

100-101쪽

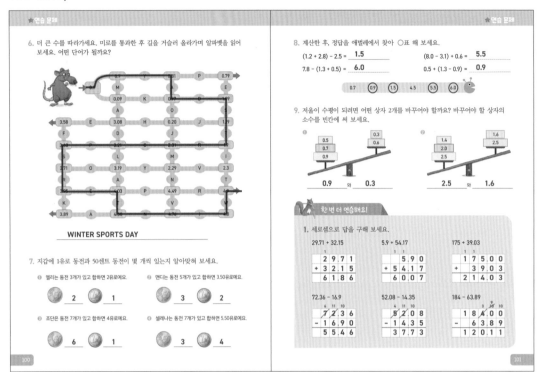

★ 연습 문제

6. 더 큰 수를 따라가세요. 미로를 통과한 후 길을 거슬러 올라가며 알파벳을 읽어 보세요. 어떤 단어가 될까요?

WINTER SPORTS DAY

7. 지갑에 1유로 동전과 50센트 동전이 몇 개씩 있는지 알아맞혀 보세요.

❶ 열리는 동전 3개가 있고 합하면 2유로예요.

2 **1**

❷ 맨디는 동전 5개가 있고 합하면 3.50유로예요.

3 **2**

❸ 조단은 동전 7개가 있고 합하면 4유로예요.

6 **1**

❹ 셀레나는 동전 7개가 있고 합하면 5.50유로예요.

3 **4**

★ 연습 문제

8. 계산한 후, 정답을 애벌레에서 찾아 ○표 해 보세요.

(1.2 + 2.8) − 2.5 = **1.5**   (8.0 − 3.1) + 0.6 = **5.5**

7.8 − (1.3 + 0.5) = **6.0**   0.5 + (1.3 − 0.9) = **0.9**

0.7 ○0.9 ○1.5 4.5 ○5.5 ○6.0

9. 저울이 수평이 되려면 어떤 상자 2개를 바꾸어야 할까요? 바꾸어야 할 상자의 소수를 빈칸에 써 보세요.

❶ **0.9** 와 **0.3**

❷ **2.5** 와 **1.6**

한 번 더 연습해요!

1. 세로셈으로 답을 구해 보세요.

29.71 + 32.15

```
  2 9.7 1
+ 3 2.1 5
  6 1.8 6
```

5.9 + 54.17

```
    5.9 0
+ 5 4.1 7
  6 0.0 7
```

175 + 39.03

```
  1 7 5.0 0
+   3 9.0 3
  2 1 4.0 3
```

72.36 − 16.9

```
  7 2.3 6
− 1 6.9 0
  5 5.4 6
```

52.08 − 14.35

```
  5 2.0 8
− 1 4.3 5
  3 7.7 3
```

184 − 63.89

```
  1 8 4.0 0
−   6 3.8 9
  1 2 0.1 1
```

101쪽 9번

❶ 무거운 쪽과 가벼운 쪽 저울의 무게를 각각 계산한 후 무게의 차를 구해요.
무거운 쪽 2.1
가벼운 쪽 0.9
2.1−0.9=1.2 무거운 쪽이 가벼운 쪽보다 1.2만큼 무거우니 반으로 나눠 0.6만큼 가벼운 쪽으로 옮겨야 해요. 0.6 상자가 없으니 0.9 상자와 0.3 상자를 바꿔요.

❷ 무거운 쪽 5.9
가벼운 쪽 4.1
5.9−4.1=1.8 무거운 쪽과 가벼운 쪽 상자를 비교할 때 0.9만큼 차이 나는 상자는 2.5와 1.6. 이 두 상자를 바꾸면 수평이 돼요.

102-103쪽

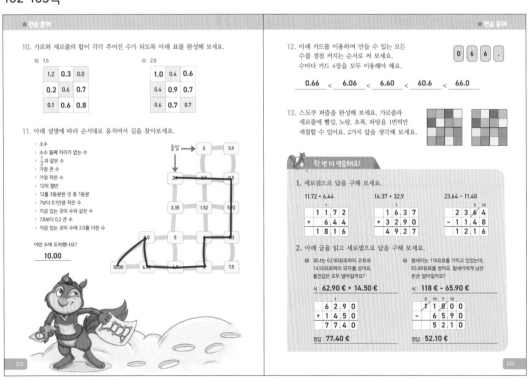

★ 연습 문제

10. 가로와 세로줄의 합이 각각 주어진 수가 되도록 아래 표를 완성해 보세요.

❶ 1.5

1.2	0.3	0.0
0.2	0.6	0.7
0.1	0.6	0.8

❷ 2.0

1.0	0.4	0.6
0.4	0.9	0.7
0.6	0.7	0.7

11. 아래 설명에 따라 순서대로 움직여서 길을 찾아보세요.

• 소수
• 소수 둘째 자리가 없는 수
• ½과 같은 수
• 가장 큰 수
• 가장 작은 수
• 12의 절반
• 12를 3등분한 것 중 1등분
• 7보다 0.1만큼 작은 수
• 지금 있는 곳의 수와 같은 수
• 7.8보다 0.2 큰 수
• 지금 있는 곳의 수에 2.0를 더한 수

어떤 수에 도착했나요?

10.00

★ 연습 문제

12. 아래 카드를 이용하여 만들 수 있는 모든 수를 점점 커지는 순서로 써 보세요. 수마다 카드 4장을 모두 이용해야 해요.

0 6 6 .

0.66 < **6.06** < **6.60** < **60.6** < **66.0**

13. 스도쿠 퍼즐을 완성해 보세요. 가로줄과 세로줄에 빨강, 노랑, 초록, 파랑을 1번씩만 색칠할 수 있어요. 2가지 답을 생각해 보세요.

한 번 더 연습해요!

1. 세로셈으로 답을 구해 보세요.

11.72 + 6.44

```
  1 1.7 2
+   6.4 4
  1 8.1 6
```

16.37 + 32.9

```
  1 6.3 7
+ 3 2.9 0
  4 9.2 7
```

23.64 − 11.48

```
  2 3.6 4
− 1 1.4 8
  1 2.1 6
```

2. 아래 글을 읽고 세로셈으로 답을 구해 보세요.

❶ 로나는 62.90유로짜리 코트와 14.50유로짜리 모자를 샀어요. 물건값은 모두 얼마일까요?

식: **62.90 € + 14.50 €**

```
  6 2.9 0
+ 1 4.5 0
  7 7.4 0
```

정답: **77.40 €**

❷ 람세이는 118유로를 가지고 있었는데 65.90유로를 썼어요. 람세이에게 남은 돈은 얼마일까요?

식: **118 € − 65.90 €**

```
  1 1 8.0 0
−   6 5.9 0
    5 2.1 0
```

정답: **52.10 €**

104-105쪽

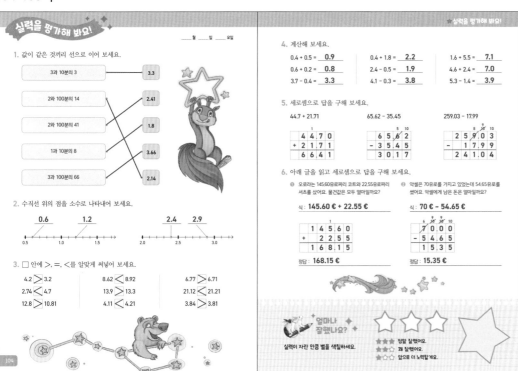

실력을 평가해 봐요!

___월 ___일 ___요일

1. 값이 같은 것끼리 선으로 이어 보세요.

3과 10분의 3		3.3
2와 100분의 14		2.41
2와 100분의 41		1.8
1과 10분의 8		3.66
3과 100분의 66		2.14

2. 수직선 위의 점을 소수로 나타내어 보세요.

0.6   1.2   2.4   2.9

3. □ 안에 >, =, <를 알맞게 써넣어 보세요.

4.2 > 3.2   8.62 < 8.92   6.77 > 6.71

2.74 < 4.7   13.9 > 13.3   21.12 < 21.21

12.8 > 10.81   4.11 < 4.21   3.84 > 3.81

4. 계산해 보세요.

0.4 + 0.5 = **0.9**   0.4 + 1.8 = **2.2**   1.6 + 5.5 = **7.1**

0.6 + 0.2 = **0.8**   2.4 - 0.5 = **1.9**   4.6 + 2.4 = **7.0**

3.7 - 0.4 = **3.3**   4.1 - 0.3 = **3.8**   5.3 - 1.4 = **3.9**

5. 세로셈으로 답을 구해 보세요.

44.7 + 21.71

```
  1
  4 4 . 7 0
+ 2 1 . 7 1
  6 6 . 4 1
```

65.62 - 35.45

```
      5 10
  6 5 . 6 2
- 3 5 . 4 5
  3 0 . 1 7
```

259.03 - 17.99

```
      9 10
  2 5 9 . 0 3
-   1 7 . 9 9
  2 4 1 . 0 4
```

6. 아래 글을 읽고 세로셈으로 답을 구해 보세요.

① 오로라는 145.60유로짜리 코트와 22.55유로짜리 셔츠를 샀어요. 물건값은 모두 얼마일까요?

식 : **145.60 € + 22.55 €**

```
      1
  1 4 5 . 6 0
+   2 2 . 5 5
  1 6 8 . 1 5
```

정답 : **168.15 €**

② 악셀은 70유로를 가지고 있었는데 54.65유로를 썼어요. 악셀에게 남은 돈은 얼마일까요?

식 : **70 € - 54.65 €**

```
  6   9 10 10
  7 0 . 0 0
- 5 4 . 6 5
  1 5 . 3 5
```

정답 : **15.35 €**

얼마나 잘했나요?

★★★ 정말 잘했어요.
★★☆ 꽤 잘했어요.
★☆☆ 앞으로 더 노력할게요.

실력이 자란 만큼 별을 색칠하세요.

106-107쪽

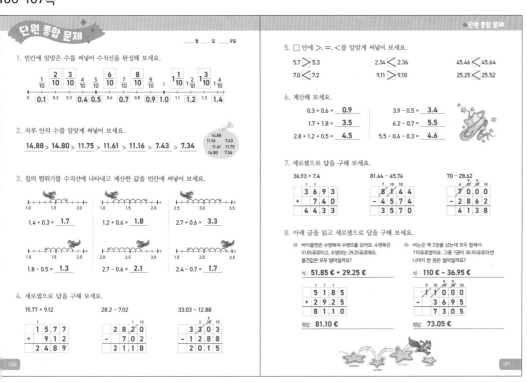

단원 종합 문제

___월 ___일 ___요일

1. 빈칸에 알맞은 수를 써넣어 수직선을 완성해 보세요.

$\frac{1}{10}$ **$\frac{2}{10}$** $\frac{3}{10}$ **$\frac{4}{10}$** $\frac{5}{10}$ **$\frac{6}{10}$** $\frac{7}{10}$ **$\frac{8}{10}$** $\frac{9}{10}$ **$\frac{1\,1}{10}$** $\frac{1\,2}{10}$ **$\frac{1\,3}{10}$** $\frac{1\,4}{10}$

0 **0.1** 0.2 **0.3** 0.4 **0.5** 0.6 **0.7** 0.8 **0.9** 1.0 **1.1** 1.2 **1.3** 1.4

2. 자루 안의 수를 알맞게 써넣어 보세요.

14.88 > **14.80** > **11.75** > **11.61** > **11.16** > **7.43** > **7.34**

14.88 7.43
11.16 11.75
11.61 11.75
14.80 7.34

3. 칩의 뜀뛰기를 수직선에 나타내고 계산한 값을 빈칸에 써넣어 보세요.

1.4 + 0.3 = **1.7**   1.2 + 0.6 = **1.8**   2.7 + 0.6 = **3.3**

1.8 - 0.5 = **1.3**   2.7 - 0.6 = **2.1**   2.4 - 0.7 = **1.7**

4. 세로셈으로 답을 구해 보세요.

15.77 + 9.12

```
  1
  1 5 . 7 7
+   9 . 1 2
  2 4 . 8 9
```

28.2 - 7.02

```
      1 10
  2 8 . 2 0
-   7 . 0 2
  2 1 . 1 8
```

33.03 - 12.88

```
      9  10
  3 3 . 0 3
- 1 2 . 8 8
  2 0 . 1 5
```

5. □ 안에 >, =, <를 알맞게 써넣어 보세요.

5.7 > 5.3   2.34 < 2.36   45.46 < 45.64

7.0 < 7.2   9.11 > 9.10   25.25 < 25.52

6. 계산해 보세요.

0.3 + 0.6 = **0.9**   3.9 - 0.5 = **3.4**

1.7 + 1.8 = **3.5**   6.2 - 0.7 = **5.5**

2.8 + 1.2 + 0.5 = **4.5**   5.5 - 0.6 - 0.3 = **4.6**

7. 세로셈으로 답을 구해 보세요.

36.93 + 7.4

```
  1 1
  3 6 . 9 3
+   7 . 4 0
  4 4 . 3 3
```

81.44 - 45.74

```
      10
  8 1 . 4 4
- 4 5 . 7 4
  3 5 . 7 0
```

70 - 28.62

```
  6  9 10 10
  7 0 . 0 0
- 2 8 . 6 2
  4 1 . 3 8
```

8. 아래 글을 읽고 세로셈으로 답을 구해 보세요.

① 바이올렛은 수영복과 수영모를 샀는데 수영복은 51.85유로이고, 수영모는 29.25유로예요. 물건값은 모두 얼마일까요?

식 : **51.85 € + 29.25 €**

```
  1 1 1
  5 1 . 8 5
+ 2 9 . 2 5
  8 1 . 1 0
```

정답 : **81.10 €**

② 버논은 책 2권을 샀는데 모두 합해서 110유로였어요. 그중 1권이 36.95유로라면 나머지 한 권은 얼마일까요?

식 : **110 € - 36.95 €**

```
    9 10 10
  1 1 0 . 0 0
-   3 6 . 9 5
    7 3 . 0 5
```

정답 : **73.05 €**

108-109쪽

★ 단원 종합 문제

9. □ 안에 >, =, <를 알맞게 써넣어 보세요.

15.74 > 15.70   36.1 > 30.2 + 5.5

28.87 > 28.78   14.40 = 11.9 + 2.5

40.01 < 40.10   25.2 < 30 - 4.5

29.99 < 30   19.9 < 25.8 - 6

10. 식이 성립하도록 빈칸에 알맞은 수를 써넣어 보세요.

2.5 + **2.6** = 5.1   **2.3** + 3.7 = 6.0

8.9 - **2.1** = 6.8   **6.2** - 4.4 = 1.8

5.2 + **1.8** - 3.6 = 3.4

7.0 - **2.5** + 4.9 = 9.4

11. 아래 글을 읽고 세로셈으로 답을 구해 보세요.

① 알렉은 각각 46.55유로짜리 게임 2개를 샀어요. 물건값은 모두 얼마일까요?

식 : 46.55 € + 46.55 €

```
  1 1 1
  4 6 . 5 5
+ 4 6 . 5 5
  9 3 . 1 0
```

정답 : 93.10 €

② 엠마는 32.95유로짜리 책을 1권 샀어요. 100유로 지폐를 내면 거스름돈으로 얼마를 받을까요?

식 : 100 € - 32.95 €

```
   9 9 10
  10 0 . 0 0
-  3 2 . 9 5
   6 7 . 0 5
```

정답 : 67.05 €

12. 식이 성립하도록 빈칸에 알맞은 수를 써넣어 보세요.

```
  1 1
  5 7 . 4 1
+   8 . 6 4
  6 6 . 0 5
```

```
  4 3 10
  4 . 5 2
- 2 . 3 9 1
  2 0 . 6 1
```

단원 정리

_____월 _____일 _____요일

★ 소수

자연수 4와 10분의 2 / 자연수 3과 100분의 17

4 . 2   3 . 1 7

• 일의 자리, 소수 첫째 자리, 소수 둘째 자리 등을 자리 수라고 해요.

★ 소수의 크기 비교

10.4 > 8.9 • 먼저 자연수끼리 비교해요.

5.6 < 5.7 • 자연수가 같다면 소수 첫째 자리끼리 비교해요.

7.73 > 7.72 • 소수 첫째 자리가 같다면 소수 둘째 자리끼리 비교해요.

0.40 = 0.4 • 소수 끝에 있는 0은 수의 크기에 아무 영향을 주지 않아요.

★ 소수의 덧셈과 뺄셈

1.3 + 0.5 = 1.8

0.6 + 0.7 = 0.6 + 0.4 + 0.3 = 1.0 + 0.3 = 1.3

1.4 - 0.7 = 1.4 - 0.4 - 0.3 = 1.0 - 0.3 = 0.7

5.3 - 2.4 = 5.3 - 2.0 - 0.4 = 3.3 - 0.3 - 0.1 = 3.0 - 0.1 = 2.9

4.8 - 0.6 = 4.2

★ 소수의 덧셈과 뺄셈 · 세로셈

3 3 . 5 6 9 + 4 7 . 5   4 3 . 0 5 - 1 . 4 7

```
  3 3 . 5 6 9
+ 4 7 . 5 0
  3 8 3 . 1 9
```

```
  4 3 . 0 5
-  1 . 4 7 0
  2 8 3 . 5
```

• 네모 칸에 자리 수를 맞추어서 수를 써 보세요.
• 비어 있는 자리에는 0을 붙여서 자리 수를 모두 맞추어 주세요.
• 같은 자리끼리 세로로 덧셈이나 뺄셈을 하세요.
• 덧셈이나 뺄셈 후 나온 값에 소수점을 찍는 것을 잊지 마세요.

108

110-111쪽

도전! 심화 문제

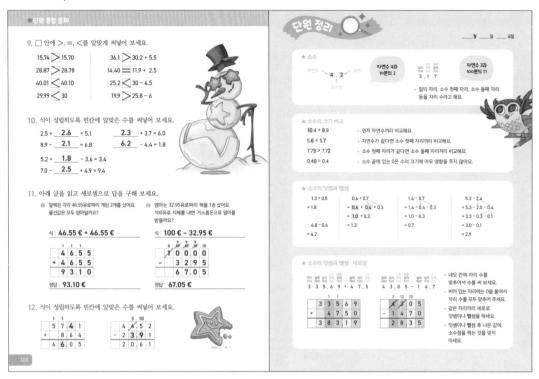

1 0.01에서 시작하여 점점 커지는 순서로 점을 연결해 보세요.

2 규칙에 따라 알맞은 수를 빈칸에 써넣어 보세요.

0.6	0.8	1.0	1.2	1.4	1.6	1.8	2.0
3.3	3.0	2.7	2.4	2.1	1.8	1.5	1.2

3 □ 안에 >, =, <를 알맞게 써넣어 보세요.

3.5 < 5.3

1.4 = 1.40

7.99 > 7.98

6.9 < 6.99

10 = 10.0

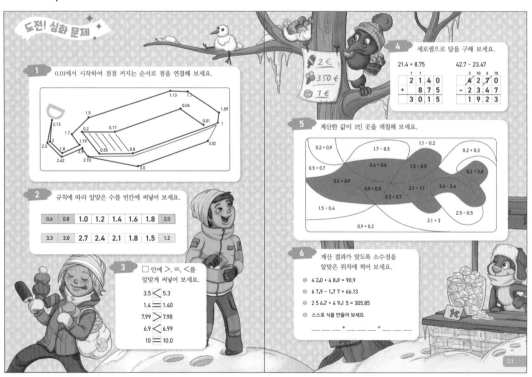

4 세로셈으로 답을 구해 보세요.

21.4 + 8.75   42.7 - 23.47

```
  2 1 . 4 0
+    8 . 7 5
  3 0 . 1 5
```

```
  4 2 . 7 0
- 2 3 . 4 7
  1 9 . 2 3
```

5 계산한 값이 1인 곳을 색칠해 보세요.

0.2 + 0.9   1.7 - 0.5   1.1 - 0.2   0.2 + 0.5

0.5 + 0.7   0.4 + 0.6   1.5 - 0.5   0.2 + 0.8

0.1 + 0.9   0.5 + 0.5   2.1 - 1.1   3.4 - 2.4

0.3 + 0.7   2.1 + 3

1.5 - 0.4   2.5 - 0.5

0.9 + 0.2

6 계산 결과가 맞도록 소수점을 알맞은 위치에 찍어 보세요.

① 4 2.0 + 4 8.9 = 90.9

② 6 7.9 - 1.7 7 = 66.13

③ 2 5 6.7 + 4 9.1 5 = 305.85

④ 스스로 식을 만들어 보세요.

_____ _____ + _____ = _____

111

28

112-113쪽

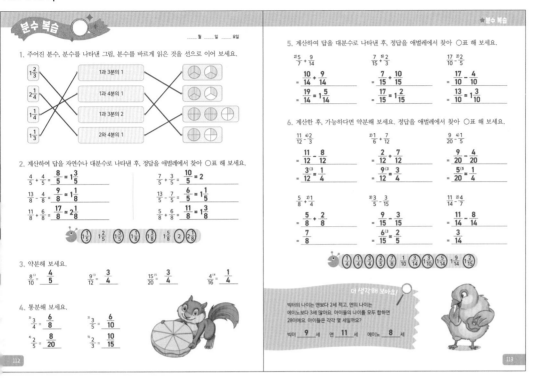

분수 복습

___월 ___일 ___요일

1. 주어진 분수, 분수를 나타낸 그림, 분수를 바르게 읽은 것을 선으로 이어 보세요.

$1\frac{2}{3}$ — 1과 3분의 1
$2\frac{1}{4}$ — 1과 4분의 1
$1\frac{1}{4}$ — 1과 3분의 2
$1\frac{1}{3}$ — 2와 4분의 1

2. 계산하여 답을 자연수나 대분수로 나타낸 후, 정답을 애벌레에서 찾아 ○표 해 보세요.

$\frac{4}{5}+\frac{4}{5}=\frac{8}{5}=1\frac{3}{5}$ $\frac{7}{5}+\frac{3}{5}=\frac{10}{5}=2$

$\frac{13}{8}-\frac{4}{8}=\frac{9}{8}=1\frac{1}{8}$ $\frac{13}{5}-\frac{7}{5}=\frac{6}{5}=1\frac{1}{5}$

$\frac{11}{8}+\frac{6}{8}=\frac{17}{8}=2\frac{1}{8}$ $\frac{5}{8}+\frac{6}{8}=\frac{11}{8}=1\frac{3}{8}$

$1\frac{1}{5}$ $1\frac{2}{5}$ 2 $1\frac{1}{8}$ $1\frac{5}{8}$ 2 $2\frac{1}{8}$

3. 약분해 보세요.

$\frac{8}{10}=\frac{4}{5}$ $\frac{9}{12}=\frac{3}{4}$ $\frac{15}{20}=\frac{3}{4}$ $\frac{4}{16}=\frac{1}{4}$

4. 통분해 보세요.

$\frac{3}{4}=\frac{6}{8}$ $\frac{3}{5}=\frac{6}{10}$

$\frac{2}{5}=\frac{8}{20}$ $\frac{2}{3}=\frac{10}{15}$

5. 계산하여 답을 대분수로 나타낸 후, 정답을 애벌레에서 찾아 ○표 해 보세요.

$\frac{5}{7}+\frac{9}{14}$
$=\frac{10}{14}+\frac{9}{14}$
$=\frac{19}{14}=1\frac{5}{14}$

$\frac{7}{15}+\frac{2}{3}$
$=\frac{7}{15}+\frac{10}{15}$
$=\frac{17}{15}=1\frac{2}{15}$

$\frac{17}{10}-\frac{2}{5}$
$=\frac{17}{10}-\frac{4}{10}$
$=\frac{13}{10}=1\frac{3}{10}$

6. 계산한 후, 가능하다면 약분해 보세요. 정답을 애벌레에서 찾아 ○표 해 보세요.

$\frac{11}{12}-\frac{2}{3}$
$=\frac{11}{12}-\frac{8}{12}$
$=\frac{3}{12}=\frac{1}{4}$

$\frac{1}{6}+\frac{7}{12}$
$=\frac{2}{12}+\frac{7}{12}$
$=\frac{9}{12}=\frac{3}{4}$

$\frac{9}{20}-\frac{1}{5}$
$=\frac{9}{20}-\frac{4}{20}$
$=\frac{5}{20}=\frac{1}{4}$

$\frac{5}{8}+\frac{1}{4}$
$=\frac{5}{8}+\frac{2}{8}$
$=\frac{7}{8}$

$\frac{3}{5}-\frac{3}{15}$
$=\frac{9}{15}-\frac{3}{15}$
$=\frac{6}{15}=\frac{2}{5}$

$\frac{11}{14}-\frac{4}{7}$
$=\frac{11}{14}-\frac{8}{14}$
$=\frac{3}{14}$

$\frac{1}{4}$ $\frac{3}{4}$ $\frac{2}{5}$ $\frac{1}{10}$ $\frac{3}{14}$ $\frac{3}{10}$ $\frac{1}{9}$ $\frac{2}{15}$

더 생각해 보아요!

빅터의 나이는 앤보다 2세 적고, 앤의 나이는 에이노보다 3세 많아요. 아이들의 나이를 모두 합하면 28이에요. 아이들은 각각 몇 세일까요?

빅터 __9__ 세   앤 __11__ 세   에이노 __8__ 세

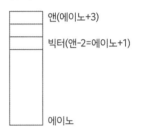

더 생각해 보아요! | 113쪽

그림으로 그려 보면 이해가 쉬워요.

앤(에이노+3)
빅터(앤-2=에이노+1)
에이노

앤+빅터+에이노=28,
에이노+3+에이노+1+에이노=28,
3에이노+4=28, 3에이노=24,
에이노=8
에이노의 나이는 8세, 빅터는 9세, 앤은 11세예요.

114-115쪽

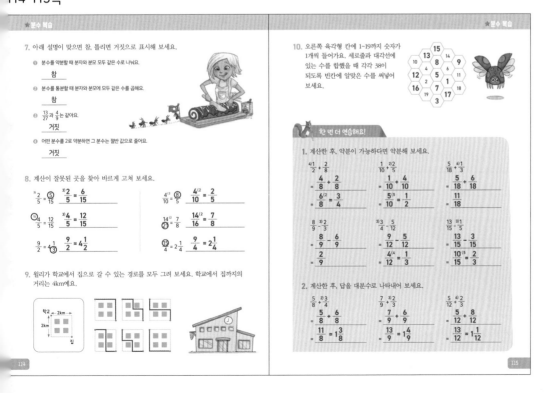

분수 복습

7. 아래 설명이 맞으면 참, 틀리면 거짓으로 표시해 보세요.

① 분수를 약분할 때 분자와 분모 모두 같은 수로 나눠요.
   __참__

② 분수를 통분할 때 분자와 분모에 모두 같은 수를 곱해요.
   __참__

③ $\frac{13}{27}$과 $\frac{4}{9}$는 같아요.
   __거짓__

④ 어떤 분수를 2로 약분하면 그 분수는 절반 값으로 줄어요.
   __거짓__

8. 계산이 잘못된 곳을 찾아 바르게 고쳐 보세요.

$\frac{2}{5}=\frac{6}{15}$ $\frac{2}{5}=\frac{6}{15}$

$\frac{4}{10}=\frac{8}{5}$ $\frac{4}{10}=\frac{2}{5}$

$\frac{4}{5}=\frac{12}{15}$ $\frac{4}{5}=\frac{12}{15}$

$\frac{14}{16}=\frac{7}{8}$ $\frac{14}{16}=\frac{7}{8}$

$\frac{9}{2}=4\frac{1}{3}$ $\frac{9}{2}=4\frac{1}{2}$

$\frac{15}{4}=2\frac{1}{4}$ $\frac{9}{4}=2\frac{1}{4}$

9. 윌리가 학교에서 집으로 갈 수 있는 경로를 모두 그려 보세요. 학교에서 집까지의 거리는 4km예요.

10. 오른쪽 육각형 칸에 1~19까지 숫자가 1개씩 들어가요. 세로줄과 대각선에 있는 수를 합했을 때 각각 38이 되도록 빈칸에 알맞은 수를 써넣어 보세요.

```
     15
  13     9
10     6     4
  12     11
16     7     17
  19     18
     1
```

한 번 더 연습해요!

1. 계산한 후, 약분이 가능하다면 약분해 보세요.

$\frac{1}{2}+\frac{2}{8}$
$=\frac{4}{8}+\frac{2}{8}$
$=\frac{6}{8}=\frac{3}{4}$

$\frac{1}{10}+\frac{2}{5}$
$=\frac{1}{10}+\frac{4}{10}$
$=\frac{5}{10}=\frac{1}{2}$

$\frac{5}{18}+\frac{1}{6}$
$=\frac{5}{18}+\frac{3}{18}$
$=\frac{8}{18}=\frac{4}{9}$

$\frac{8}{9}-\frac{2}{3}$
$=\frac{8}{9}-\frac{6}{9}$
$=\frac{2}{9}$

$\frac{3}{4}-\frac{5}{12}$
$=\frac{9}{12}-\frac{5}{12}$
$=\frac{4}{12}=\frac{1}{3}$

$\frac{13}{15}-\frac{1}{5}$
$=\frac{13}{15}-\frac{3}{15}$
$=\frac{10}{15}=\frac{2}{3}$

2. 계산한 후, 답을 대분수로 나타내어 보세요.

$\frac{5}{8}+\frac{3}{4}$
$=\frac{5}{8}+\frac{6}{8}$
$=\frac{11}{8}=1\frac{3}{8}$

$\frac{7}{9}+\frac{2}{3}$
$=\frac{7}{9}+\frac{6}{9}$
$=\frac{13}{9}=1\frac{4}{9}$

$\frac{5}{12}+\frac{2}{3}$
$=\frac{5}{12}+\frac{8}{12}$
$=\frac{13}{12}=1\frac{1}{12}$

114쪽 7번

③ $\frac{4}{9}$의 분모를 27로 통분하면 $\frac{12}{27}$예요.

④ 분수를 약분해도 값은 변하지 않아요.

29

정답

116-117쪽

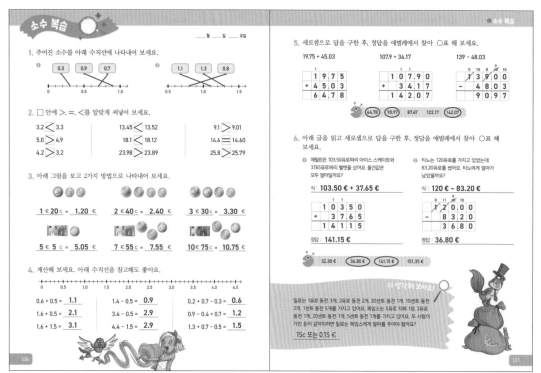

118-119쪽

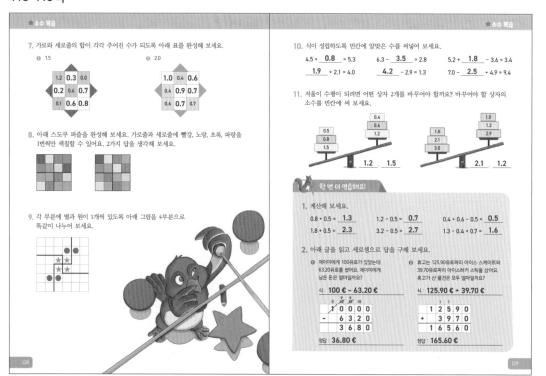

30

핀란드 4학년 수학 교과서 4-2

정답과 해설

2권

핀란드 수학 세계로
여행을 떠나 볼까요?

8-9쪽

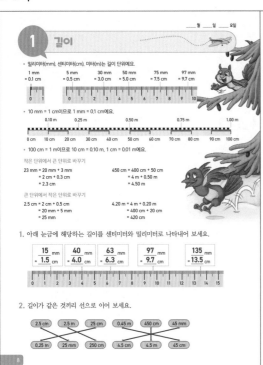

1 길이

3. 주어진 단위로 바꾸어 보세요.

35 mm = **3.5** cm 250 mm = **2.50** m
21 mm = **2.1** cm 620 mm = **6.20** m
60 mm = **6.0** cm 75 cm = **0.75** m
3.5 cm = **35** mm 1.3 m = **130** cm
4.2 cm = **42** mm 5.8 m = **580** cm
0.5 cm = **5** mm 0.7 m = **70** cm

4. 계산한 후, 정답을 애벌레에서 찾아 ○표 해 보세요.

2.1 m + 0.3 m = **2.4 m**   3.2 m + 0.7 m = **3.9 m**   1.4 m + 2.8 m = **4.2 m**

2.8 m - 1.2 m = **1.6 m**   4.5 m - 1.5 m = **3.0 m**   3.5 m - 2.7 m = **0.8 m**

5. 아래 글을 읽고 알맞은 식을 세워 답을 구한 후, 정답을 애벌레에서 찾아 ○표 해 보세요.

① 엠마의 줄넘기 길이는 1.8m인데, 알렉의 줄넘기 길이는 엠마의 것보다 0.7m 짧아요. 알렉의 줄넘기 길이는 몇 m일까요?

식: **1.8 m - 0.7 m = 1.1 m**

정답: **1.1 m**

② 앤의 리본 길이는 0.7m인데, 폴의 리본은 앤의 것보다 0.5m 길어요. 폴의 리본 길이는 몇 m일까요?

식: **0.7 m + 0.5 m = 1.2 m**

정답: **1.2 m**

0.6 m 0.8 m 1.1 m 1.2 m 1.6 m 2.4 m 3.0 m 3.2 m 3.9 m 4.2 m

어! 생각해 보아요!

제리의 막대는 엘리사의 막대보다 20cm 길고, 로렌스의 막대보다 10cm 길어요. 세 막대를 모두 이으면 길이가 120cm에요. 아이들의 막대 길이는 각각 몇 cm일까요?

제리 **50 cm**, 엘리사 **30 cm**, 로렌스 **40 cm**

부모님 가이드 | 8쪽

길이 단위별로 관계를 살펴보면 다음과 같아요. 단위마다 10배씩 차이가 난다고 생각하면 돼요. dm(데시미터)는 우리가 일상에서 잘 사용하지 않지만 단위로는 존재한답니다.

1m(미터)
=10dm(데시미터)
=100cm(센티미터)
=1000mm(밀리미터)

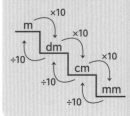

MEMO

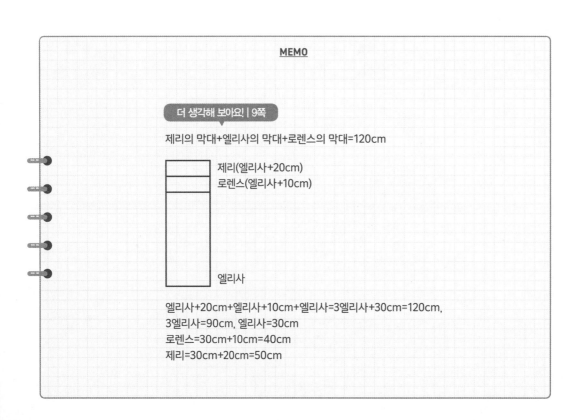

더 생각해 보아요! | 9쪽

제리의 막대+엘리사의 막대+로렌스의 막대=120cm

제리(엘리사+20cm)
로렌스(엘리사+10cm)

엘리사

엘리사+20cm+엘리사+10cm+엘리사=3엘리사+30cm=120cm,
3엘리사=90cm, 엘리사=30cm
로렌스=30cm+10cm=40cm
제리=30cm+20cm=50cm

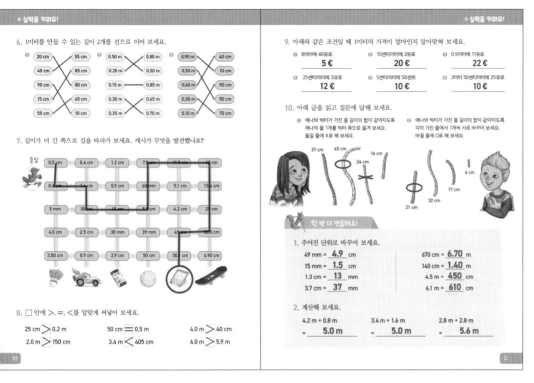

6. 1미터를 만들 수 있는 길이 2개를 선으로 이어 보세요.

20 cm	55 cm
45 cm	85 cm
90 cm	80 cm
15 cm	45 cm
55 cm	10 cm

0.50 m	0.80 m
0.20 m	0.50 m
0.15 m	0.85 m
0.30 m	0.65 m
0.35 m	0.70 m

0.90 m	40 cm
0.50 m	10 cm
0.60 m	90 cm
0.30 m	50 cm
0.10 m	70 cm

7. 길이가 더 긴 쪽으로 길을 따라가 보세요. 캐시가 무엇을 발견했나요?

8. □ 안에 >, =, <를 알맞게 써넣어 보세요.

25 cm > 0.2 m   50 cm = 0.5 m   4.0 m > 40 cm

2.0 m > 150 cm   3.4 m < 405 cm   6.0 m > 5.9 m

9. 아래와 같은 조건일 때 1미터의 가격이 얼마인지 알아맞혀 보세요.

① 8미터에 40유로 — **5 €**
② 10센티미터에 2유로 — **20 €**
③ 0.5미터에 11유로 — **22 €**
④ 25센티미터에 3유로 — **12 €**
⑤ 5센티미터에 50센트 — **10 €**
⑥ 2미터 50센티미터에 25유로 — **10 €**

10. 아래 글을 읽고 질문에 답해 보세요.

① 애나와 빅터가 가진 줄 길이의 합이 같아지도록 애나의 줄 1개를 빅터 쪽으로 옮겨 보세요. 옮길 줄에 X표 해 보세요.

② 애나와 빅터가 가진 줄 길이의 합이 같아지도록 각자 가진 줄에서 1개씩 서로 바꾸어 보세요. 바꿀 줄에 O표 해 보세요.

37 cm   45 cm   16 cm   24 cm   4 cm   17 cm   32 cm   21 cm

한 번 더 연습해요!

1. 주어진 단위로 바꾸어 보세요.

49 mm = **4.9** cm   670 cm = **6.70** m

15 mm = **1.5** cm   140 cm = **1.40** m

1.3 cm = **13** mm   4.5 m = **450** cm

3.7 cm = **37** mm   6.1 m = **610** cm

2. 계산해 보세요.

4.2 m + 0.8 m = **5.0 m**   3.4 m + 1.6 m = **5.0 m**   2.8 m + 2.8 m = **5.6 m**

11쪽 9번

❶ 40€÷8m=5€
❷ 1m=100cm이므로 10cm 가 1m가 되려면 10을 곱해야 해요. 2€×10=20€
❸ 11€×2=22€
❹ 3€×4=12€
❺ 50c×20=1000c, 100c=1€이므로 1000c=10€
❻ 50cm에 5€이므로 1m= 10€

11쪽 10번

❶ 애나가 가진 줄 길이의 합=122cm
빅터가 가진 줄 길이의 합=74cm
122-74=48, 48÷2=24
애나가 가진 줄 가운데 24cm 짜리를 빅터에게 주면 길이가 같아져요.
❷ 애나와 빅터가 가진 줄 가운데 차가 24인 줄을 서로 바꾸면 돼요.
45cm-21cm=24cm
애나의 줄 45cm와 빅터의 줄 21cm를 서로 바꾸면 줄 길이의 합이 각각 98cm가 돼요.

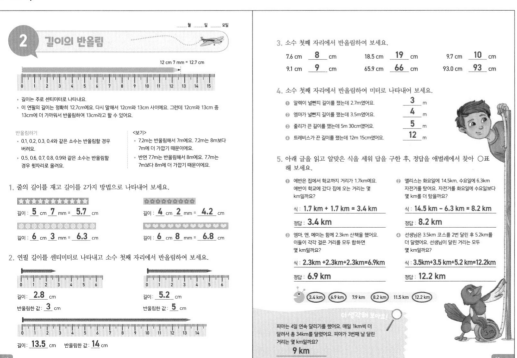

2 길이의 반올림

_____ 월 _____ 일 _____ 요일

12 cm 7 mm = 12.7 cm

- 길이는 주로 센티미터로 나타내요.
- 이 연필의 길이는 정확히 12.7cm예요. 다시 말해서 12cm와 13cm 사이예요. 그런데 12cm와 13cm 중 13cm에 더 가까워서 반올림하면 13cm라고 할 수 있어요.

반올림하기
- 0.1, 0.2, 0.3, 0.4와 같은 소수는 반올림할 경우 버려요.
- 0.5, 0.6, 0.7, 0.8, 0.9와 같은 소수는 반올림할 경우 윗자리로 올려요.

<보기>
- 7.2m는 반올림해서 7m예요. 7.2m는 8m보다 7m에 더 가깝기 때문이에요.
- 반면 7.7m는 반올림하면 8m예요. 7.7m는 7m보다 8m에 더 가깝기 때문이에요.

1. 줄의 길이를 재고 길이를 2가지 방법으로 나타내어 보세요.

길이 **5** cm **7** mm = **5.7** cm   길이 **4** cm **2** mm = **4.2** cm

길이 **6** cm **3** mm = **6.3** cm   길이 **6** cm **8** mm = **6.8** cm

2. 연필 길이를 센티미터로 나타내고 소수 첫째 자리에서 반올림하여 보세요.

길이 **2.8** cm   반올림한 값 **3** cm

길이 **5.2** cm   반올림한 값 **5** cm

길이 **13.5** cm   반올림한 값 **14** cm

3. 소수 첫째 자리에서 반올림하여 보세요.

7.6 cm **8** cm   18.5 cm **19** cm   9.7 cm **10** cm

9.1 cm **9** cm   65.9 cm **66** cm   93.0 cm **93** cm

4. 소수 첫째 자리에서 반올림하여 미터로 나타내어 보세요.

① 알렉이 날뛴 길이를 쟀는데 2.7m였어요. **3** m

② 엠마가 날뛴 길이를 쟀는데 3.5m였어요. **4** m

③ 줄리가 끈 길이를 쟀는데 5m 30cm였어요. **5** m

④ 트레버스가 끈 길이를 쟀는데 12m 15cm였어요. **12** m

5. 아래 글을 읽고 알맞은 식을 세워 답을 구한 후, 정답을 애벌레에서 찾아 ◯표 해 보세요.

① 에반은 집에서 학교까지 거리가 1.7km예요. 에반이 학교에 갔다 집에 오는 거리는 몇 km일까요?

식: **1.7 km + 1.7 km = 3.4 km**

정답: **3.4 km**

② 멜리스는 화요일에 14.5km, 수요일에 6.3km 자전거를 탔어요. 자전거를 화요일에 수요일보다 몇 km 더 탔을까요?

식: **14.5 km - 6.3 km = 8.2 km**

정답: **8.2 km**

③ 엠마, 앤, 메이는 함께 2.3km 산책을 했어요. 이들이 각각 걸은 거리를 모두 합하면 몇 km일까요?

식: **2.3km + 2.3km + 2.3km = 6.9km**

정답: **6.9 km**

④ 선생님은 3.5km 코스를 2번 달린 후 5.2km를 더 달렸어요. 선생님이 달린 거리는 모두 몇 km일까요?

식: **3.5km + 3.5 + 5.2 km = 12.2km**

정답: **12.2 km**

3.4 km   6.9 km   7.9 km   8.2 km   11.5 km   12.2 km

더 생각해 보아요!

피아는 4일 연속 달리기를 했어요. 매일 1km씩 더 달려서 총 34km를 달렸어요. 피아가 3번째 날 달린 거리는 몇 km일까요?

9 km

부모님 가이드 | 12쪽

반올림할 때에는 어느 자리에서 반올림하려는지 자릿값을 잘 살펴봐야 해요.
연필의 길이가 정확히 12.7cm일 경우, 사람들은 복잡한 수보다는 단순한 수를 더 선호하기 때문에 12.70라는 수를 더 간단하게 나타내고 싶어해요. 12.7은 12와 13 중 13에 더 가까우므로 반올림하여 13cm로 나타내는 경우가 많아요.

더 생각해 보아요! | 13쪽

첫날 달린 거리를 □로 해서 표를 만들어 봐요.

1일	2일	3일	4일
□	□+1	□+2	□+3

□+□+1+□+2+□+3=34,
4□=34-6, 4□=28, □=7
3번째 날=7+2=9, 9km

33

정답

14-15쪽

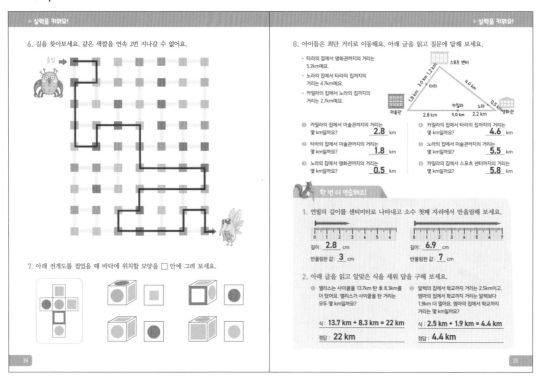

★ 실력을 키워요!

6. 길을 찾아보세요. 같은 색깔을 연속 2번 지나갈 수 없어요.

출발

7. 아래 전개도를 접었을 때 바닥에 위치할 모양을 □ 안에 그려 보세요.

★ 실력을 키워요!

8. 아이들은 최단 거리로 이동해요. 아래 글을 읽고 질문에 답해 보세요.

- 타라의 집에서 영화관까지의 거리는 5.2km예요.
- 노라의 집에서 타라의 집까지의 거리는 4.7km예요.
- 카밀라의 집에서 노라의 집까지의 거리는 2.7km예요.

❶ 카밀라의 집에서 미술관까지의 거리는 몇 km일까요? __2.8__ km

❷ 타라의 집에서 미술관까지의 거리는 몇 km일까요? __1.8__ km

❸ 노라의 집에서 영화관까지의 거리는 몇 km일까요? __0.5__ km

❹ 카밀라의 집에서 타라의 집까지의 거리는 몇 km일까요? __4.6__ km

❺ 노라의 집에서 미술관까지의 거리는 몇 km일까요? __5.5__ km

❻ 카밀라의 집에서 스포츠 센터까지의 거리는 몇 km일까요? __5.8__ km

한 번 더 연습해요!

1. 연필의 길이를 센티미터로 나타내고 소수 첫째 자리에서 반올림해 보세요.

길이: __2.8__ cm
반올림한 값: __3__ cm

길이: __6.9__ cm
반올림한 값: __7__ cm

2. 아래 글을 읽고 알맞은 식을 세워 답을 구해 보세요.

❶ 앨리스는 사이클을 13.7km 탄 후 8.3km를 더 탔어요. 앨리스가 사이클을 탄 거리는 모두 몇 km일까요?

식: 13.7 km + 8.3 km = 22 km

정답: 22 km

❷ 앨핵의 집에서 학교까지 거리는 2.5km이고, 엠마의 집에서 학교까지 거리는 앨핵보다 1.9km 더 멀어요. 엠마의 집에서 학교까지 거리는 몇 km일까요?

식: 2.5 km + 1.9 km = 4.4 km

정답: 4.4 km

15쪽 8번

- 타라의 집에서 영화관까지의 거리는 5.2km예요.→5.2km-4.0km=1.2km 타라의 집에서 스포츠 센터까지의 거리는 1.2km
- 노라의 집에서 타라의 집까지의 거리는 4.7km예요.→1.2km+□=4.7km, □=4.7km-1.2km □=3.5km이므로 스포츠 센터에서 노라의 집까지의 거리는 3.5km
- 카밀라의 집에서 노라의 집까지의 거리는 2.7km예요.→스포츠 센터에서 노라의 집까지의 거리는 3.5km이므로 노라의 집에서 영화관까지의 거리는 0.5km예요. 2.7km-0.5=2.2km, 카밀라의 집에서 노라의 집까지의 거리는 2.2km

위 내용을 중심으로 장소와 집까지의 거리를 모두 알 수 있어요.

16-17쪽

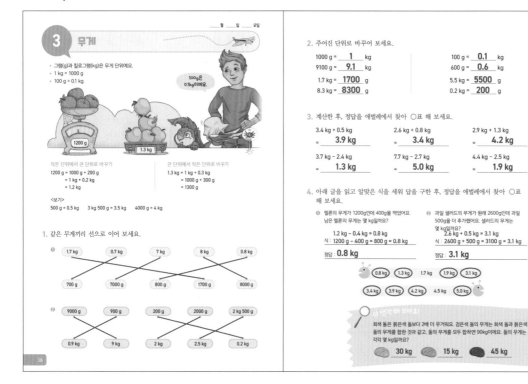

___월 ___일 ___요일

3 무게

- 그램(g)과 킬로그램(kg)은 무게 단위예요.
- 1 kg = 1000 g
- 100 g = 0.1 kg

100g은 0.1kg이에요.

1200 g

1.3 kg

작은 단위에서 큰 단위로 바꾸기
1200 g = 1000 g + 200 g
= 1 kg + 0.2 kg
= 1.2 kg

큰 단위에서 작은 단위로 바꾸기
1.3 kg = 1 kg + 0.3 kg
= 1000 g + 300 g
= 1300 g

<보기>
500 g = 0.5 kg   3 kg 500 g = 3.5 kg   4000 g = 4 kg

1. 같은 무게끼리 선으로 이어 보세요.

❶ 1.7 kg   0.7 kg   7 kg   8 kg   0.8 kg
700 g   7000 g   800 g   1700 g   8000 g

❷ 9000 g   900 g   200 g   2000 g   2 kg 500 g
0.9 kg   9 kg   2 kg   2.5 kg   0.2 kg

2. 주어진 단위로 바꾸어 보세요.

1000 g = __1__ kg
9100 g = __9.1__ kg
1.7 kg = __1700__ g
8.3 kg = __8300__ g

100 g = __0.1__ kg
600 g = __0.6__ kg
5.5 kg = __5500__ g
0.2 kg = __200__ g

3. 계산한 후, 정답을 애벌레에서 찾아 ○표 해 보세요.

3.4 kg + 0.5 kg = __3.9__ kg

2.6 kg + 0.8 kg = __3.4__ kg

2.9 kg + 1.3 kg = __4.2__ kg

3.7 kg - 2.4 kg = __1.3__ kg

7.7 kg - 2.7 kg = __5.0__ kg

4.4 kg - 2.5 kg = __1.9__ kg

4. 아래 글을 읽고 알맞은 식을 세워 답을 구한 후, 정답을 애벌레에서 찾아 ○표 해 보세요.

❶ 멜론의 무게가 1200g인데 400g을 먹었어요. 남은 멜론의 무게는 몇 kg일까요?

1.2 kg - 0.4 kg = 0.8 kg
식: 1200 - 400 = 800 g = 0.8 kg

정답: 0.8 kg

❷ 과일 샐러드의 무게가 원래 2600g인데 과일 500g을 더 추가했어요. 샐러드의 무게는 몇 kg일까요?

2.6 kg + 0.5 kg = 3.1 kg
식: 2600 + 500 = 3100 g = 3.1 kg

정답: 3.1 kg

0.8 kg   1.3 kg   1.7 kg   1.9 kg   3.1 kg
3.4 kg   3.9 kg   4.2 kg   4.5 kg   5.0 kg

생각해 보아요!

회색 돌은 붉은색 돌보다 2배 더 무거워요. 검은색 돌의 무게는 회색 돌과 붉은색 돌의 무게를 합한 것과 같고, 돌의 무게를 모두 합하면 90kg이에요. 돌의 무게는 각각 몇 kg일까요?

30 kg   15 kg   45 kg

부모님 가이드 | 16쪽

무게는 물건의 무거운 정도이며, 무게의 단위에는 g, kg 등이 있어요.
무게를 계산할 때에는 같은 단위로 통일하여 계산해요.
1kg + 700g
= 1000g + 700g = 1700g
1kg + 700g
= 1kg + 0.7kg = 1.7kg

더 생각해 보아요! | 17쪽

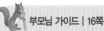 + + =90kg

 = +

 = + 이므로,

 = + +

 + + =90kg에 위

식을 넣으면

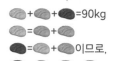 =90kg, 6 =90kg, =15

=15kg이므로 =30kg

=45kg이에요.

14

15

16

18–19쪽

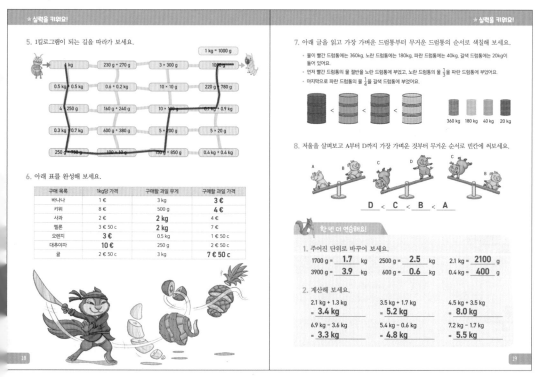

★실력을 키워요!

5. 1킬로그램이 되는 길을 따라가 보세요.

```
                                              1 kg = 1000 g
1 kg    230 g + 270 g    3 × 300 g    1000 g
0.5 kg + 0.5 kg    0.6 + 0.2 kg    10 × 10 g    220 g + 780 g
4 × 250 g    160 g + 240 g    10 × 100 g    0.1 kg + 0.9 kg
0.3 kg + 0.7 kg    600 g + 380 g    5 × 200 g    5 × 20 g
250 g + 750 g    100 × 10 g    150 g + 850 g    0.4 kg + 0.4 kg
```

6. 아래 표를 완성해 보세요.

구매 목록	1kg당 가격	구매할 과일 무게	구매할 과일 가격
바나나	1€	3 kg	**3 €**
키위	8€	500 g	**4 €**
사과	2€	**2 kg**	4 €
멜론	3 € 50 c	**2 kg**	7 €
오렌지	**3 €**	0.5 kg	1 € 50 c
대추야자	**10 €**	250 g	2 € 50 c
귤	2 € 50 c	3 kg	**7 € 50 c**

7. 아래 글을 읽고 가장 가벼운 드럼통부터 무거운 드럼통의 순서로 색칠해 보세요.

- 물이 빨간 드럼통에는 360kg, 노란 드럼통에는 180kg, 파란 드럼통에는 40kg, 갈색 드럼통에는 20kg이 들어 있어요.
- 먼저 빨간 드럼통의 물 절반을 노란 드럼통에 부었고, 노란 드럼통의 물 $\frac{1}{3}$을 파란 드럼통에 부었어요.
- 마지막으로 파란 드럼통의 물 $\frac{1}{4}$을 갈색 드럼통에 부었어요.

```
 < ■ < ■ < ■ < ■
```
360 kg   180 kg   40 kg   20 kg

8. 저울을 살펴보고 A부터 D까지 가장 가벼운 것부터 무거운 순서로 빈칸에 써보세요.

D < **C** < **B** < **A**

한 번 더 연습해요!

1. 주어진 단위로 바꾸어 보세요.

1700 g = **1.7** kg   2500 g = **2.5** kg   2.1 kg = **2100** g
3900 g = **3.9** kg   600 g = **0.6** kg   0.4 kg = **400** g

2. 계산해 보세요.

2.1 kg + 1.3 kg = **3.4 kg**   3.5 kg + 1.7 kg = **5.2 kg**   4.5 kg + 3.5 kg = **8.0 kg**
6.9 kg − 3.6 kg = **3.3 kg**   5.4 kg − 0.6 kg = **4.8 kg**   7.2 kg − 1.7 kg = **5.5 kg**

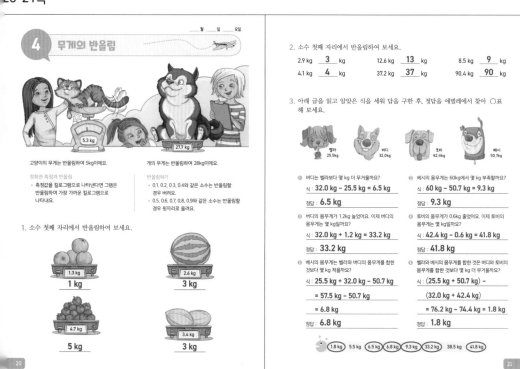

20–21쪽

4 무게의 반올림

고양이의 무게는 반올림하여 5kg이에요.

정확한 측정과 반올림
- 측정값을 킬로그램으로 나타낸다면 그림은 반올림하여 가장 가까운 킬로그램으로 나타내요.

개의 무게는 반올림하여 28kg이에요.

반올림하기
- 0.1, 0.2, 0.3, 0.4와 같은 소수는 반올림할 경우 버려요.
- 0.5, 0.6, 0.7, 0.8, 0.9와 같은 소수는 반올림할 경우 윗자리로 올려요.

1. 소수 첫째 자리에서 반올림하여 보세요.

1.3 kg → **1 kg**   2.6 kg → **3 kg**
4.7 kg → **5 kg**   3.4 kg → **3 kg**

2. 소수 첫째 자리에서 반올림하여 보세요.

2.9 kg → **3** kg   12.6 kg → **13** kg   8.5 kg → **9** kg
4.1 kg → **4** kg   37.2 kg → **37** kg   90.4 kg → **90** kg

3. 아래 글을 읽고 알맞은 식을 세워 답을 구한 후, 정답을 애벌레에서 찾아 ○표 해 보세요.

벨라 25.5kg   버디 32.0kg   토비 42.4kg   베시 50.7kg

① 버디는 벨라보다 몇 kg 더 무거울까요?
식: **32.0 kg − 25.5 kg = 6.5 kg**
정답: **6.5 kg**

② 베시의 몸무게는 60kg에서 몇 kg 부족할까요?
식: **60 kg − 50.7 kg = 9.3 kg**
정답: **9.3 kg**

③ 버디의 몸무게가 1.2kg 늘었어요. 이제 버디의 몸무게는 몇 kg일까요?
식: **32.0 kg + 1.2 kg = 33.2 kg**
정답: **33.2 kg**

④ 토비의 몸무게가 0.6kg 줄었어요. 이제 토비의 몸무게는 몇 kg일까요?
식: **42.4 kg − 0.6 kg = 41.8 kg**
정답: **41.8 kg**

⑤ 베시의 몸무게는 벨라와 버디의 몸무게를 합한 것보다 몇 kg 적을까요?
식: **25.5 kg + 32.0 kg − 50.7 kg**
= **57.5 kg − 50.7 kg**
= **6.8 kg**
정답: **6.8 kg**

⑥ 벨라와 베시의 몸무게를 합한 것은 버디와 토비의 몸무게를 합한 것보다 몇 kg 더 무거울까요?
식: **(25.5 kg + 50.7 kg) −**
(32.0 kg + 42.4 kg)
= **76.2 kg − 74.4 kg = 1.8 kg**
정답: **1.8 kg**

1.8 kg 5.5 kg 6.5 kg 6.8 kg 9.3 kg 33.2 kg 38.5 kg 41.8 kg

18   19   20   21

18쪽 6번

바나나 : 1€×3=3€
키위 : 500g=0.5kg이므로
　　　 8÷2=4€
사과 : 4€÷2€=2, 2kg
멜론 : 3.50€×□=7€,
　　　 □=2, 2kg
오렌지 : 1.50€+1.50€=3€
대추야자 : 250g=0.25kg,
　　　 2.50€+2.50€+2.50€
　　　 +2.50€=10€
귤 : 2.50€+2.50€+2.50€
　　 =7.50€(7€50c)

19쪽 7번

빨간 드럼통
360kg÷2=180kg

노란 드럼통
180kg+180kg=360kg,
$\frac{360}{3}$kg=120kg,
360kg−120kg=240kg

파란 드럼통
40kg+120kg=160kg,
$\frac{160}{4}$=40kg,
160kg−40kg=120kg

갈색 드럼통
20kg+40kg=60kg

22-23쪽

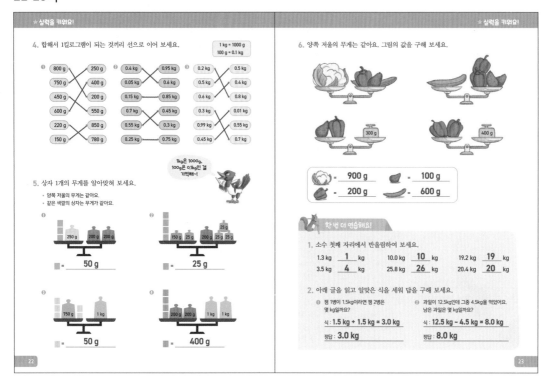

22쪽 5번

❶ 3⬛+250g=400g,
3⬛=400g-250g,
3⬛=150g, ⬛=50g

❷ 4⬛+150g+25g
=200g+25g×3,
4⬛=275g-175g,
4⬛=100g, ⬛=25g

❸ 5⬛+750g=1000g,
5⬛=1000g-750g,
5⬛=250g, ⬛=50g

❹ 4⬛+400g=2000g,
4⬛=2000g-400g,
4⬛=1600g, ⬛=400g

23쪽 6번

🍗🍗=400g, 🍗=200g
🍗🍗=300g,
🍗+200g=300g, 🍗=100g
🍗🍗🍗🍗,
🍌=400g+200g, 🍌=600g
🥬=🍗🍗🍌,
🥬=200g+100g+600g,
🥬=900g

24-25쪽

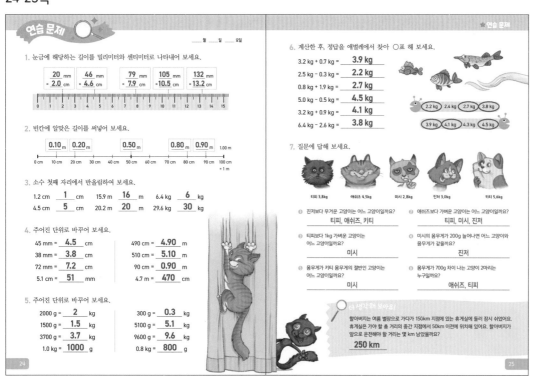

더 생각해 보아요! | 25쪽

휴게실까지 거리=150km
가야 할 총 거리
=(150km+50km)×2
=200km×2=400km
별장까지 남은 거리=
400km-150km=250km

26-27쪽

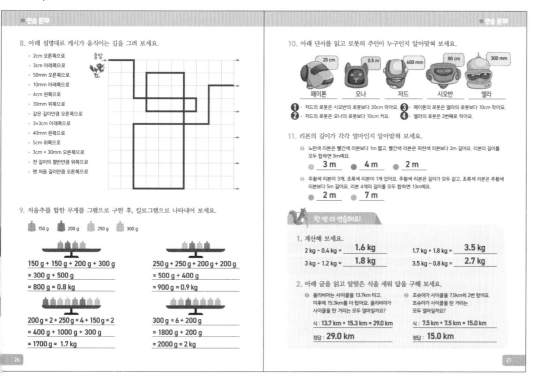

28-29쪽

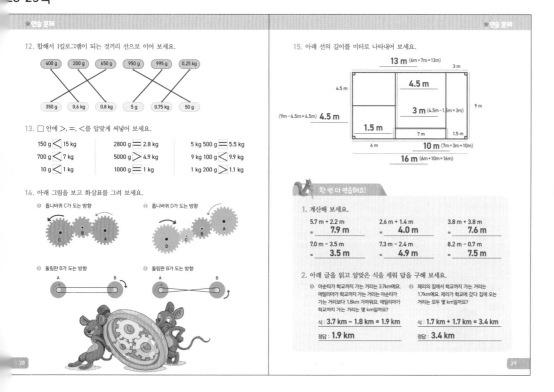

27쪽 10번

로봇의 키를 cm로 통일해요.

●	●	●	●	●
20cm	50cm	60cm	80cm	30cm

❹ 엘라의 로봇은 2번째로 작아요.→30cm

❸ 페이톤의 로봇은 엘라의 로봇보다 10cm 작아요.
30cm-10cm=20cm

❶ 저드의 로봇은 시오반의 로봇보다 20cm 작아요. →차가 20인 것은 80cm과 60cm, 50cm과 30cm. 이 중 30cm은 엘라의 로봇이므로 저드의 로봇은 60cm, 시오반의 로봇은 80cm

❷ 저드의 로봇은 오나의 로봇보다 10cm 커요.
60cm-10cm=50cm

27쪽 11번

❶ 노란색 리본=노, 빨간색 리본=빨, 파란색 리본=파라고 간단히 표시할게요.
노+빨+파=9m
노=빨-1m, 빨=파+2m와 같아요.
다시 말해 ①빨=노+1m와 같으며, ②파=빨-2m와 같아요. ②에 ①을 대입하면
파=노+1m-2m, 파=노-1m예요.
노+빨+파=9m에 빨=노+1m, 파=노-1m를 대입하면
노+노+1m+노-1m=9m,
3노=9m, 노=3m
빨=노+1m, 빨=3m+1m=4m
파=빨-2m, 파=4m-2m=2m

❷ 주황색 리본=주, 초록색 리본=초라고 간단히 표시할게요.
주+주+주+초=13m,
초=주+5m와 같아요.
초=주+5m를 대입하면
주+주+주+주+5m=13m,
4주=13m-5m, 4주=8m,
주=2m
초=주+5m, 초=2m+5m=7m

30-31쪽

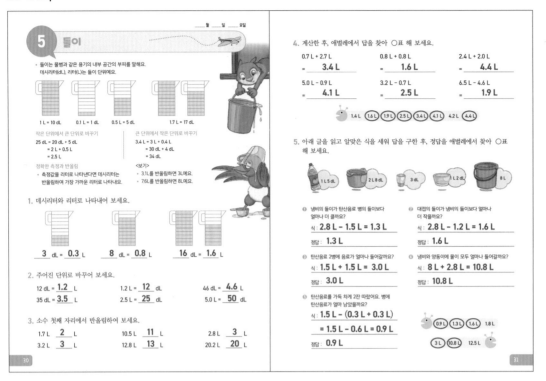

5 들이

- 들이는 물병과 같은 용기의 내부 공간의 부피를 말해요.
  데시리터(dL), 리터(L)는 들이 단위예요.

1 L = 10 dL   0.1 L = 1 dL   0.5 L = 5 dL   1.7 L = 17 dL

작은 단위에서 큰 단위로 바꾸기
25 dL = 20 dL + 5 dL
     = 2 L + 0.5 L
     = 2.5 L

큰 단위에서 작은 단위로 바꾸기
3.4 L = 3 L + 0.4 L
     = 30 dL + 4 dL
     = 34 dL

정확한 측정과 반올림
- 측정값을 리터로 나타낸다면 데시리터는 반올림하여 가장 가까운 리터로 나타내요.

<보기>
- 3.1L를 반올림하면 3L예요.
- 7.6L를 반올림하면 8L예요.

1. 데시리터와 리터로 나타내어 보세요.

_3_ dL = _0.3_ L   _8_ dL = _0.8_ L   _16_ dL = _1.6_ L

2. 주어진 단위로 바꾸어 보세요.

12 dL = __1.2__ L   1.2 L = __12__ dL   46 dL = __4.6__ L
35 dL = __3.5__ L   2.5 L = __25__ dL   5.0 L = __50__ dL

3. 소수 첫째 자리에서 반올림하여 보세요.

1.7 L = __2__ L   10.5 L = __11__ L   2.8 L = __3__ L
3.2 L = __3__ L   12.8 L = __13__ L   20.2 L = __20__ L

4. 계산한 후, 애벌레에서 답을 찾아 ○표 해 보세요.

0.7 L + 2.7 L   0.8 L + 0.8 L   2.4 L + 2.0 L
= __3.4 L__   = __1.6 L__   = __4.4 L__

5.0 L - 0.9 L   3.2 L - 0.7 L   6.5 L - 4.6 L
= __4.1 L__   = __2.5 L__   = __1.9 L__

1.4 L 1.6 L 1.9 L 2.5 L 3.4 L 4.1 L 4.2 L 4.4 L

5. 아래 글을 읽고 알맞은 식을 세워 답을 구한 후, 정답을 애벌레에서 찾아 ○표 해 보세요.

1 L 5 dL   2 L 8 dL   3 dL   1 L 2 dL   8 L

① 냄비의 들이가 탄산음료 병의보다 얼마나 더 클까요?
식: **2.8 L - 1.5 L = 1.3 L**
정답: **1.3 L**

② 대접의 들이가 냄비의 들이보다 얼마나 더 작을까요?
식: **2.8 L - 1.2 L = 1.6 L**
정답: **1.6 L**

③ 탄산음료 2병에 음료가 얼마나 들어갈까요?
식: **1.5 L + 1.5 L = 3.0 L**
정답: **3.0 L**

④ 냄비와 양동이에 물이 모두 얼마나 들어갈까요?
식: **8 L + 2.8 L = 10.8 L**
정답: **10.8 L**

⑤ 탄산음료를 가득 차게 2잔 따랐어요. 병에 탄산음료가 얼마 남았을까요?
식: **1.5 L - (0.3 L + 0.3 L)**
= **1.5 L - 0.6 L = 0.9 L**
정답: **0.9 L**

0.9 L 1.3 L 1.6 L 1.8 L
3 L 10.8 L 12.5 L

부모님 가이드 | 30쪽

들이는 부피 단위로, 주전자나 물병과 같은 그릇 안쪽 공간의 크기를 말해요. 그래서, 겉으로 볼 때 크기가 같은 컵이라도 두께가 얇은 컵은 들이가 크고, 두꺼운 컵은 들이가 작아요. 두꺼울수록 안에 담기는 물의 양이 적으니까요. 그래서 들이를 비교하려면 그릇 안쪽 공간의 크기를 항상 생각해야 해요.

핀란드수학교과서에서는 dL(데시리터)와 L(리터)를 다뤄요. 한국 교육과정에서는 mL(밀리리터)와 L(리터)를 다뤄요. 10dL=1L와 같으며, 1L=1000mL와 같아요.

32-33쪽

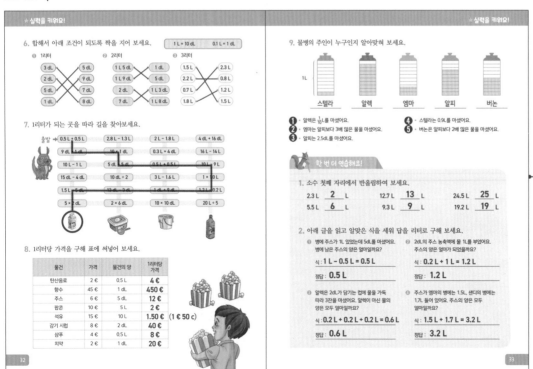

★ 실력을 키워요!

6. 합해서 아래 조건이 되도록 짝을 지어 보세요.   1 L = 10 dL   0.1 L = 1 dL

① 1리터
3 dL ─ 5 dL
2 dL ─ 7 dL
5 dL ─ 3 dL
1 dL ─ 8 dL

② 2리터
1 L 5 dL ─ 5 dL
1 L 9 dL ─ 1 dL
2 dL ─ 1 L 3 dL
7 dL ─ 1 L 8 dL

③ 3리터
1.5 L ─ 2.3 L
2.2 L ─ 0.8 L
0.7 L ─ 1.2 L
1.8 L ─ 1.5 L

7. 1리터가 되는 곳을 따라 길을 찾아보세요.

출발 →
0.5 L + 0.5 L   2.8 L - 1.3 L   2 L - 1.8 L   4 dL + 16 dL
9 dL - 1 dL   10 × 1 dL   0.3 L + 4 dL   16 L - 14 L
10 L - 1 L   5 dL × 2   1.4 dL × 0.5 L 10.1 × 9 L
15 dL - 4 dL   10 dL + 2   3 L - 1.6 L   1 × 10 L
1.5 L - 5 dL   13 dL × 2   1 dL + 9 dL   0.2 L
5 × 2 dL   2 × 6 dL   10 × 10 dL   20 L + 5

8. 1리터당 가격을 구해 표에 써넣어 보세요.

물건	가격	물건의 양	1리터당 가격
탄산음료	2 €	0.5 L	**4 €**
향수	45 €	1 dL	**450 €**
주스	6 €	5 dL	**12 €**
팝콘	10 €	5 L	**2 €**
석유	15 €	10 L	**1.50 €**
감기 시럽	8 €	2 dL	**40 €**
샴푸	4 €	0.5 L	**8 €**
치약	2 €	1 dL	**20 €**

(1 € 50 c)

★ 실력을 키워요!

9. 물병의 주인이 누구인지 알아맞혀 보세요.

1L

스텔라   알렉   엠마   알피   버논

① 알렉은 ⅒L를 마셨어요.
② 엠마는 알피보다 3배 많은 물을 마셨어요.
③ 알피는 2.5dL를 마셨어요.
④ 스텔라는 0.9L를 마셨어요.
⑤ 버논은 알피보다 2배 많은 물을 마셨어요.

한 번 더 연습해요!

1. 소수 첫째 자리에서 반올림하여 보세요.

2.3 L   __2__ L   12.7 L   __13__ L   24.5 L   __25__ L
5.5 L   __6__ L   9.3 L   __9__ L   19.2 L   __19__ L

2. 아래 글을 읽고 알맞은 식을 세워 답을 리터로 구해 보세요.

① 병에 주스가 1L 있었는데 5dL를 마셨어요. 병에 남은 주스의 양은 얼마일까요?
식: **1 L - 0.5 L = 0.5 L**
정답: **0.5 L**

② 2dL의 주스 농축액에 물 1L를 부었어요. 주스의 양은 얼마가 되었을까요?
식: **0.2 L + 1 L = 1.2 L**
정답: **1.2 L**

③ 알렉은 2dL가 담기는 컵에 물을 가득 따라 3잔을 마셨어요. 알렉이 마신 물의 양은 모두 얼마일까요?
식: **0.2 L + 0.2 L + 0.2 L = 0.6 L**
정답: **0.6 L**

④ 주스가 엠마의 병에는 1.5L, 샌디의 병에는 1.7L 들어 있어요. 주스의 양은 모두 얼마일까요?
식: **1.5 L + 1.7 L = 3.2 L**
정답: **3.2 L**

6 시간

잰은 9.45초 만에 60m를 달렸고, 톰은 8.72초 만에 60m를 달렸어요. 톰은 잰보다 얼마나 빨리 달렸을까요?

9.45초 - 8.72초

```
     8  10
   9. 4 5
 - 8. 7 2
   0. 7 3
```

8.72초는 8초 72로 읽어요.

자연수(초)
8.72초
1초의 2/100
1초의 7/10

정답: 0.73초

1. 계산한 후, 정답을 애벌레에서 찾아 ○표 해 보세요.

3.4초 + 1.2초 = **4.6초**　　2.5초 + 4.5초 = **7.0초**　　0.8초 + 1.7초 = **2.5초**

2. 계산한 후, 정답을 애벌레에서 찾아 ○표 해 보세요.

4.8초 - 1.6초 = **3.2초**　　3.7초 - 0.7초 = **3.0초**　　5.0초 - 3.6초 = **1.4초**

(1.4초) (2.5초) 2.8초 (3.0초) (3.2초) (4.6초) 6.5초 (7.0초)

3. 표를 살펴보고 아래 질문에 답을 구해 보세요.

❶ 누가 1, 2, 3, 4, 5등인지 표에 써넣어 보세요.

❷ 누구의 기록이 10초보다 0.01초 더 걸렸을까요?　　　**알렉스**

❸ 0.1초를 단축하면 기록이 9.00초가 되는 사람은 누구일까요?　　　**닉**

❹ 기록이 알렉스보다 정확히 1초 빠른 사람은 누구일까요?　　　**마이크**

❺ 기록이 타냐보다 0.2초 빠른 사람은 누구일까요?　　　**닉**

❻ 기록이 닉보다 0.05초 느린 사람은 누구일까요?　　　**올리비아**

❼ 기록이 올리비아보다 0.15초 느린 사람은 누구일까요?　　　**타냐**

60미터 달리기 기록

이름	시간	등수
타냐	9.30초	4
닉	9.10초	2
마이크	9.01초	1
올리비아	9.15초	3
알렉스	10.01초	5

4. 표를 살펴보세요. 아래 글을 읽고 세로셈으로 답을 구한 후, 정답을 애벌레에서 찾아 ○표 해 보세요.

50m 수영 기록

이름	시간
엘레나	42.05초
노라	37.16초
루카스	51.26초
애런	38.52초
엘리	44.32초
라온	50.26초
래리	53.35초

❶ 엘레나는 라온보다 기록이 얼마나 빠를까요?

식 : 50.26초 - 42.05초

```
   5 0. 2 6
 - 4 2. 0 5
   0 8. 2 1
```

정답: 8.21초

❷ 래리가 루카스와 기록이 같아지려면 기록을 얼마나 단축해야 할까요?

식 : 53.35초 - 51.26초

```
   5 3. 3 5
 - 5 1. 2 6
   0 2. 0 9
```

정답: 2.09초

❸ 엘리의 기록은 노라에 비해 얼마나 느릴까요?

식 : 44.32초 - 37.16초

```
   4 4. 3 2
 - 3 7. 1 6
   0 7. 1 6
```

정답: 7.16초

❹ 애런의 기록은 40초보다 얼마나 빠를까요?

식 : 40초 - 38.52초

```
   4 0. 0 0
 - 3 8. 5 2
   0 1. 4 8
```

정답: 1.48초

더 생각해 보아요!

수돗물을 틀어서 욕조에 1분에 8L씩 담고 있어요. 그런데 이와 동시에 1분에 3L의 물이 욕조에서 빠져나가고 있어요. 30분 뒤에 욕조에는 몇 L의 물이 있을까요?

150 L

1.18초　(1.48초)　(2.09초)

7.06초　(7.16초)　8.21초

부모님 가이드 | 34쪽

1초=$\frac{1}{60}$ 분이고 1분=60초라는 건 잘 알고 있어요.
그런데 육상이나 수영에서 기록을 재거나 누가 먼저 들어왔는지 알아볼 때, 이 차이가 1초 미만인 경우가 많아요. 그럴 때 스톱워치나 크로노그래프를 이용해 1초보다 작은 단위인 밀리초(ms)로 좀 더 정확하게 기록을 재어 승패를 결정지어요.

1밀리초(ms)=$\frac{1}{1000}$ 초

초의 소수점 계산은 일반적인 소수점 계산 방법과 같아요.

더 생각해 보아요! | 35쪽

8L×30분=240L
3L×30분=90L
240L-90L=150L

MEMO

32쪽 8번

탄산음료 2€×2=4€

향수 1dL=0.1L이므로 45€×10=450€

주스 5dL=0.5L이므로 6€×2=12€

팝콘 10€÷5=2€

석유 15€÷10=1.5€ 또는 1€ 50c

감기 시럽 2dL=0.2L이므로 8€×5=40€

샴푸 4€×2=8€

치약 1dL=0.1L이므로 2€×10=20€

33쪽 9번

❶ 1L의 $\frac{1}{10}$ 은 0.1L 또는 1dL를 말해요.
1L-0.1L=0.9L 알렉=빨간색 물병

❸ 1L=10dL, 10dL-2.5dL=7.5dL=0.75L
알피=0.75L 알피=주황색 물병

❷ 2.5dL+2.5dL+2.5dL=7.5dL,
10dL-7.5dL=2.5dL 엠마=초록색 물병

❹ 1L-0.9L=0.1L 스텔라=파란색 물병

❺ 2.5dL+2.5dL=5.0dL 버논=보라색 물병

36-37쪽

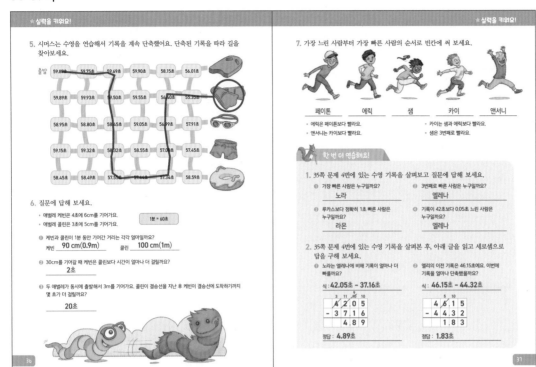

5. 시머스는 수영을 연습해서 기록을 계속 단축했어요. 단축된 기록을 따라 길을 찾아보세요.

출발 59.88초 59.75초 59.69초 59.90초 58.15초 56.01초
59.89초 59.93초 59.50초 59.55초 56.40초 55.33초
58.95초 58.80초 58.65초 59.05초 56.99초 57.91초
59.15초 59.32초 58.32초 58.55초 57.00초 57.45초
58.45초 58.49초 57.55초 57.44초 57.34초 58.59초

6. 질문에 답해 보세요.

- 애벌레 케빈은 4초에 6cm를 기어가요.
- 애벌레 콜린은 3초에 5cm를 기어가요.

1분 = 60초

❶ 케빈과 콜린이 1분 동안 기어간 거리는 각각 얼마일까요?
케빈 **90 cm(0.9m)**   콜린 **100 cm(1m)**

❷ 30cm를 기어갈 때 케빈은 콜린보다 시간이 얼마나 더 걸릴까요?
2초

❸ 두 애벌레가 동시에 출발해서 3m를 기어가요. 콜린이 결승선을 지난 후 케빈이 결승선에 도착하기까지 몇 초가 더 걸릴까요?
20초

7. 가장 느린 사람부터 가장 빠른 사람의 순서로 빈칸에 써 보세요.

페이튼   에릭   샘   카이   앤서니

- 에릭은 페이튼보다 빨라요.
- 앤서니는 카이보다 빨라요.
- 카이는 샘과 에릭보다 빨라요.
- 샘은 3번째로 빨라요.

한 번 더 연습해요!

1. 35쪽 문제 4번에 있는 수영 기록을 살펴보고 질문에 답해 보세요.

❶ 가장 빠른 사람은 누구일까요?
노라

❷ 루카스보다 정확히 1초 빠른 사람은 누구일까요?
라몬

❸ 3번째로 빠른 사람은 누구일까요?
엘레나

❹ 기록이 42초보다 0.05초 느린 사람은 누구일까요?
엘레나

2. 35쪽 문제 4번에 있는 수영 기록을 살펴본 후, 아래 글을 읽고 세로셈으로 답을 구해 보세요.

❶ 노라는 엘레나에 비해 기록이 얼마나 더 빠를까요?
식: **42.05초 − 37.16초**

	3	11	10
	4	2	0	5
−	3	7	1	6
		4	8	9

정답: **4.89초**

❷ 엘리의 이전 기록은 46.15초예요. 이번에 기록을 얼마나 단축했을까요?
식: **46.15초 − 44.32초**

		4	6	1	5
−		4	4	3	2
			1	8	3

정답: **1.83초**

36쪽 6번

❶ 케빈-4초에 6cm이므로 1초
=6cm×15=90cm
콜린-3초에 5cm이므로 1초
=5cm×20=100cm

❷ 케빈-30cm÷6cm=5, 4초×
5=20초
콜린-30cm÷5cm=6, 3초×
6=18초
20초-18초=2초

❸ 3m=300cm
케빈-300cm÷6cm=50, 5초
×4초=200초
콜린-300cm÷5cm=60, 6초
×3초=180초
200초-180초=20초

3m는 300cm이며, 30cm의
10배이므로 2초를 10배한 20
초가 더 걸리는 걸 계산하지 않
고도 유추할 수 있어요.

38-39쪽

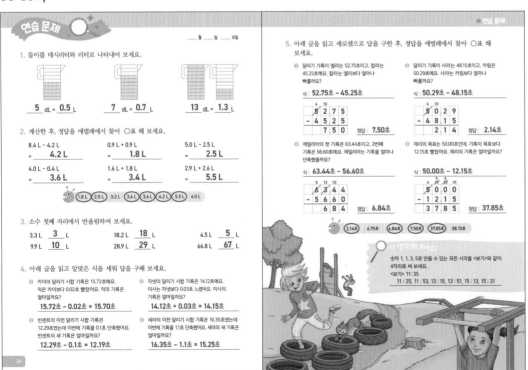

연습 문제

_____월 _____일 _____요일

1. 들이를 데시리터와 리터로 나타내어 보세요.

5 dL = **0.5** L   **7** dL = **0.7** L   **13** dL = **1.3** L

2. 계산한 후, 정답을 애벌레에서 찾아 ○표 해 보세요.

8.4 L − 4.2 L = **4.2 L**   0.9 L + 0.9 L = **1.8 L**   5.0 L − 2.5 L = **2.5 L**

4.0 L − 0.4 L = **3.6 L**   1.6 L + 1.8 L = **3.4 L**   2.9 L + 2.6 L = **5.5 L**

1.8 L 2.5 L 3.2 L 3.4 L 3.6 L 4.2 L 5.5 L 6.0 L

3. 소수 첫째 자리에서 반올림하여 보세요.

3.3 L **3** L   18.2 L **18** L   4.5 L **5** L
9.9 L **10** L   28.9 L **29** L   66.8 L **67** L

4. 아래 글을 읽고 알맞은 식을 세워 답을 구해 보세요.

❶ 카이의 달리기 시합 기록은 15.72초예요. 믹은 카이보다 0.02초 빨랐어요. 믹의 기록은 얼마일까요?
15.72초 − 0.02초 = 15.70초

❷ 자넷의 달리기 시합 기록은 14.12초예요. 미사는 자넷보다 0.03초 느렸어요. 미사의 기록은 얼마일까요?
14.12초 + 0.03초 = 14.15초

❸ 빈센트의 이전 달리기 시합 기록은 12.29초였는데 이번에 기록을 0.1초 단축했어요. 빈센트의 새 기록은 얼마일까요?
12.29초 − 0.1초 = 12.19초

❹ 세라의 이전 달리기 시합 기록은 16.35초였는데 이번에 기록을 1.1초 단축했어요. 세라의 새 기록은 얼마일까요?
16.35초 − 1.1초 = 15.25초

5. 아래 글을 읽고 세로셈으로 답을 구한 후, 정답을 애벌레에서 찾아 ○표 해 보세요.

❶ 달리기 기록이 엘리는 52.75초이고, 칼라는 45.25초예요. 칼라는 엘리보다 얼마나 빠를까요?
식: **52.75초 − 45.25초**

	4	10		
	5	2	7	5
−	4	5	2	5
		7	5	0

정답: **7.50초**

❷ 달리기 기록이 사라는 48.15초이고, 카림은 50.29초예요. 사라는 카림보다 얼마나 빠를까요?
식: **50.29초 − 48.15초**

	4	10		
	5	0	2	9
−	4	8	1	5
		2	1	4

정답: **2.14초**

❸ 에밀리아의 첫 기록은 63.44초이고, 2번째 기록은 56.60초예요. 에밀리아는 기록을 얼마나 단축했을까요?
식: **63.44초 − 56.60초**

	5	12	10	
	6	3	4	4
−	5	6	6	0
		6	8	4

정답: **6.84초**

❹ 제리의 목표는 50.00초인데, 기록이 목표보다 12.15초 빨랐어요. 제리의 기록은 얼마일까요?
식: **50.00초 − 12.15초**

	4	9	9	10
	5	0	0	0
−	1	2	1	5
	3	7	8	5

정답: **37.85초**

2.14초   6.75초   6.84초   7.50초   37.85초   38.15초

더 생각해 보아요!

숫자 1, 1, 3, 5로 만들 수 있는 모든 시각을 <보기>와 같이 4자리로 써 보세요.
<보기> 11 : 35
11 : 35, 11 : 53, 13 : 15, 13 : 51, 15 : 13, 15 : 31

★ 연습 문제

6. 합해서 1리터가 되는 것끼리 선으로 이어 보세요.

| 1 L = 10 dL |
| 0.1 L = 1 dL |

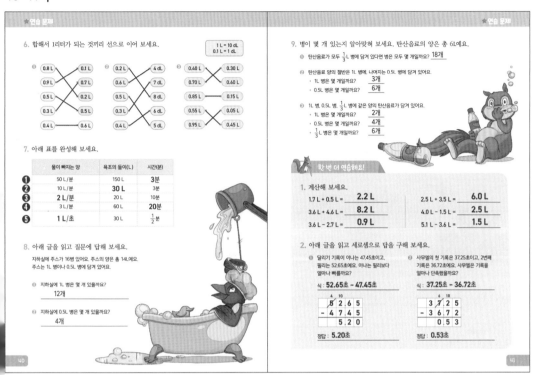

0.8 L — 0.1 L　　0.2 L — 4 dL　　0.40 L — 0.30 L
0.9 L — 0.7 L　　0.6 L — 7 dL　　0.70 L — 0.60 L
0.5 L — 0.2 L　　0.5 L — 8 dL　　0.85 L — 0.15 L
0.3 L — 0.5 L　　0.3 L — 6 dL　　0.55 L — 0.05 L
0.4 L — 0.6 L　　0.4 L — 5 dL　　0.95 L — 0.45 L

7. 아래 표를 완성해 보세요.

	물이 빠지는 양	육조의 들이(L)	시간(분)
❶	50 L / 분	150 L	3분
❷	10 L / 분	30 L	3분
❸	2 L / 분	20 L	10분
❹	3 L / 분	60 L	20분
❺	1 L / 초	30 L	$\frac{1}{2}$분

8. 아래 글을 읽고 질문에 답해 보세요.
지하실에 주스가 16병 있어요. 주스의 양은 총 14L예요.
주스는 1L 병이나 0.5L 병에 담겨 있어요.

❶ 지하실에 1L 병은 몇 개 있을까요?
12개

❷ 지하실에 0.5L 병은 몇 개 있을까요?
4개

40

★ 연습 문제

9. 병이 몇 개 있는지 알아맞혀 보세요. 탄산음료의 양은 총 6L예요.

❶ 탄산음료가 모두 $\frac{1}{3}$ L 병에 담겨 있다면 병은 모두 몇 개일까요? 18개

❷ 탄산음료 양의 절반은 1L 병에, 나머지는 0.5L 병에 담겨 있어요.
　• 1L 병은 몇 개일까요?　3개
　• 0.5L 병은 몇 개일까요?　6개

❸ 1L 병, 0.5L 병, $\frac{1}{3}$ L 병에 같은 양의 탄산음료가 담겨 있어요.
　• 1L 병은 몇 개일까요?　2개
　• 0.5L 병은 몇 개일까요?　4개
　• $\frac{1}{3}$ L 병은 몇 개일까요?　6개

한 번 더 연습해요!

1. 계산해 보세요.
1.7 L + 0.5 L = 2.2 L　　　2.5 L + 3.5 L = 6.0 L
3.6 L + 4.6 L = 8.2 L　　　4.0 L − 1.5 L = 2.5 L
3.6 L − 2.7 L = 0.9 L　　　5.1 L − 3.6 L = 1.5 L

2. 아래 글을 읽고 세로셈으로 답을 구해 보세요.

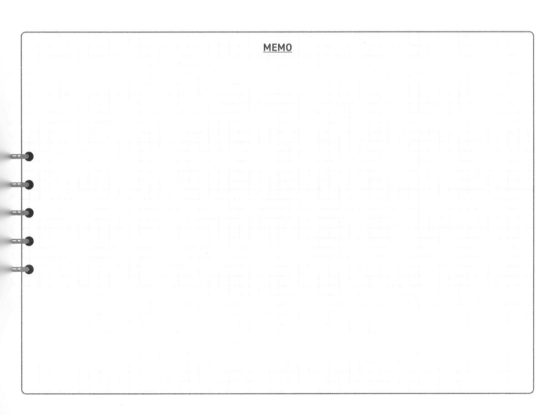

❶ 달리기 기록이 이나는 47.45초이고,
필리는 52.65초예요. 이나는 필리보다
얼마나 빠를까요?
식 : 52.65초 − 47.45초

```
  4  16
  5 2 . 6 5
− 4 7 . 4 5
    5 . 2 0
```
정답 : 5.20초

❷ 사무엘의 첫 기록은 37.25초이고, 2번째
기록은 36.72초예요. 사무엘은 기록을
얼마나 단축했을까요?
식 : 37.25초 − 36.72초

```
      6  10
  3 7 . 2 5
− 3 6 . 7 2
    0 . 5 3
```
정답 : 0.53초

41

40쪽 7번

❶ 150L÷50L=3분
❷ 10L×3분=30L
❸ 20L÷10분=2L
❹ 60L÷3L=20분
❺ $\frac{1}{2}$분=30초, 30L÷30초=1L

40쪽 8번

1L	1개	2개	3개	…	12개
0.5L	15개	14개	13개	…	4개
총량	8.5L	9.0L	9.5L	…	14L

총 16병에서 1L 병이 1개씩 늘
고, 0.5L 병이 1개씩 줄어들 때
마다 총량이 8.5L, 9.0L, 9.5L…
0.5씩 늘어나요. 14L가 되려면
1L가 12개, 0.5L가 4개예요.

41쪽 9번

❶ $\frac{1}{3}$L+$\frac{1}{3}$L+$\frac{1}{3}$L=$\frac{3}{3}$L=1L
$\frac{1}{3}$L가 3개 있어야 1L예요.
3개×6L=18개
❷ 6L의 반은 3L,
1L=3개, 0.5L=6개
❸ 각각 2L씩 담겨 있어야 해요.
1L=2개, 0.5L=4개, $\frac{1}{3}$L=6개

★ 연습 문제

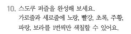

10. 스도쿠 퍼즐을 완성해 보세요.
가로줄과 세로줄에 노랑, 빨강, 초록, 주황, 파랑, 보라를 1번씩만 색칠할 수 있어요.

11. 줄의 길이가 얼마인지 알아맞혀 보세요.

❶ 줄의 길이를 모두 합하면 12m예요. 주황색 줄은 파란색 줄보다 1m 길고, 갈색 줄은 주황색 줄보다 1m 길어요.

● **4 m** ● **3 m** ● **5 m**

❷ 줄의 길이를 모두 합하면 12m예요. 노란색 줄과 초록색 줄은 길이가 같아요. 검은색 줄은 노란색과 초록색 줄을 합한 길이와 같아요.

● **6 m** ● **3 m** ● **3 m**

❸ 줄의 길이를 모두 합하면 14m예요. 초록색의 길이는 갈색 줄의 2배이고, 회색 줄의 길이는 갈색 줄보다 2m 길어요.

● **3 m** ● **5 m** ● **6 m**

12. 5dL와 2dL 계량컵이 있어요. 주어진 양의 물을 측정하려면 계량컵을 어떻게 이용해야 할지 식으로 나타내어 보세요.

5 dL - 2 dL = 3 dL   5 dL - 2 dL - 2 dL = 1 dL   3 × 5 dL - 2 dL = 13 dL

42

★ 연습 문제

13. 아래 글을 읽고 질문에 답해 보세요.

- 아트, 키라, 로라 모두 처음에 스티커를 10장씩 가지고 있었어요.
- 오시안과 사마라는 둘 다 스티커를 20장씩 가지고 있었어요.
- ❶ 오시안은 다른 친구들에게 모두 스티커를 2장씩 주었어요.
- ❷ 키라는 로라에게 스티커 5장을 주었고, 사마라에게서 3장을 받았어요.
- ❸ 아트는 오시안과 스티커 4장을 교환했고, 키라에게 2장을 주었어요. 그리고 사마라에게서 6장을 받았어요.
- ❹ 오시안은 키라, 로라, 사마라에게 각각 2장씩 주었고, 아트에게 1장을 주었어요.

최종적으로

● 아트가 가진 스티커는 몇 장일까요?	17장
● 키라가 가진 스티커는 몇 장일까요?	14장
● 로라가 가진 스티커는 몇 장일까요?	19장
● 오시안이 가진 스티커는 몇 장일까요?	5장
● 사마라가 가진 스티커는 몇 장일까요?	15장

순서대로 차근차근 계산해 보렴~!

한 번 더 연습해요!

1. 계산해 보세요.

1.5 km + 3.5 km = **5.0 km**   8.2 km + 1.9 km = **10.1 km**   7.5 km + 2.8 km = **10.3 km**

2.7 km - 1.4 km = **1.3 km**   5 km - 1.7 km = **3.3 km**   4.3 km - 2.5 km = **1.8 km**

2. 아래 글을 읽고 알맞은 식을 세워 답을 구해 보세요.

❶ 선생님은 처음에 5.4km를 달렸고 이후에 6.8km를 더 달렸어요. 선생님이 달린 거리는 모두 몇 km일까요?
식 : **5.4 km + 6.8 km**
정답 : **12.2 km**

❷ 선생님 집에서 도서관까지의 거리가 3.7km예요. 도서관에 갔다 집에 돌아오는 거리는 몇 km일까요?
식 : **3.7 km + 3.7 km**
정답 : **7.4 km**

43

42쪽 11번

❶ 주황색은 주, 파란색은 파, 갈색은 갈로 간단히 표시할게요.
주+파+갈=12m
주=파+1m, 파=주-1m
갈=주+1m
주+파+갈=12m에
파=주-1m, 갈=주+1m를 대입하면
주+주-1m+주+1m=12m
3주=12m, 주황색=4m,
파란색=3m, 갈색=5m

❷ 검+초+노=12m,
노=초, 검=초+노
검+초+노=12m에 검=초+노를 대입하면
2검=12m, 검은색=6m,
초록색=3m, 노란색=3m

❸ 갈+회+초=14m
초=갈+갈, 회=갈+2m
갈+갈+갈+갈+2m=14m,
4갈=12m, 갈=3m
갈색=3m, 회색=5m,
초록색=6m

MEMO

43쪽 13쪽

아트	키라	로라	오시안	사마라
10	10	10	20	20
12	12	12	20-8=12	22

❶ 오시안은 다른 모든 친구들에게 스티커를 2장씩 주었어요.

아트	키라	로라	오시안	사마라
12	12	12	12	22
	12-5=7 7+3=10	12+5=17		22-3=19

❷ 키라는 로라에게 스티커 5장을 주었고, 사마라에게서 3장을 받았어요.

아트	키라	로라	오시안	사마라
12	10	17	12	19
12-2=10 10+6=16	10+2=12			19-6=13

❸ 아트는 오시안과 스티커 4장을 교환했고, 키라에게 2장을 주었어요. 그리고 사마라에게서 6장을 받았어요.

아트	키라	로라	오시안	사마라
16	12	17	12	13
16+1=17	12+2=14	17+2=19	12-7=5	13+2=15

❹ 오시안은 키라, 로라, 사마라에게 각각 2장씩 주었고, 아트에게 1장을 주었어요

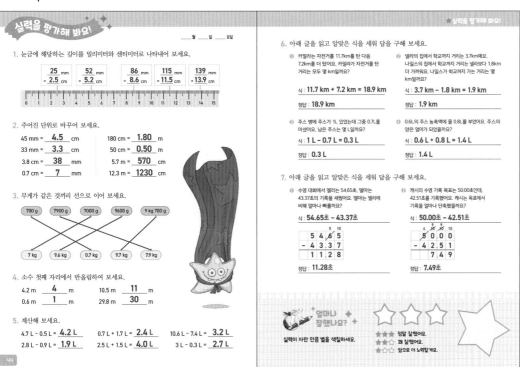

실력을 평가해 봐요!

_____월 _____일 _____요일

1. 눈금에 해당하는 길이를 밀리미터와 센티미터로 나타내어 보세요.

25 mm	52 mm	86 mm	115 mm	139 mm
= 2.5 cm	= 5.2 cm	= 8.6 cm	= 11.5 cm	= 13.9 cm

2. 주어진 단위로 바꾸어 보세요.

45 mm = **4.5** cm   180 cm = **1.80** m
33 mm = **3.3** cm   50 cm = **0.50** m
3.8 cm = **38** mm   5.7 m = **570** cm
0.7 cm = **7** mm   12.3 m = **1230** cm

3. 무게가 같은 것끼리 선으로 이어 보세요.

700 g   7900 g   7000 g   9600 g   9 kg 700 g

7 kg   9.6 kg   0.7 kg   9.7 kg   7.9 kg

4. 소수 첫째 자리에서 반올림하여 보세요.

4.2 m   **4** m   10.5 m   **11** m
0.6 m   **1** m   29.8 m   **30** m

5. 계산해 보세요.

4.7 L - 0.5 L = **4.2 L**   0.7 L + 1.7 L = **2.4 L**   10.6 L - 7.4 L = **3.2 L**
2.8 L - 0.9 L = **1.9 L**   2.5 L + 1.5 L = **4.0 L**   3 L - 0.3 L = **2.7 L**

6. 아래 글을 읽고 알맞은 식을 세워 답을 구해 보세요.

❶ 카밀라는 자전거를 11.7km를 탄 다음 7.2km를 더 탔어요. 카밀라가 자전거를 탄 거리는 모두 몇 km일까요?

식: **11.7 km + 7.2 km = 18.9 km**

정답: **18.9 km**

❷ 델라의 집에서 학교까지 거리는 3.7km예요. 나일스의 집에서 학교까지 거리는 델라보다 1.8km 더 가까워요. 나일스가 학교까지 가는 거리는 몇 km일까요?

식: **3.7 km - 1.8 km = 1.9 km**

정답: **1.9 km**

❸ 주스 병에 주스가 1L 있었는데 그중 0.7L를 마셨어요. 남은 주스는 몇 L일까요?

식: **1 L - 0.7 L = 0.3 L**

정답: **0.3 L**

❹ 0.6L의 주스 농축액에 물 0.8L를 부었어요. 주스의 양은 얼마가 되었을까요?

식: **0.6 L + 0.8 L = 1.4 L**

정답: **1.4 L**

7. 아래 글을 읽고 알맞은 식을 세워 답을 구해 보세요.

❶ 수영 대회에서 엘리는 54.65초, 델마는 43.37초의 기록을 세웠어요. 델마는 엘리에 비해 얼마나 빠를까요?

식: **54.65초 - 43.37초**

```
  5 4 . 6⁵ 5
- 4 3 . 3 7
  1 1 . 2 8
```

정답: **11.28초**

❷ 캐시의 수영 기록 목표는 50.00초인데, 42.51초를 기록했어요. 캐시는 목표에서 기록을 얼마나 단축했을까요?

식: **50.00초 - 42.51초**

```
  ⁴ ⁹ ⁹ 10   10
  5̶ 0̶ . 0̶ 0̶
- 4 2 . 5 1
  7 . 4 9
```

정답: **7.49초**

얼마나 잘했나요? ★ ★ ★ ★

실력이 자란 만큼 별을 색칠하세요.

★★★ 정말 잘했어요.
★★☆ 꽤 잘했어요.
★☆☆ 앞으로 더 노력할게요.

44

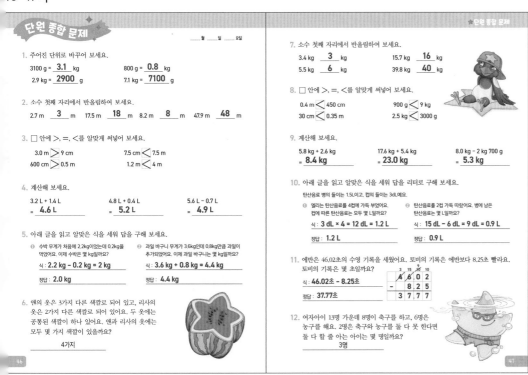

단원 종합 문제

_____월 _____일 _____요일

1. 주어진 단위로 바꾸어 보세요.

3100 g = **3.1** kg   800 g = **0.8** kg
2.9 kg = **2900** g   7.1 kg = **7100** g

2. 소수 첫째 자리에서 반올림하여 보세요.

2.7 m   **3** m   17.5 m   **18** m   8.2 m   **8** m   47.9 m   **48** m

3. □ 안에 >, =, <를 알맞게 써넣어 보세요.

3.0 m **>** 9 cm   7.5 cm **<** 7.5 m
600 cm **>** 0.5 m   1.2 m **<** 4 m

4. 계산해 보세요.

3.2 L + 1.4 L = **4.6 L**   4.8 L + 0.4 L = **5.2 L**   5.6 L - 0.7 L = **4.9 L**

5. 아래 글을 읽고 알맞은 식을 세워 답을 구해 보세요.

❶ 수박 무게가 처음에 2.2kg이었는데 0.2kg을 먹었어요. 이제 수박은 몇 kg일까요?

식: **2.2 kg - 0.2 kg = 2 kg**

정답: **2.0 kg**

❷ 과일 바구니 무게가 3.6kg인데 0.8kg만큼 과일이 추가되었어요. 이제 과일 바구니는 몇 kg일까요?

식: **3.6 kg + 0.8 kg = 4.4 kg**

정답: **4.4 kg**

6. 앤의 옷은 3가지 다른 색깔로 되어 있고, 리사의 옷은 2가지 다른 색깔로 되어 있어요. 두 옷에는 공통된 색깔이 하나 있어요. 앤과 리사의 옷에는 모두 몇 가지 색깔이 있을까요?

4가지

7. 소수 첫째 자리에서 반올림하여 보세요.

3.4 kg   **3** kg   15.7 kg   **16** kg
5.5 kg   **6** kg   39.8 kg   **40** kg

8. □ 안에 >, =, <를 알맞게 써넣어 보세요.

0.4 m **<** 450 cm   900 g **<** 9 kg
30 cm **<** 0.35 m   2.5 kg **<** 3000 g

9. 계산해 보세요.

5.8 kg + 2.6 kg = **8.4 kg**   17.6 kg + 5.4 kg = **23.0 kg**   8.0 kg - 2 kg 700 g = **5.3 kg**

10. 아래 글을 읽고 알맞은 식을 세워 답을 리터로 구해 보세요.

탄산음료 병의 들이는 1.5L이고, 컵의 들이는 3dL예요.

❶ 엘리는 탄산음료를 4컵에 가득 부었어요. 컵에 따른 탄산음료는 모두 몇 L일까요?

식: **3 dL × 4 = 12 dL = 1.2 L**

정답: **1.2 L**

❷ 탄산음료를 2컵 가득 따랐어요. 병에 남은 탄산음료는 몇 L일까요?

식: **15 dL - 6 dL = 9 dL = 0.9 L**

정답: **0.9 L**

11. 에반은 46.02초의 수영 기록을 세웠어요. 토비의 기록은 에반보다 8.25초 빨라요. 토비의 기록은 몇 초일까요?

식: **46.02초 - 8.25초**

```
  3  15  10   10
  4̶ 6̶ . 0̶ 2̶
-   8 . 2 5
  3 7 . 7 7
```

정답: **37.77초**

12. 여자아이 13명 가운데 8명이 축구를 하고, 6명은 농구를 해요. 2명은 축구와 농구를 둘 다 못 한다면 둘 다 할 줄 아는 아이는 몇 명일까요?

3명

46   47

46쪽 6번

앤의 옷 색깔-3가지
리사의 옷 색깔-2가지
겹치는 색깔-1가지
앤과 리사의 옷 색깔의 가지 수
는 3+2-1=4, 4가지예요.

47쪽 12번

8+6+2=16
16-□=13
□=3 축구와 농구를 모두 하는
아이는 3명

43

48-49쪽

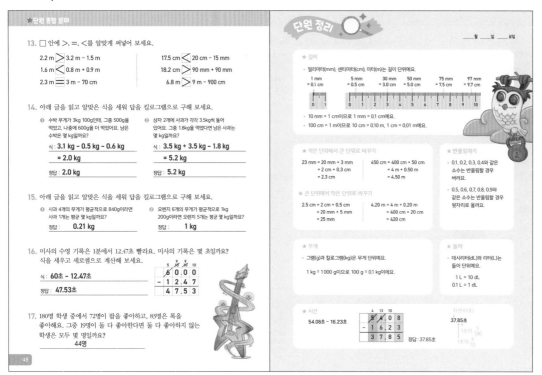

★ 단원 종합 문제

13. □ 안에 >, =, <를 알맞게 써넣어 보세요.

2.2 m **>** 3.2 m - 1.5 m   17.5 **<** 20 m - 15 mm

1.6 m **<** 0.8 m + 0.9 m   18.2 m **>** 90 m + 90 mm

2.3 m **=** 3 m - 70 cm   6.8 m **>** 9 m - 900 cm

14. 아래 글을 읽고 알맞은 식을 세워 답을 킬로그램으로 구해 보세요.

❶ 수박 무게가 3kg 100g인데, 그중 500g을 먹었고, 나중에 600g을 더 먹었어요. 남은 수박은 몇 kg일까요?

식 : **3.1 kg - 0.5 kg - 0.6 kg**
  = **2.0 kg**

정답 : **2.0 kg**

❷ 상자 2개에 사과가 각각 3.5kg씩 들어 있어요. 그중 1.8kg을 먹었다면 남은 사과는 몇 kg일까요?

식 : **3.5 kg + 3.5 kg - 1.8 kg**
  = **5.2 kg**

정답 : **5.2 kg**

15. 아래 글을 읽고 알맞은 식을 세워 답을 킬로그램으로 구해 보세요.

❶ 사과 4개의 무게가 평균적으로 840g이라면 사과 1개는 평균 몇 kg일까요?

정답 : **0.21 kg**

❷ 오렌지 6개의 무게가 평균적으로 1kg 200g이라면 오렌지 5개는 평균 몇 kg일까요?

정답 : **1 kg**

16. 미사의 수영 기록은 1분에서 12.47초 빨라요. 미사의 기록은 몇 초일까요? 식을 세우고 세로셈으로 계산해 보세요.

식 : **60초 - 12.47초**

정답 : **47.53초**

17. 180명 학생 중에서 72명이 팝을 좋아하고, 83명은 록을 좋아해요. 그중 19명이 둘 다 좋아한다면 둘 다 좋아하지 않는 학생은 모두 몇 명일까요?

44명

단원 정리

_____월 _____일 _____요일

★ 길이
- 밀리미터(mm), 센티미터(cm), 미터(m)는 길이 단위예요.
- 10 mm = 1 cm이므로 1 mm = 0.1 cm예요.
- 100 cm = 1 m이므로 10 cm = 0.10 m, 1 cm = 0.01 m예요.

★ 작은 단위에서 큰 단위로 바꾸기

23 mm = 20 mm + 3 mm
  = 2 cm + 0.3 cm
  = 2.3 cm

450 cm = 400 cm + 50 cm
  = 4 m + 0.50 m
  = 4.50 m

★ 큰 단위에서 작은 단위로 바꾸기

2.5 cm = 2 cm + 0.5 cm
  = 20 mm + 5 mm
  = 25 mm

4.20 m = 4 m + 0.20 m
  = 400 cm + 20 cm
  = 420 cm

★ 무게
- 그램(g)과 킬로그램(kg)은 무게 단위예요.
- 1 kg = 1000 g이므로 100 g = 0.1 kg이에요.

★ 반올림하기
- 0.1, 0.2, 0.3, 0.4와 같은 소수는 반올림할 경우 버려요.
- 0.5, 0.6, 0.7, 0.8, 0.9와 같은 소수는 반올림할 경우 윗자리로 올려요.

★ 들이
- 데시리터(dL)와 리터(L)는 들이 단위예요.
  1 L = 10 dL
  0.1 L = 1 dL

★ 시간
54.08초 - 16.23초   정답 : 37.85초

48쪽 15번

❶ 840g÷4=210g=0.21kg

❷ 1200g÷6=200g,
  200g×5=1000g=1kg

48쪽 17번

72+83-19=136
180-136=44
팝과 록 둘 다 좋아하지 않는
학생 수=44명

50-51쪽

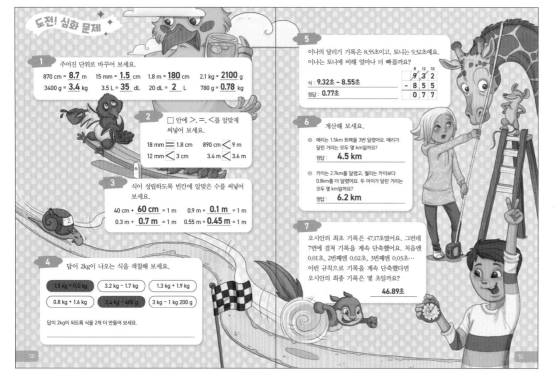

도전! 심화 문제

1 주어진 단위로 바꾸어 보세요.

870 cm = **8.7** m   15 mm = **1.5** cm   1.8 m = **180** cm   2.1 kg = **2100** g
3400 g = **3.4** kg   3.5 L = **35** dL   20 dL = **2** L   780 g = **0.78** kg

2 □ 안에 >, =, <를 알맞게 써넣어 보세요.

18 mm **=** 1.8 cm   890 cm **<** 9 m
12 mm **>** 3 cm   3.4 m **<** 3.6 m

3 식이 성립하도록 빈칸에 알맞은 수를 써넣어 보세요.

40 cm + **60 cm** = 1 m   0.9 m + **0.1 m** = 1 m
0.3 m + **0.7 m** = 1 m   0.55 m + **0.45 m** = 1 m

4 답이 2kg이 나오는 식을 색칠해 보세요.

| 1.5 kg + 0.5 kg | 3.2 kg - 1.7 kg | 1.3 kg + 1.9 kg |
| 0.8 kg + 1.6 kg | 2.4 kg - 400 g | 3 kg - 1 kg 200 g |

답이 2kg이 되도록 식을 2개 더 만들어 보세요.

5 이나의 달리기 기록은 8.55초이고, 토니는 9.32초예요. 이나는 토니에 비해 얼마나 더 빠를까요?

식 : **9.32초 - 8.55초**

정답 : **0.77초**

6 계산해 보세요.

❶ 메리는 1.5km 트랙을 3번 달렸어요. 메리가 달린 거리는 모두 몇 km일까요?

정답 : **4.5 km**

❷ 카이는 2.7km를 달렸고, 밀러는 카이보다 0.8km를 더 달렸어요. 두 아이가 달린 거리는 모두 몇 km일까요?

정답 : **6.2 km**

7 오시안의 최초 기록은 47.17초였어요. 그런데 7번에 걸쳐 기록을 계속 단축했어요. 처음엔 0.01초, 2번째엔 0.02초, 3번째엔 0.03초… 이런 규칙으로 기록을 계속 단축했다면 오시안의 최종 기록은 몇 초일까요?

46.89초

51쪽 6번

❶ 1.5km+1.5km+1.5km
=4.5km

❷ 2.7km+2.7km+0.8km
=6.2km

51쪽 7번

0.01+0.02+0.03+0.04+0.05
+0.06+0.07=0.28초
47.17초-0.28초=46.89초

7 양수와 음수

<보기>
스포츠 기록에서의 음수
엠마가 아트보다 3초 앞섰어요.
엠마가 선두예요.

1. 아트	8분 30초	
2. 로라	8분 34초	+4초
결승선을 통과한 마지막 사람		
엠마	8분 27초	-3초

1. 다음 설명에 해당하는 수를 골라 ○표 해 보세요.

❶ 봄날 아침 기온이 영하 3도예요.   ③℃   (-3℃)
❷ 기온이 영하 8도예요.   8℃   (-8℃)
❸ 알렉은 스키 대회에서 최고 기록을 4초 앞당겼어요.   4초   (-4초)
❹ 아이노는 기록을 15초 단축했어요.   15초   (-15초)
❺ 엠마는 자신의 달리기 최고 기록보다 3분 늦었어요.   (3분)   -3분

2. 아래 수직선을 완성해 보세요.

-8 **-7** -6 **-5** -4 -3 -2 **-1** 0 1 2 **3** 4 5 **7** 8

-8 -7 **-6** -5 -4 **-3** **-2** -1 0 1 2 3 4 5 **6** 7 8

-7 -6 **-5** **-4** -3 **-2** -1 0 1 **2** 3 4 5 6 7 **8**

3. 온도계가 나타내는 온도를 빈칸에 써 보세요.

-7℃   10℃   -6℃   -9℃

4. 주어진 온도를 온도계에 색칠해 보세요.

-2℃   -8℃   0℃   -4℃

더 생각해 보아요!
수직선의 0에서 8만큼 떨어진 또 다른 수는 무엇일까요?
-8

부모님 가이드 | 52쪽

겨울이 되면 기온이 영하로 떨어져요. 0을 기준으로 위로 올라가면 영상이고 아래로 내려가면 영하라고 부르죠. 마찬가지로 수직선에서 0을 기준으로 오른쪽의 수는 양의 정수(줄여서 양수)라고 부르고, 왼쪽의 수는 음의 정수(음수)라고 불러요. 음의 정수는 영하의 온도를 나타낼 때 —를 붙여 양의 정수와 구별할 수 있게 표시한 것이랍니다. —를 붙이지 않으면 양수인지 음수인지 구별할 수 없으니까요.

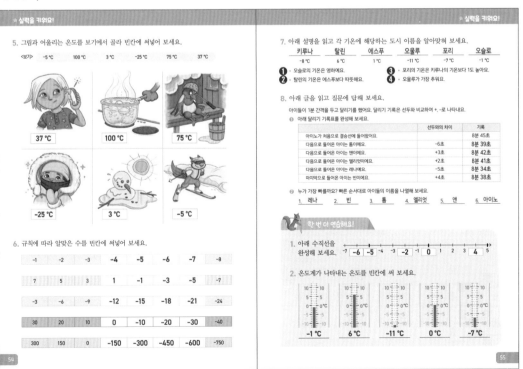

★ 실력을 키워요!

5. 그림과 어울리는 온도를 보기에서 골라 빈칸에 써넣어 보세요.

<보기>   -5℃   100℃   3℃   -25℃   75℃   37℃

37℃   100℃   75℃

-25℃   3℃   -5℃

6. 규칙에 따라 알맞은 수를 빈칸에 써넣어 보세요.

-1	-2	-3	-4	-5	-6	-7	-8
7	5	3	1	-1	-3	-5	-7
-3	-6	-9	-12	-15	-18	-21	-24
30	20	10	0	-10	-20	-30	-40
300	150	0	-150	-300	-450	-600	-750

★ 실력을 키워요!

7. 아래 설명을 읽고 각 기온에 해당하는 도시 이름을 알아맞혀 보세요.

| 키루나 | 탈린 | 에스푸 | 오울루 | 포리 | 오슬로 |
| -8℃ | 6℃ | 1℃ | -11℃ | -7℃ | -1℃ |

❶ 오슬로의 기온은 영하예요.
❷ 탈린의 기온은 에스푸보다 따뜻해요.
❸ 포리의 기온은 키루나의 기온보다 1도 높아요.
❹ 오울루가 가장 추워요.

8. 아래 글을 읽고 질문에 답해 보세요.

아이들이 1분 간격을 두고 달리기를 했어요. 달리기 기록은 선두와 비교하여 +, -로 나타내요.

❶ 아래 달리기 기록표를 완성해 보세요.

	선두와의 차이	기록
아이노가 처음으로 결승선에 들어왔어요.		8분 45초
다음으로 들어온 아이는 톰이에요.	-6초	8분 39초
다음으로 들어온 아이는 앤이에요.	+3초	8분 42초
다음으로 들어온 아이는 엘리엇이에요.	+2초	8분 41초
다음으로 들어온 아이는 레나예요.	-5초	8분 34초
마지막으로 들어온 아이는 빈이에요.	+4초	8분 38초

❷ 누가 가장 빠를까요? 빠른 순서대로 아이들의 이름을 나열해 보세요.
1. 레나   2. 빈   3. 톰   4. 엘리엇   5. 앤   6. 아이노

한 번 더 연습해요!

1. 아래 수직선을 완성해 보세요.
-7 **-6** -5 -4 **-3** **-2** -1 **0** 1 2 3 **4** 5

2. 온도계가 나타내는 온도를 빈칸에 써 보세요.
-1℃   6℃   -11℃   0℃   -7℃

55쪽 7번

❹ 오울루가 가장 추워요.→ -11℃
❸ 포리의 기온은 키루나의 기온보다 1도 높아요.→차가 1인 기온은 -8℃와 -7℃예요. 포리의 기온이 키루나보다 높으니 포리=-7℃, 키루나=-8℃
❶ 오슬로의 기온은 영하예요. →-1℃
❷ 탈린의 기온은 에스푸보다 따뜻해요.→남은 건 6℃와 1℃, 탈린의 기온이 더 높으므로 탈린=6℃, 에스푸=1℃

55쪽 8번

❶ 아이노가 선두 기준이므로 톰=8분 45초-6초=8분 39초
❷ 톰의 기록이 더 빠르므로 톰이 선두 기준이 됨. 앤=8분 39초+3초=8분 42초
❸ 선두 기준은 톰의 기록, 엘리엇=8분 39초+2초=8분 41초
❹ 선두 기준은 톰의 기록, 레나=8분 39초-5초=8분 34초
❺ 레나의 기록이 더 빠르므로 레나가 선두 기준이 됨. 빈=8분 34초+4초=8분 38초

56-57쪽

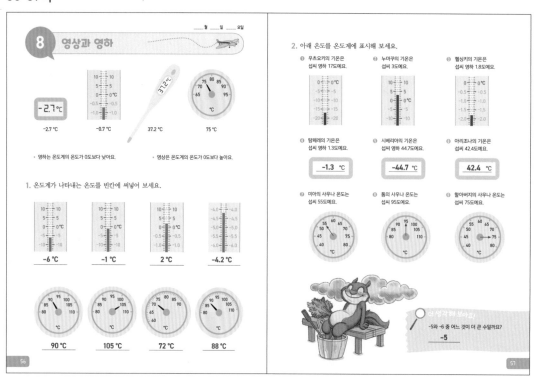

부모님 가이드 | 56쪽

양수와 음수는 온도를 나타낼 때 많이 써요. 0을 기준으로 아래로 내려가면 영하의 온도이고, 물이 얼 정도로 아주 추워요.

℃는 물의 끓는점과 어는점을 온도의 표준으로 정하여, 그 사이를 100등분 한 온도 눈금이에요. 단위 기호는 ℃로 섭씨온도라고 불러요.

58-59쪽

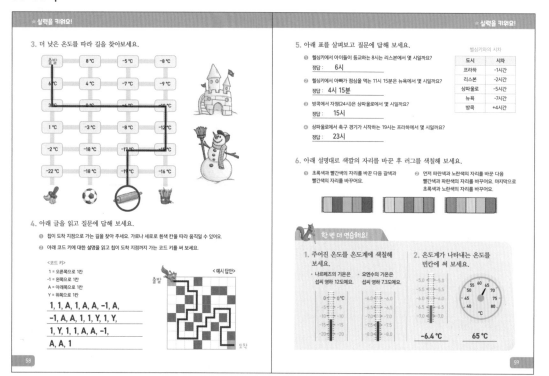

59쪽 5번

❶ 헬싱키와 리스본과의 시차는 -2이므로 8시보다 2시간 빠른 6시

❷ 헬싱키와 뉴욕과의 시차는 -7이므로 11시 15분보다 시간 빠른 4시 15분

❸ 헬싱키와 방콕과의 시차는 +4, 방콕이 24시이면 헬싱키는 20시예요. 헬싱키와 상파울로의 시차는 -5이므로 20시보다 5시간 빠른 15시

❹ 헬싱키와 상파울로의 시차는 -5, 상파울로가 19시이면 헬싱키는 24시예요. 헬싱키와 프라하의 시차는 -1이므로 2시보다 1시간 빠른 23시

60-61쪽

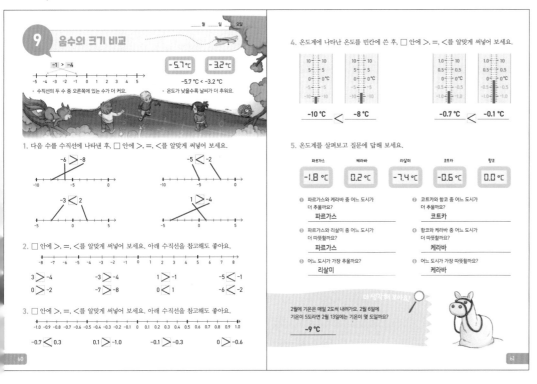

부모님 가이드 | 60쪽

수는 수직선 0을 기준으로 거리를 나타내요. 음수인 ㅡ는 왼쪽 방향으로 양수는 오른쪽 방향으로 가요.
따라서 음수는 수가 커질수록 0에서 더 멀리 떨어져 있기 때문에 기온은 더 춥고, 0보다 크기도 더 작답니다.

더 생각해 보아요! | 61쪽

2월 6일부터 2월 13일까지 7일간 내려간 온도=-14℃

-9 -8 -7 -6 -5 -4 -3 -2 -1 0 1 2 3 4 5

62-63쪽

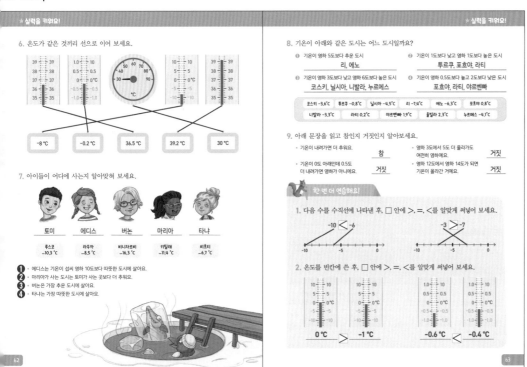

62쪽 7번

❹ 타냐는 가장 따뜻한 도시에 살아요.→-6.7℃

❸ 버논은 가장 추운 도시에 살아요.→-16.3℃

❶ 에디스는 기온이 섭씨 영하 10도보다 따뜻한 도시에 살아요.→남은 곳은 -10.3℃, -8.5℃, -11.4℃. 이 가운데 영하 10℃보다 높은 온도는 -8.5℃

❷ 마리아가 사는 도시는 토미가 사는 곳보다 더 추워요.→ 남은 곳은 -10.3℃, -11.4℃. 마리아가 사는 곳이 더 추운 곳이므로 마리아=-11.4℃, 토미=-10.3℃

64-65쪽

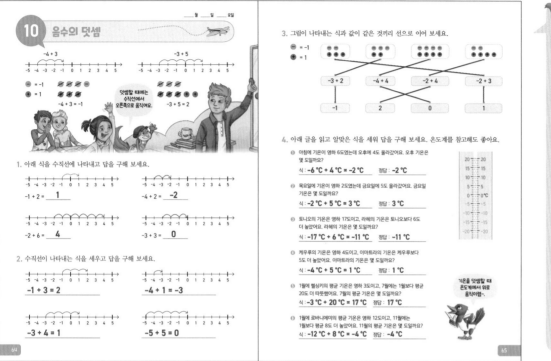

부모님 가이드 | 64쪽

음수와 양수의 덧셈은 수직선을 이용하면 이해하기 쉬워요.
-4+3의 경우 처음 시작은 수직선의 -4에서 시작해요. +3은 오른쪽으로 3칸 움직이면 되니까 -1에 도착하네요. 그래서 -4+3=-1이 된답니다.
또한 그림처럼 2가지 색의 공으로 나타낼 수도 있어요. 친구에게 줄 공이 4개이고 친구에게 받을 공이 3개인 경우를 생각해 볼까요? 친구에게 줄 공 3개와 받을 공 3개를 지우면 서로 주고받을 공이 없어지므로 차이가 나는 1개의 공만 친구에게 주면 간단히 해결돼요.

66-67쪽

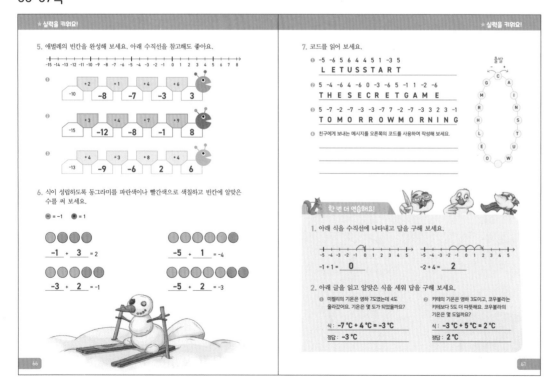

67쪽 7번

❶ LET US START
❷ THE SECRET GAME
❸ TOMORROW MORNING
내일 아침에 비밀 게임을 시작합시다.

48

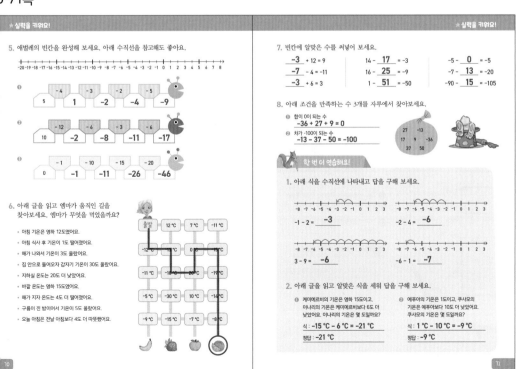

72-73쪽

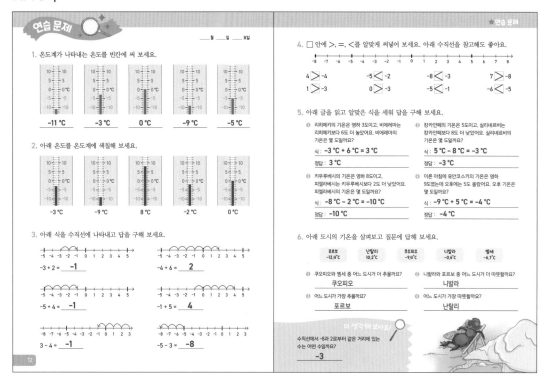

연습 문제

_____월 _____일 _____요일

1. 온도계가 나타내는 온도를 빈칸에 써 보세요.

-11℃   -3℃   0℃   -9℃   -5℃

2. 아래 온도를 온도계에 색칠해 보세요.

-3℃   -9℃   8℃   -2℃   0℃

3. 아래 식을 수직선에 나타내고 답을 구해 보세요.

-3 + 2 = **-1**   -4 + 6 = **2**

-5 + 4 = **-1**   -1 + 5 = **4**

3 - 4 = **-1**   -5 - 3 = **-8**

★연습 문제

4. □ 안에 >, =, <를 알맞게 써넣어 보세요. 아래 수직선을 참고해도 좋아요.

4 > -4   -5 < -2   -8 < -3   7 > -8

1 > -3   0 > -3   -5 < -1   -6 < -5

5. 아래 글을 읽고 알맞은 식을 세워 답을 구해 보세요.

❶ 리히에키의 기온은 영하 3도이고, 비에레마는 리히에키보다 6도 더 높았어요. 비에레마의 기온은 몇 도일까요?

식 : **-3 ℃ + 6 ℃ = 3 ℃**

정답 **3 ℃**

❷ 캉카안페의 기온은 5도이고, 실리네르비는 캉카안페보다 8도 더 낮았어요. 실리네르비의 기온은 몇 도일까요?

식 : **5 ℃ - 8 ℃ = -3 ℃**

정답 **-3 ℃**

❸ 키우루베시의 기온은 영하 8도이고, 피엘라베시는 키우루베시보다 2도 더 낮았어요. 피엘라베시의 기온은 몇 도일까요?

식 : **-8 ℃ - 2 ℃ = -10 ℃**

정답 **-10 ℃**

❹ 이른 아침에 유안코스키의 기온은 영하 9도였는데 오후에는 5도 올랐어요. 오후 기온은 몇 도일까요?

식 : **-9 ℃ + 5 ℃ = -4 ℃**

정답 **-4 ℃**

6. 아래 도시의 기온을 살펴보고 질문에 답해 보세요.

포르보	난탈리	쿠오피오	니발라	엠세
-12.4℃	10.2℃	-9.4℃	-0.6℃	-6.7℃

❶ 쿠오피오와 엠세 중 어느 도시가 더 추울까요?

쿠오피오

❷ 니발라와 포르보 중 어느 도시가 더 따뜻할까요?

니발라

❸ 어느 도시가 가장 추울까요?

포르보

❹ 어느 도시가 가장 따뜻할까요?

난탈리

더 생각해 보아요!

수직선에서 -8과 2로부터 같은 거리에 있는 수는 어떤 수일까요?

-3

74-75쪽

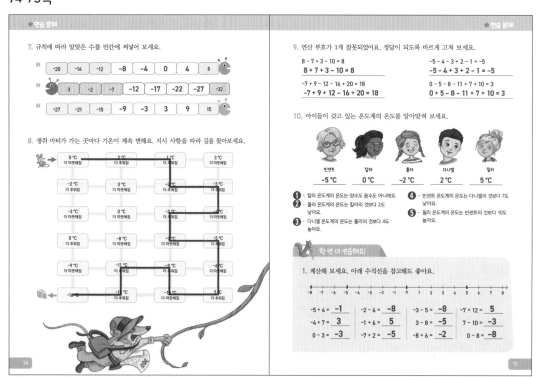

★연습 문제

7. 규칙에 따라 알맞은 수를 빈칸에 써넣어 보세요.

❶ -20 -16 -12 -8 -4 0 4 8

❷ 3 -2 -7 -12 -17 -22 -27 -32

❸ -27 -21 -15 -9 -3 3 9 15

8. 생쥐 마티가 가는 곳마다 기온이 계속 변해요. 지시 사항을 따라 길을 찾아보세요.

★연습 문제

9. 연산 부호가 1개 잘못되었어요. 정답이 되도록 바르게 고쳐 보세요.

8 - 7 + 3 - 10 = 8
8 + 7 + 3 - 10 = 8

-5 - 4 - 3 + 2 - 1 = -5
-5 - 4 + 3 + 2 - 1 = -5

-7 + 9 - 12 - 16 + 20 = 18
-7 + 9 + 12 - 16 + 20 = 18

0 + 5 - 8 - 11 + 7 + 10 = 3
0 + 5 - 8 - 11 + 7 + 10 = 3

10. 아이들이 갖고 있는 온도계의 온도를 알아맞혀 보세요.

빈센트 **-5℃**   칼라 **0℃**   폴라 **-2℃**   다니엘 **2℃**   필리 **5℃**

❶ 칼라 온도계의 온도는 양수도 음수도 아니에요.
❷ 폴라 온도계의 온도는 칼라의 것보다 2도 낮아요.
❸ 다니엘 온도계의 온도는 폴라의 것보다 4도 높아요.
❹ 빈센트 온도계의 온도는 다니엘의 것보다 7도 낮아요.
❺ 필리 온도계의 온도는 빈센트의 것보다 10도 높아요.

한 번 더 연습해요!

1. 계산해 보세요. 아래 수직선을 참고해도 좋아요.

-5 + 4 = **-1**   -2 - 6 = **-8**   -3 - 5 = **-8**   -7 + 12 = **5**

-4 + 7 = **3**   -1 + 6 = **5**   3 - 8 = **-5**   7 - 10 = **-3**

0 - 3 = **-3**   -7 + 2 = **-5**   8 + 6 = **2**   0 - 8 = **-8**

75쪽 10번

❶ 양수도 음수도 아니므로 칼라=0℃
❷ 0℃-2℃=-2℃ 폴라=-2℃
❸ -2℃+4℃=2℃ 다니엘=2℃
❹ 2℃-7℃=-5℃ 빈센트=-5℃
❺ -5℃+10℃=5℃ 필리=5℃

12 막대그래프

___월 ___일 ___요일

10점 이상을 얻으면 개 훈련 학교에 들어갈 수 있어요.

이름	최소 기준 점수와의 차이	점수
밴디트	-2	8
삭스	1	11
버블검	3	13
피파	-1	9
사울	4	14
테이트	-4	6

삭스, 버블검, 사울이 개 훈련 학교에 입학하네요.

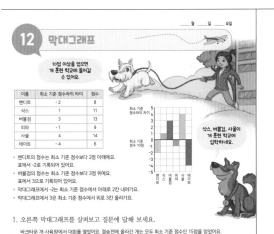

- 밴디트의 점수는 최소 기준 점수보다 2점 아래예요.
  표에서 -2로 기록되어 있어요.
- 버블검의 점수는 최소 기준 점수보다 3점 위예요.
  표에서 3으로 기록되어 있어요.
- 막대그래프에서 -2는 최소 기준 점수에서 아래로 2칸 내려가요.
- 막대그래프에서 3은 최소 기준 점수에서 위로 3칸 올라가요.

1. 오른쪽 막대그래프를 살펴보고 질문에 답해 보세요.

바르타운 개 사육장에서 대회를 열었어요. 결승전에 올라간 개는 모두 최소 기준 점수인 15점을 얻었어요.

❶ 라이카의 점수는 최소 기준 점수보다
   몇 점 더 높을까요? **1점**
❷ 본조의 점수는 최소 기준 점수보다
   몇 점 더 높을까요? **5점**
❸ 로키의 점수는 최소 기준 점수보다
   몇 점 더 낮을까요? **2점**
❹ 브라우니의 점수는 최소 기준 점수보다
   몇 점 더 낮을까요? **1점**
❺ 최소 기준 점수보다 3점 낮은 개의
   이름은 무엇인가요? **케이크**
❻ 최소 기준 점수보다 2점 높은 개의
   이름은 무엇인가요? **패치스**
❼ 결승전에 올라간 개의
   이름을 모두 쓰세요. **라이카, 버디, 패치스, 멘디, 본조**

76

2. 76쪽 문제 1번의 막대그래프에 따라 아래 표를 완성해 보세요.

이름	최소 기준 점수와의 차이	점수
라이카	1	16
로키	-2	13
버디	4	19
패치스	2	17
브라우니	-1	14
케이크	-3	12
멘다	-2	13
멘디	3	18
본조	5	20
스파키	-1	14

3. 76쪽 문제 1번의 막대그래프를 보고 질문에 답해 보세요.

❶ 가장 높은 점수를 얻은 개의 이름은 무엇인가요? **본조**
❷ 가장 낮은 점수를 얻은 개의 이름은 무엇인가요? **케이크**
❸ 멘다와 스파키 중 어느 개의 점수가 더 높을까요? **스파키**
❹ 로키와 패치스 중 어느 개의 점수가 더 높을까요? **패치스**
❺ 라이카는 로키에 비해 몇 점 더 높을까요? **3점**
❻ 브라우니는 본조에 비해 몇 점 더 낮을까요? **6점**

더 생각해 보아요!

알렉은 올리보다 6번 더 공을 튕겼어요. 대회에 나가려면 공을 최소 35번 튕겨야 하는데 알렉은 35번보다 4번 더 튕겼어요. 알렉과 올리는 공을 모두 몇 번 튕겼을까요? **72번**

77

부모님 가이드 | 76쪽

막대그래프는 조사한 수를 막대로 나타낸 그래프예요. 우리나라 초등학교 수학 과정에서는 양수만 다루기 때문에 막대그래프는 양의 수만 다루는 경우가 많아요. 하지만, 중학교에 가면 양수와 음수를 모두 다루기 때문에 미리 핀란드 수학 교과서에서 접해 보아도 좋아요.

더 생각해 보아요! | 77쪽

알렉이 공을 튕긴 횟수
35+4=39
알렉은 올리보다 6번 더 공을 튕겼으므로, 올리가 공을 튕긴 횟수는 39-6=33
알렉과 올리가 공을 튕긴 횟수는 39+33=72

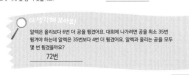

❶ A CAT / CLIMBED / A TREE (고양이가 나무를 올라갔어요.)
❷ YOU CAN BECOME / AN ACTOR (당신은 배우가 될 수 있어요.)
❸ CAN YOU REMEMBER / YOUR DREAM (당신은 꿈을 기억할 수 있나요?)

★ 실력을 키워요!

4. 막대그래프를 보고 코드를 읽어 보세요.

❶ 4 -2 4 7
   -2 -1 -3 -6 1 5 3
   4 7 -7 5 5
   A CAT
   CLIMBED
   A TREE

❷ -5 6 -4 -2 4 2 1 5 -2 6 -6 5
   4 2 4 -2 7 6 -7
   YOU CAN BECOME
   AN ACTOR

❸ -2 4 2 -5 6 -4 -7 5 -6 5 6 1 5 -7
   CAN YOU REMEMBER
   YOUR DREAM

❹ 친구에게 보내는 메시지를 암호로 작성해 보세요.

5. 아래 막대그래프를 보고 표를 완성해 보세요. 각 골프 코스의 기준 타수는 5점이에요.

코스	기준 타수와의 차이	결과
1	3	8
2	-2	3
3	1	6
4	-3	2
5	-1	4
6	2	7

6. 계산한 값을 빈칸에 써넣어 보세요.

2 → [-3] -1 → [-1] 0 → [-4] -4 → [+5] 1 → [-6] -5 → [-3] -8 → [+4] -4 → [+6] 2

[-5] → [+5] -10 → [+7] -3 → [-3] -6 → [+5] -1 → [-4] -3 → [+4] 1 → [-6] -5 → [+5] 0

0 → [-10] -10 → [-20] -30 → [+5] -25 → [-10] -35 → [-30] -65 → [+20] -45 → [+40] -5 → [-5] -10

7. 막대그래프를 살펴보고 질문에 답해 보세요.

알렉 아빠의 골프 기록

❶ 알렉의 아빠가 기준 타수보다 좋은 기록이 나온 코스는
   몇 번 코스부터인가요? **2코스**
❷ 알렉의 아빠는 몇 개의 코스에서
   골프를 쳤나요? **4개**
❸ 알렉의 아빠가 가장 좋은 기록을 낸
   것은 몇 번 코스인가요? **4코스**
❹ 알렉의 아빠는 23번 쳐서 공을 홀컵에 넣었어요. 기준 타수는
   얼마인가요? 단, 각 코스의 기준 타수는 같아요. **6**

한 번 더 연습해요!

1. 76쪽 위쪽의 막대그래프를 살펴보고 질문에 답해 보세요.

❶ 가장 높은 점수를 받은 개의 이름은 무엇인가요? **사울**
❷ 피파보다 2점 더 높은 개의 이름은 무엇인가요? **삭스**
❸ 사울은 테이트보다 몇 점 더 높은가요? **8점**
❹ 가장 낮은 점수를 받은 개의 이름은 무엇인가요? **테이트**

78

79

79쪽 7번

기준 타수를 □로 하여 식을 세우면
4□+(2-1+0-2)=23
4□-1=23
4□=24
□=6

80-81쪽

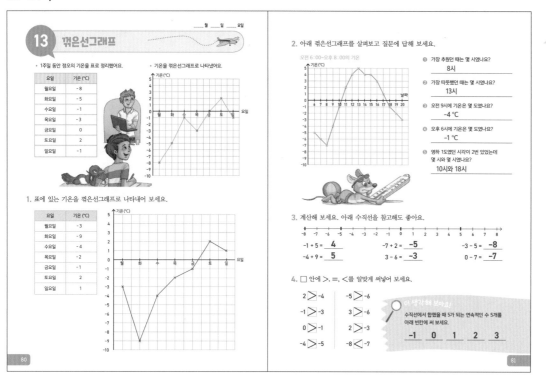

13 꺾은선그래프

• 1주일 동안 정오의 기온을 표로 정리했어요.

요일	기온 (℃)
월요일	- 8
화요일	- 5
수요일	- 1
목요일	- 3
금요일	0
토요일	2
일요일	- 1

• 기온을 꺾은선그래프로 나타냈어요.

1. 표에 있는 기온을 꺾은선그래프로 나타내어 보세요.

요일	기온 (℃)
월요일	- 3
화요일	- 9
수요일	- 4
목요일	- 2
금요일	- 1
토요일	2
일요일	1

2. 아래 꺾은선그래프를 살펴보고 질문에 답해 보세요.

오전 6:00~오후 8:00의 기온

❶ 가장 추웠던 때는 몇 시였나요?
8시

❷ 가장 따뜻했던 때는 몇 시였나요?
13시

❸ 오전 9시에 기온은 몇 도였나요?
-4 ℃

❹ 오후 6시에 기온은 몇 도였나요?
-1 ℃

❺ 영하 1도였던 시각이 2번 있었는데 몇 시와 몇 시였나요?
10시와 18시

3. 계산해 보세요. 아래 수직선을 참고해도 좋아요.

-8 -7 -6 -5 -4 -3 -2 -1 0 1 2 3 4 5 6 7 8

-1 + 5 = **4**　　　　-7 + 2 = **-5**　　　　-3 - 5 = **-8**

-4 + 9 = **5**　　　　3 - 6 = **-3**　　　　0 - 7 = **-7**

4. □ 안에 >, =, <를 알맞게 써넣어 보세요.

2 **>** -4　　　　-5 **>** -6

-1 **>** -3　　　　3 **>** -1

0 **>** -1　　　　2 **>** -1

-4 **>** -5　　　　-8 **<** -7

더 생각해 보아요!

수직선에서 합했을 때 5가 되는 연속적인 수 5개를 아래 빈칸에 써 보세요.

-1 **0** **1** **2** **3**

🐿 부모님 가이드 | 80쪽

표에서 나온 각 수량을 점으로 표시하고, 그 점들은 선분으로 이어서 그래프를 그리면 선분이 위아래로 꺾어진 모양이 되어서 꺾은선그래프라고 불러요. 꺾은선그래프는 선분의 기울어진 정도에 따라 변화하는 모양과 정도를 쉽게 알 수 있어요.
막대그래프는 각각의 크기를 비교할 때 편리하고, 꺾은선그래프는 시간에 따라 연속적으로 변화하는 모양을 나타내는 데 편리해요.

82-83쪽

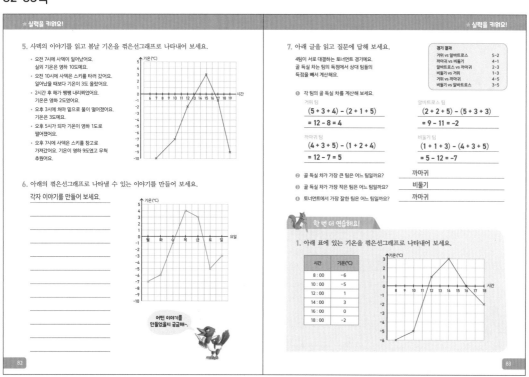

★ 실력을 키워요!

5. 사맥의 이야기를 읽고 봄날 기온을 꺾은선그래프로 나타내어 보세요.

• 오전 7시에 사맥이 일어났어요. 실외 기온은 영하 10도예요.
• 오전 10시에 사맥은 스키를 타러 갔어요. 일어났을 때보다 기온이 3도 올랐어요.
• 2시간 후 해가 쨍쨍 내리쬐었어요. 기온은 영하 2도였어요.
• 오후 3시에 차가 밑으로 물이 떨어졌어요. 기온은 3도였어요.
• 오후 5시가 되자 기온이 영하 1도로 떨어졌어요.
• 오후 7시에 사맥은 스키를 창고로 가져갔어요. 기온이 영하 9도였고 무척 추웠어요.

6. 아래의 꺾은선그래프로 나타낼 수 있는 이야기를 만들어 보세요.

각자 이야기를 만들어 보세요.

어떤 이야기를 만들었을지 궁금해~.

7. 아래 글을 읽고 질문에 답해 보세요.

4팀이 서로 대결하는 토너먼트 경기예요. 골 득실 차는 팀의 득점에서 상대 팀들의 득점을 빼서 계산해요.

경기 결과	
거위 vs 알바트로스	5-2
까마귀 vs 비둘기	4-1
알바트로스 vs 까마귀	2-3
비둘기 vs 거위	1-3
거위 vs 까마귀	4-5
비둘기 vs 알바트로스	3-5

❶ 각 팀의 골 득실 차를 계산해 보세요.

거위 팀
(5 + 3 + 4) - (2 + 1 + 5)
= 12 - 8 = 4

알바트로스 팀
(2 + 2 + 5) - (5 + 3 + 3)
= 9 - 11 = -2

까마귀 팀
(4 + 3 + 5) - (1 + 2 + 4)
= 12 - 7 = 5

비둘기 팀
(1 + 1 + 3) - (4 + 3 + 5)
= 5 - 12 = -7

❷ 골 득실 차가 가장 큰 팀은 어느 팀일까요?　　까마귀

❸ 골 득실 차가 가장 작은 팀은 어느 팀일까요?　　비둘기

❹ 토너먼트에서 가장 잘한 팀은 어느 팀일까요?　　까마귀

한 번 더 연습해요!

1. 아래 표에 있는 기온을 꺾은선그래프로 나타내어 보세요.

시간	기온 (℃)
8 : 00	-6
10 : 00	-5
12 : 00	1
14 : 00	3
16 : 00	0
18 : 00	-2

84-85쪽

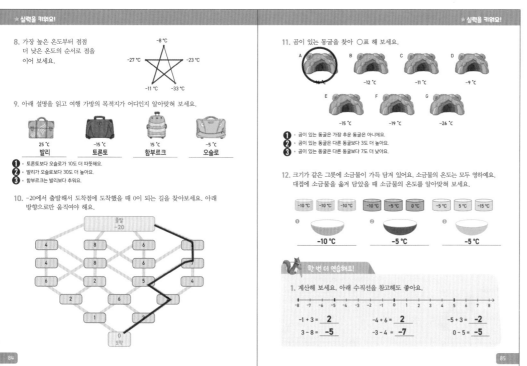

8. 가장 높은 온도부터 점점 더 낮은 온도의 순서로 점을 이어 보세요.

-8 °C
-27 °C   -23 °C
-11 °C   -33 °C

9. 아래 설명을 읽고 여행 가방의 목적지가 어디인지 알아맞혀 보세요.

25 °C 발리   -15 °C 토론토   15 °C 함부르크   -5 °C 오슬로

❶ 토론토보다 오슬로가 10도 더 따뜻해요.
❷ 발리가 오슬로보다 30도 더 높아요.
❸ 함부르크는 발리보다 추워요.

10. -20에서 출발해서 도착점에 도착했을 때 0이 되는 길을 찾아보세요. 아래 방향으로만 움직여야 해요.

출발
-20

4   8   6
4   8   6
6   6   5   4
2   6
1
0
도착

11. 곰이 있는 동굴을 찾아 ○표 해 보세요.

A   B   C   D
-12 °C   -11 °C   -9 °C
E   F   G
-15 °C   -19 °C   -26 °C

❶ 곰이 있는 동굴은 가장 추운 동굴은 아니에요.
❷ 곰이 있는 동굴은 다른 동굴보다 3도 더 높아요.
❸ 곰이 있는 동굴은 다른 동굴보다 7도 더 낮아요.

12. 크기가 같은 그릇에 소금물이 가득 담겨 있어요. 소금물의 온도는 모두 영하예요. 대접에 소금물을 옮겨 담았을 때 소금물의 온도를 알아맞혀 보세요.

❶ -10 °C -10 °C -10 °C   ❷ -10 °C -5 °C 0 °C   ❸ -5 °C 5 °C -15 °C

❶ -10 °C   ❷ -5 °C   ❸ -5 °C

한 번 더 연습해요!

1. 계산해 보세요. 아래 수직선을 참고해도 좋아요.

-1 + 3 = **2**   -4 + 6 = **2**   -5 + 3 = **-2**
3 - 8 = **-5**   -3 - 4 = **-7**   0 - 5 = **-5**

86-87쪽

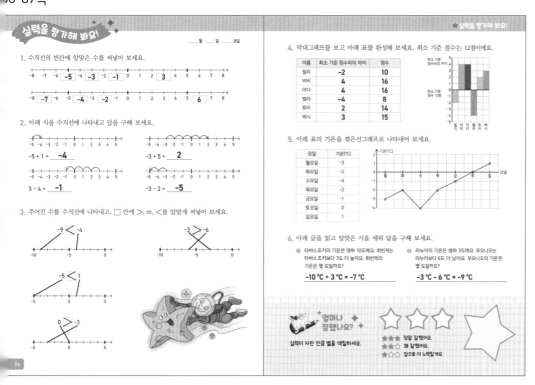

____월 ____일 ____요일

1. 수직선의 빈칸에 알맞은 수를 써넣어 보세요.

-8 -7 **-5** -3 **-1** 0 1 **3** 4 5 6 7 8
-8 **-7** -6 **-4** **-2** -1 0 1 2 3 4 **6** 7 8

2. 아래 식을 수직선에 나타내고 답을 구해 보세요.

-5 + 1 = **-4**   -3 + 5 = **2**
3 - 4 = **-1**   -3 - 2 = **-5**

3. 주어진 수를 수직선에 나타내고, □ 안에 >, =, <를 알맞게 써넣어 보세요.

-9 **<** -4   -3 **>** -6
-5 **<** 1   0 **>** -3

4. 막대그래프를 보고 아래 표를 완성해 보세요. 최소 기준 점수는 12점이에요.

이름	최소 기준 점수와의 차이	점수
릴리	-2	10
비비	4	16
아다	4	16
벨라	-4	8
토비	2	14
베시	3	15

5. 아래 표의 기온을 꺾은선그래프로 나타내어 보세요.

요일	기온(℃)
월요일	-3
화요일	-2
수요일	-4
목요일	-2
금요일	-1
토요일	0
일요일	1

6. 아래 글을 읽고 알맞은 식을 세워 답을 구해 보세요.

❶ 타바스조키의 기온은 영하 10도예요. 휘빈케는 타바스조키보다 3도 더 높아요. 휘빈케의 기온은 몇 도일까요?

-10 °C + 3 °C = **-7 °C**

❷ 라누아의 기온은 영하 3도예요. 무오니오는 라누아보다 6도 더 낮아요. 무오니오의 기온은 몇 도일까요?

-3 °C - 6 °C = **-9 °C**

얼마나 잘했나요?

실력이 자란 만큼 별을 색칠하세요.

★★★ 정말 잘했어요.
★★☆ 꽤 잘했어요.
★☆☆ 앞으로 더 노력할게요.

84쪽 9번

❶ 10℃ 차이 나는 온도는 25℃와 15℃, -15℃와 -5℃ 예요. 오슬로가 10℃ 더 따뜻하므로, 오슬로는 25℃ 또는 -5℃이며, 토론토는 15℃ 또는 -15℃예요.
❷ 발리가 오슬로보다 30℃ 더 높으므로, 25℃+30℃=55℃는 보기에 없는 온도이므로 오슬로는 -5℃이며, 발리는 25℃예요.(-5℃+30℃=25℃)
❸ 남은 온도는 15℃이므로 함부르크는 15℃예요.

85쪽 11번

❶ 곰이 있는 동굴은 가장 추운 동굴은 아니므로 -26℃ 탈락
❷ 차가 3℃인 동굴은 -15℃, -12℃, -9℃ / -19℃, -16℃ 이 가운데 곰이 있는 동굴은 3℃가 더 높아야 하므로, -15℃, -19℃ 탈락
❸ -12℃, -9℃, -16℃ 가운데 차가 7℃인 동굴은 -9℃, -16℃예요. 곰이 있는 동굴은 7℃가 더 낮아야 하므로 정답은 -16℃예요.

85쪽 12번

다른 온도의 물을 한 그릇에 섞으면 평균적으로 모두 같아지게 되므로 3그릇 온도의 평균을 구하면 된답니다.
❶ (-10-10-10)÷3=-10
❷ (-10-5+0)÷3=-5
❸ (-5+5-15)÷3=-5

88-89쪽

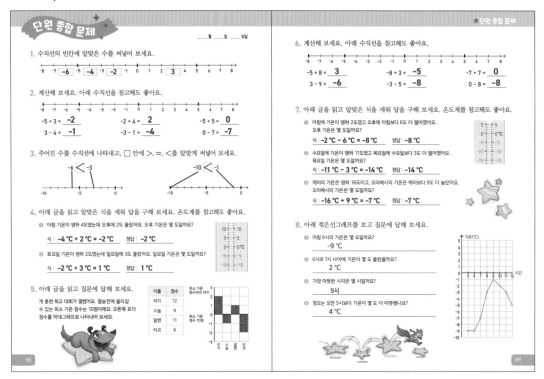

단원 종합 문제

_____월 _____일 _____요일

1. 수직선의 빈칸에 알맞은 수를 써넣어 보세요.

-8 -7 **-6** -5 **-4** -3 **-2** -1 0 1 2 **3** 4 5 6 7 8

2. 계산해 보세요. 아래 수직선을 참고해도 좋아요.

-8 -7 -6 -5 -4 -3 -2 -1 0 1 2 3 4 5 6 7 8

-5 + 3 = **-2**   -2 + 4 = **2**   -5 + 5 = **0**

3 - 4 = **-1**   -3 - 1 = **-4**   0 - 7 = **-7**

3. 주어진 수를 수직선에 나타내고, □ 안에 >, =, <를 알맞게 써넣어 보세요.

-6 **<** -3   -10 **<** -1

4. 아래 글을 읽고 알맞은 식을 세워 답을 구해 보세요. 온도계를 참고해도 좋아요.

① 아침 기온이 영하 4도였는데 오후에 2도 올랐어요. 오후 기온은 몇 도일까요?

식 : **-4 ℃ + 2 ℃ = -2 ℃**   답 : **-2 ℃**

② 토요일 기온이 영하 2도였는데 일요일에 3도 올랐어요. 일요일 기온은 몇 도일까요?

식 : **-2 ℃ + 3 ℃ = 1 ℃**   답 : **1 ℃**

5. 아래 글을 읽고 질문에 답해 보세요.

개 훈련 학교 대회가 열렸어요. 결승전에 올라갈 수 있는 최소 기준 점수는 10점이에요. 오른쪽 표의 점수를 막대그래프로 나타내어 보세요.

이름	점수
리지	12
스놀	9
알렌	11
티코	8

최소 기준 점수와의 차이

최소 기준 점수 10점

★ 단원 종합 문제

6. 계산해 보세요. 아래 수직선을 참고해도 좋아요.

-8 -7 -6 -5 -4 -3 -2 -1 0 1 2 3 4 5 6 7 8

-5 + 8 = **3**   -8 + 3 = **-5**   -7 + 7 = **0**

3 - 9 = **-6**   -3 - 5 = **-8**   0 - 8 = **-8**

7. 아래 글을 읽고 알맞은 식을 세워 답을 구해 보세요. 온도계를 참고해도 좋아요.

① 아침에 기온이 영하 2도였고 오후에 아침보다 6도 더 떨어졌어요. 오후 기온은 몇 도일까요?

식 : **-2 ℃ - 6 ℃ = -8 ℃**   답 : **-8 ℃**

② 수요일에 기온이 영하 11도였고 목요일에 수요일보다 3도 더 떨어졌어요. 목요일 기온은 몇 도일까요?

식 : **-11 ℃ - 3 ℃ = -14 ℃**   답 : **-14 ℃**

③ 케미의 기온은 영하 16도이고, 오라베시의 기온은 케미보다 9도 더 높았어요. 오라베시의 기온은 몇 도일까요?

식 : **-16 ℃ + 9 ℃ = -7 ℃**   답 : **-7 ℃**

8. 아래 꺾은선그래프를 보고 질문에 답해 보세요.

① 아침 6시의 기온은 몇 도일까요?

-9 ℃

② 6시와 7시 사이에 기온이 몇 도 올랐을까요?

2 ℃

③ 가장 따뜻한 시각은 몇 시일까요?

9시

④ 정오는 오전 5시보다 기온이 몇 도 더 따뜻했나요?

4 ℃

90-91쪽

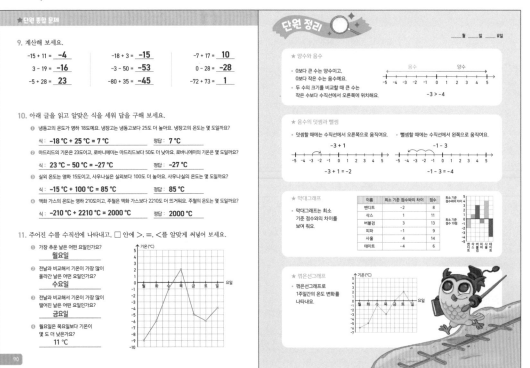

★ 단원 종합 문제

9. 계산해 보세요.

-15 + 11 = **-4**   -18 + 3 = **-15**   -7 + 17 = **10**

3 - 19 = **-16**   -3 - 50 = **-53**   0 - 28 = **-28**

-5 + 28 = **23**   -80 + 35 = **-45**   -72 + 73 = **1**

10. 아래 글을 읽고 알맞은 식을 세워 답을 구해 보세요.

① 냉동고의 온도가 영하 18도예요. 냉장고는 냉동고보다 25도 더 높아요. 냉장고의 온도는 몇 도일까요?

식 : **-18 ℃ + 25 ℃ = 7 ℃**   답 : **7 ℃**

② 마드리드의 기온은 23도이고, 로바니에미는 마드리드보다 50도 더 낮아요. 로바니에미의 기온은 몇 도일까요?

식 : **23 ℃ - 50 ℃ = -27 ℃**   답 : **-27 ℃**

③ 실외 온도는 영하 15도이고, 사우나실은 실외보다 100도 더 높아요. 사우나실의 온도는 몇 도일까요?

식 : **-15 ℃ + 100 ℃ = 85 ℃**   답 : **85 ℃**

④ 액화 가스의 온도는 영하 210도이고, 주철은 액화 가스보다 2210도 더 뜨거워요. 주철의 온도는 몇 도일까요?

식 : **-210 ℃ + 2210 ℃ = 2000 ℃**   답 : **2000 ℃**

11. 주어진 수를 수직선에 나타내고, □ 안에 >, =, <를 알맞게 써넣어 보세요.

① 가장 추운 날은 어떤 요일인가요?

월요일

② 전날과 비교해서 기온이 가장 많이 올라간 날은 어떤 요일인가요?

수요일

③ 전날과 비교해서 기온이 가장 많이 떨어진 날은 어떤 요일인가요?

금요일

④ 월요일은 목요일보다 기온이 몇 도 더 낮은가요?

11 ℃

단원 정리

_____월 _____일 _____요일

★ 양수와 음수

• 0보다 큰 수는 양수이고, 0보다 작은 수는 음수예요.
• 두 수의 크기를 비교할 때 큰 수는 작은 수보다 수직선에서 오른쪽에 위치해요.

음수   양수

-5 -4 -3 -2 -1 0 1 2 3 4 5

-3 > -4

★ 음수의 덧셈과 뺄셈

• 덧셈할 때에는 수직선에서 오른쪽으로 움직여요.

-3 + 1

-5 -4 -3 -2 -1 0 1 2 3 4 5

-3 + 1 = -2

• 뺄셈할 때에는 수직선에서 왼쪽으로 움직여요.

-1 - 3

-5 -4 -3 -2 -1 0 1 2 3 4 5

-1 - 3 = -4

★ 막대그래프

• 막대그래프는 최소 기준 점수와의 차이를 보여 줘요.

이름	최소 기준 점수와의 차이	점수
밴디트	-2	8
석스	1	11
버블검	3	13
피파	-1	9
샤울	4	14
테이트	-4	6

최소 기준 점수 10점

★ 꺾은선그래프

• 꺾은선그래프로 1주일간의 온도 변화를 나타내요.

90쪽 11번

❶ 월요일이 -9℃로 가장 추우요.

❷ 화요일은 -6℃, 수요일은 -1℃로 5℃가 올라가서 가장 큰 폭으로 기온이 올라갔어요.

❸ 목요일은 2℃, 금요일은 -도로 7℃가 떨어져서 가장 큰 폭으로 기온이 떨어졌어요.

❹ 월요일은 -9℃, 목요일은 2℃예요. 월요일은 목요일보다 11℃가 더 낮아요.

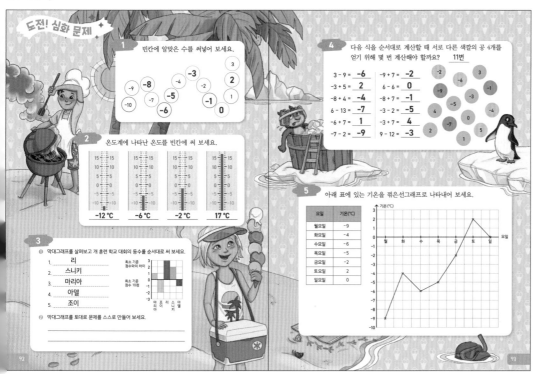

도전! 심화 문제

1 빈칸에 알맞은 수를 써넣어 보세요.

-9, -8, -4, -3, 3
-10, -7, -5, -1, 2
-6, 0

2 온도계에 나타난 온도를 빈칸에 써 보세요.

-12 ℃   -6 ℃   -2 ℃   17 ℃

3
① 막대그래프를 살펴보고 개 훈련 학교 대회의 등수를 순서대로 써 보세요.

1. 리
2. 스니키
3. 마리아
4. 아델
5. 조이

② 막대그래프를 토대로 문제를 스스로 만들어 보세요.

4 다음 식을 순서대로 계산할 때 서로 다른 색깔의 공 4개를 얻기 위해 몇 번 계산해야 할까요?   **11번**

3 - 9 = **-6**   -9 + 7 = **-2**
-3 + 5 = **2**   6 - 6 = **0**
-8 + 4 = **-4**   -8 + 7 = **-1**
6 - 13 = **-7**   -3 - 2 = **-5**
-6 + 7 = **1**   -3 + 7 = **4**
-7 - 2 = **-9**   9 - 12 = **-3**

5 아래 표에 있는 기온을 꺾은선그래프로 나타내어 보세요.

요일	기온(℃)
월요일	-9
화요일	-4
수요일	-6
목요일	-5
금요일	-2
토요일	2
일요일	0

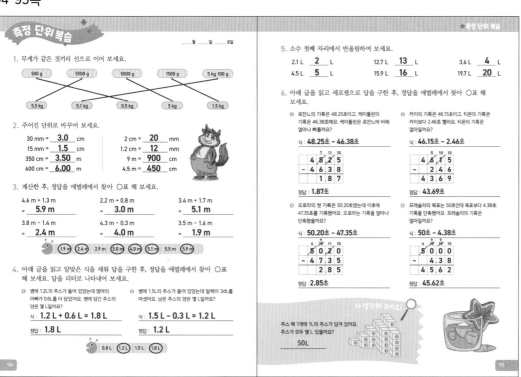

측정 단위 복습

_____ 월 _____ 일 _____ 요일

1. 무게가 같은 것끼리 선으로 이어 보세요.

500 g   5500 g   5000 g   1500 g   5 kg 100 g
5.5 kg   5.1 kg   0.5 kg   5 kg   1.5 kg

2. 주어진 단위로 바꾸어 보세요.

30 mm = **3.0** cm   2 cm = **20** mm
15 mm = **1.5** cm   1.2 cm = **12** mm
350 cm = **3.50** m   9 m = **900** cm
600 cm = **6.00** m   4.5 m = **450** cm

3. 계산한 후, 정답을 애벌레에서 찾아 ○표 해 보세요.

4.6 m + 1.3 m   2.2 m + 0.8 m   3.4 m + 1.7 m
= **5.9 m**   = **3.0 m**   = **5.1 m**

3.8 m - 1.4 m   4.3 m - 0.3 m   3.5 m - 1.6 m
= **2.4 m**   = **4.0 m**   = **1.9 m**

1.9 m 2.4 m 2.9 m 3.0 m 4.0 m 5.1 m 5.5 m 5.9 m

4. 아래 글을 읽고 알맞은 식을 세워 답을 구한 후, 정답을 애벌레에서 찾아 ○표 해 보세요. 답을 리터로 나타내어 보세요.

① 병에 1.2L의 주스가 들어 있었는데 엠마의 아빠가 0.6L를 더 담았어요. 병에 담긴 주스의 양은 몇 L일까요?

식: **1.2 L + 0.6 L = 1.8 L**
정답: **1.8 L**

② 병에 1.5L의 주스가 들어 있었는데 알렉이 3dL를 마셨어요. 남은 주스의 양은 몇 L일까요?

식: **1.5 L - 0.3 L = 1.2 L**
정답: **1.2 L**

0.8 L 1.2 L 1.5 L 1.8 L

★측정 단위 복습

5. 소수 첫째 자리에서 반올림하여 보세요.

2.1 L **2** L   12.7 L **13** L   3.6 L **4** L
4.5 L **5** L   15.9 L **16** L   19.7 L **20** L

6. 아래 글을 읽고 세로셈으로 답을 구한 후, 정답을 애벌레에서 찾아 ○표 해 보세요.

① 로잔느의 기록은 48.25초이고, 케이틀린의 기록은 46.38초예요. 케이틀린은 로잔느에 비해 얼마나 빠를까요?

식: **48.25초 - 46.38초**

```
    7 11 11
  4 8 . 2 5
- 4 6 . 3 8
  1 . 8 7
```

정답: **1.87초**

② 카이의 기록은 46.15초이고, 티온의 기록은 카이보다 2.46초 빨라요. 티온의 기록은 얼마일까요?

식: **46.15초 - 2.46초**

```
    5 10 11 10
  4 6 . 1 5
- 2 . 4 6
  4 3 . 6 9
```

정답: **43.69초**

③ 오로라의 첫 기록은 50.20초였는데 이후에 47.35초를 기록했어요. 오로라는 기록을 얼마나 단축했을까요?

식: **50.20초 - 47.35초**

```
    4 9 11 10
  5 0 . 2 0
- 4 7 . 3 5
  2 . 8 5
```

정답: **2.85초**

④ 프레슐리의 목표는 50초인데 목표보다 4.38초 기록을 단축했어요. 프레슐리의 기록은 얼마일까요?

식: **50초 - 4.38초**

```
    4 9 9 10
  5 0 . 0 0
- 4 . 3 8
  4 5 . 6 2
```

정답: **45.62초**

더 생각해 보아요!

주스 팩 1개에 1L의 주스가 담겨 있어요. 주스가 모두 몇 L 있을까요?

50L

96-97쪽

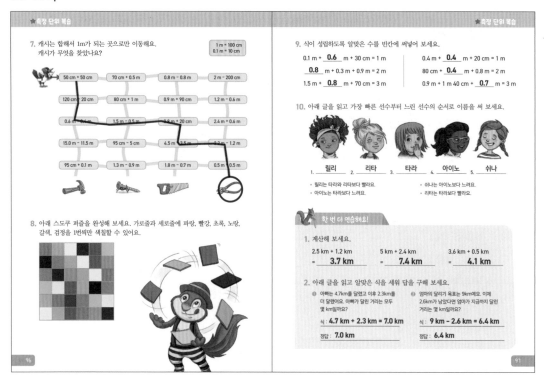

★측정 단위 복습

7. 캐시는 합해서 1m가 되는 곳으로만 이동해요. 캐시가 무엇을 찾았나요?

| 1 m = 100 cm |
| 0.1 m = 10 cm |

50 cm + 50 cm	70 cm + 0.5 m	0.8 m - 0.8 m	2 m - 200 cm
120 cm - 20 cm	80 cm + 1 m	0.9 m + 90 cm	1.2 m - 0.6 m
0.6 m + 0.4 m	1.5 m - 0.5 m	0.8 m + 20 cm	2.4 m - 0.6 m
15.0 m - 11.5 m	95 cm - 5 cm	4.5 m - 3.5 m	0.2 m - 1.2 m
95 cm + 0.1 m	1.3 m - 0.9 m	1.8 m - 0.7 m	0.5 m - 0.5 m

8. 아래 스도쿠 퍼즐을 완성해 보세요. 가로줄과 세로줄에 파랑, 빨강, 초록, 노랑, 갈색, 검정을 1번씩만 색칠할 수 있어요.

★측정 단위 복습

9. 식이 성립하도록 알맞은 수를 빈칸에 써넣어 보세요.

0.1 m + **0.6** m + 30 cm = 1 m
0.8 m + 0.3 m 0.9 m = 2 m
1.5 m + **0.8** m + 70 cm = 3 m

0.4 m + **0.4** m + 20 cm = 1 m
80 cm + **0.4** m + 0.8 m = 2 m
0.9 m + 1 m 40 cm + **0.7** m = 3 m

10. 아래 글을 읽고 가장 빠른 선수부터 느린 선수의 순서로 이름을 써 보세요.

| 1. 릴리 | 2. 리타 | 3. 타라 | 4. 아이노 | 5. 쉬나 |

• 릴리는 타라와 리타보다 빨라요.
• 아이노는 타라보다 느려요.

• 쉬나는 아이노보다 느려요.
• 리타는 타라보다 빨라요.

한 번 더 연습해요!

1. 계산해 보세요.

2.5 km + 1.2 km = **3.7 km**   5 km + 2.4 km = **7.4 km**   3.6 km + 0.5 km = **4.1 km**

2. 아래 글을 읽고 알맞은 식을 세워 답을 구해 보세요.

① 아빠는 4.7km를 달렸고 이후 2.3km를 더 달렸어요. 아빠가 달린 거리는 모두 몇 km일까요?
식 : **4.7 km + 2.3 km = 7.0 km**
정답 : **7.0 km**

② 엄마의 달리기 목표는 9km예요. 이제 2.6km가 남았다면 엄마가 지금까지 달린 거리는 몇 km일까요?
식 : **9 km - 2.6 km = 6.4 km**
정답 : **6.4 km**

98-99쪽

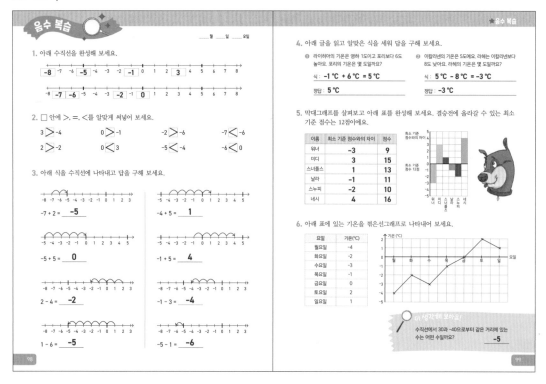

음수 복습
_____월 _____일 _____요일

1. 아래 수직선을 완성해 보세요.

-8 -7 **-6** -5 -4 -3 **-2** -1 0 1 2 **3** 4 5 6 7 8

-8 **-7** **-6** -5 -4 -3 **-2** **-1** 0 1 2 3 4 5 6 7 8

2. □ 안에 >, =, <를 알맞게 써넣어 보세요.

3 **>** -4   0 **>** -1   -2 **>** -6   -7 **<** -6
2 **>** -2   0 **<** 3   -5 **<** -4   -6 **<** 0

3. 아래 식을 수직선에 나타내고 답을 구해 보세요.

-7 + 2 = **-5**   -4 + 5 = **1**
-5 + 5 = **0**   -1 + 5 = **4**
2 - 4 = **-2**   -1 - 3 = **-4**
1 - 6 = **-5**   -5 - 1 = **-6**

4. 아래 글을 읽고 알맞은 식을 세워 답을 구해 보세요.

① 라이하야의 기온은 영하 1도이고 포리는 6도 높아요. 포리의 기온은 몇 도일까요?
식 : **-1 ℃ + 6 ℃ = 5 ℃**
정답 : **5 ℃**

② 이칼라넨의 기온은 5도예요. 라헤는 이칼라넨보다 8도 낮아요. 라헤의 기온은 몇 도일까요?
식 : **5 ℃ - 8 ℃ = -3 ℃**
정답 : **-3 ℃**

5. 막대그래프를 살펴보고 아래 표를 완성해 보세요. 결승전에 올라갈 수 있는 최소 기준 점수는 12점이에요.

이름	최소 기준 점수와의 차이	점수
워너	-3	9
미디	3	15
스너플스	1	13
날라	-1	11
스누피	-2	10
네시	4	16

6. 아래 표에 있는 기온을 꺾은선그래프로 나타내어 보세요.

요일	기온(℃)
월요일	-4
화요일	-2
수요일	-3
목요일	-1
금요일	0
토요일	2
일요일	1

더 생각해 보아요!
수직선에서 30과 -40으로부터 같은 거리에 있는 수는 어떤 수일까요?   **-5**

더 생각해 보아요! | 99쪽

30과 -40의 차는 70이에요. 두 수의 거리 중간 지점은 7[0]의 절반인 35이므로 답은 30고[?] -45에서 35만큼 떨어진 거[리]인 -5예요.

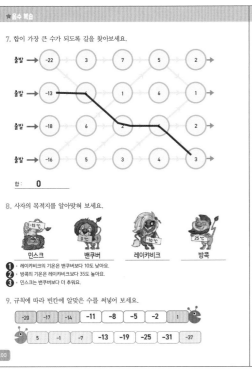

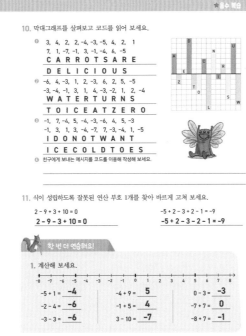

★ 음수 복습

7. 합이 가장 큰 수가 되도록 길을 찾아보세요.

출발 → -22   3   7   5   2 →
출발 → -13   1   1   6   1 →
출발 → -18   6   2   2 →
출발 → -16   5   3   4   3 →

합 : **0**

8. 사자의 목적지를 알아맞혀 보세요.

민스크   밴쿠버   레이캬비크   방콕

❶ 레이캬비크의 기온은 밴쿠버보다 10도 낮아요.
❷ 방콕의 기온은 레이캬비크보다 35도 높아요.
❸ 민스크는 밴쿠버보다 더 추워요.

9. 규칙에 따라 빈칸에 알맞은 수를 써넣어 보세요.

| -20 | -17 | -14 | -11 | -8 | -5 | -2 | 1 |

| 5 | -1 | -7 | -13 | -19 | -25 | -31 | -37 |

★ 음수 복습

10. 막대그래프를 살펴보고 코드를 읽어 보세요.

❶ 3, 4, 2, 2, -4, -3, -5, 4, 2, 1
7, 1, -7, -1, 3, -1, -4, 6, -5
C A R R O T S A R E
D E L I C I O U S

❷ -6, 4, -3, 1, 2, -3, 6, 2, 5, -5
-3, -4, -1, 3, 1, 4, -3, -2, 1, 2, -4
W A T E R T U R N S
T O I C E A T Z E R O

❸ -1, 7, -4, 5, -4, -3, 4, 5, -3
-1, 3, 1, 3, -4, -7, 7, -3, -4, 1, -5
I D O N O T W A N T
I C E C O L D T O E S

❹ 친구에게 보내는 메시지를 코드를 이용해 작성해 보세요.

11. 식이 성립하도록 잘못된 연산 부호 1개를 찾아 바르게 고쳐 보세요.

2 - 9 + 3 + 10 = 0   -5 + 2 - 3 + 2 - 1 = -9
2 - 9 - 3 + 10 = 0   **-5 + 2 - 3 - 2 - 1 = -9**

한 번 더 연습해요!

1. 계산해 보세요.

-5 + 1 = **-4**   -4 + 9 = **5**   0 - 3 = **-3**
-2 - 4 = **-6**   -1 + 5 = **4**   -7 + 7 = **0**
-3 - 3 = **-6**   3 - 10 = **-7**   -8 + 7 = **-1**

100쪽 8번

❶ 차가 10인 수는 0℃와 -10℃ 예요. 레이캬비크가 더 낮으므로 밴쿠버는 0℃, 레이캬비크는 -10℃
❷ -10℃+35℃=25℃
❸ 민스크는 밴쿠버보다 더 추우므로 -15℃

101쪽 10번

❶ CARROTS ARE DELICIOUS.
(당근은 맛있어요.)
❷ WATER TURNS TO ICE AT ZERO.
(물은 0℃에서 얼어요.)
❸ I DO NOT WANT ICE COLD TOES.
(내 발가락이 얼지 않길 바라요.)